JN036860

知念実希人

スフィアの死天使
天久鷹央の事件カルテ
完全版

実業之日本社

実業之日本社文庫

目次

スフィアの死天使

The Killer Angel Within

天久鷹央の事件カルテ

［完全版］

プロローグ

ここはどこだ？　男は周囲の状況を確認しようとする。しかし、頭はピクリとも動かなかった。自分が立っているか寝ているかもはっきりしない。まるで温かい液体の中に漂っているかのような感覚が全身を包みこんでいた。

『……キコエテイルカ？』

唐突に声が聞こえて来る。頭の中に直接響くような声。

なにが起こっているんだ？　不安にさいなまれながら、男はなぜ自分がこんな状態になっているのか記憶をさぐる。しかし、なにも思い出せなかった。

唐突に視界に影が入ってくる。男は動かない喉のかわりに内心で悲鳴を上げた。すぐそばにいる『それ』は、明らかに人間ではなかった。

数メートルはありそうな長身、その頭部は磨き上げた水晶のように滑らかで、そこには目も鼻も口もなかった。皮膚は透き通るように蒼《あお》く、その表面には絶えず波紋が走っている。

『ナニモ　コワガルコトハナイ　アンシン　スルンダ』

柔らかい声が言う。皮膚から体の奥へと染み入るような声。恐怖で冷たく固まった心に温かい炎が灯《とも》った。

男は戸惑う。なんでこんな化け物を前にして、心が穏やかになっているんだ？　いったい、こいつはなんなんだ？

『ワタシハ　ウチュウジンダ』

まるで思考を読んだかのように、『それ』は言う。

……ああ、そうなのか。『宇宙人』。あまりにも陳腐に響くその言葉を、普段なら笑い飛ばしていただろう。しかし、なぜかいまは素直に受け入れることができた。

『コワガラナクテイイ』

宇宙人の優しい言葉が男を包み込む。しかし言われるまでもなく、もはや恐怖は微《み》塵《じん》も感じていなかった。胸の中がほのかに温かい。

宇宙人が手を振る。それと同時に男の体が頭側に滑るように移動しはじめた。

男は目を動かし進行方向へと視線を向ける。そこには虹が舞い踊り、その中心に美しい光を放つ半球状の物体があった。それは、巨大な椀《わん》のようだった。

その半球状の物体には無数の穴が空き、一つ一つの穴から煌《きら》めく七色の光があふれ出していた。次の瞬間、がたんという音が響き、体が停止する。

『キミハ　アタラシイセカイニ　イク　キョウフモ　クツウモナイ　セカイ　モウ　クルシムコトハナイ　モウ　ジブンニ　クルシメラレル　コトハナイ』

そうなんだ。もう苦しまなくていいんだ。男は心から安堵《あんど》する。

幼少の頃に両親が離婚し、親の愛情というものを知ることなく育った。やりどころのない怒りを、まわりに向けて発散しながら生きてきた。自分を取りまくすべてを破壊してしまいたいという衝動が、常に胸中に巣くっていた。そして、そんな獣を胸に飼う『自分』を嫌悪し、恐れていた。

ああ、やっと楽になれるんだ。男は瞼《まぶた》を落とし体の力を抜く。幸せに包まれながら、男はゆっくりと削り取られるように『自分』が消えていく感覚を味わい続けた。

第一章　邂逅《かいこう》

1

目の前にそびえ立つ十階建ての巨大な建物を見上げながら、僕は曲がったネクタイを直す。天医会《てんいかい》総合病院。東京都東久留米《ひがしくるめ》市の住宅街に建つこの約六百床の総合病院こそが僕、小鳥遊《たかなし》優《ゆう》の新しい職場だ。

両手で頬を張って気合いを入れると、正面入り口に向かって大股で歩き出す。自動ドアをくぐって入ったフロアは、まだ診察開始まで一時間近くあるというのに、外来を受診しに来た人々で活気づいていた。僕は正面にある総合受付に近づくと、そこにいる受付嬢に「すいません」と声をかける。

「はい、初診でしょうか？」受付嬢は笑顔を崩すことなく返事をする。

「あ、いえ、患者じゃないんです。本日からこちらの病院で勤務する医師で、小鳥遊と申します。統括診断部です」

「とーかつ……しんだん、ですか？」

受付嬢の顔から営業スマイルが剝ぎ取られ、困惑が浮かぶ。「えっと……少々お待ち下さい」とつぶやくと、彼女は隣に座る受付嬢と小声で話しはじめる。

「ねえ、なんか『とーかつしんだん』って、そんなのあったっけ？」

「あれだよ。屋上にいる、座敷童《ざしきわらし》みたいなドクターの」

「え、あそこってまたドクター代わったの？　やばくない？」

座敷童？　戸惑う僕に向けて、受付嬢は再び営業スマイルを浮かべる。

「お待たせしました。事務長をお呼びしますので、そちらのベンチでお待ち下さい」

僕は「はあ……」と、ベンチに腰かける。

思うところあって、医師になってから五年間こころざした外科医の道を捨て、今年の四月から内科医としての新たな道を進みはじめた。三ヶ月間、大学で基本的な内科医としての研修を受けたのち、今日からこの天医会総合病院の統括診断部に出向することになっているのだが、なにやら雲行きが怪しい。大丈夫だろうか……？

かすかな不安をおぼえたとき、視線が吸いつけられた。長く伸びる廊下の奥から、こちら側に歩いてくる女性に。

シックなパンツスーツに包まれたほっそりとした長身、すっと通った鼻筋、切れ長の目、光沢のある長い漆黒の髪。遠目でもはっと息を呑《の》んでしまうほどの魅力が、その全身からにじみ出ていた。年齢は僕と同じぐらいだろうか？

口を半開きにしてその女性を見つめていた僕は、我に返って視線を下げる。これから病院の事務長に会うというのに、女性に見とれている場合じゃない。反省しながら床を見つめていると、視界に黒いハイヒールが飛び込んできた。

「あの……」涼やかな声が頭上から降ってくる。

顔を上げると、さっきの美女が蕩《とろ》けるような笑みを浮かべていた。

「はい、なんでしょう！」僕は勢いよく立ち上がる。

「小鳥遊優先生ですね」

「は、はい」僕は戸惑いながらうなずく。なんで僕の名前を？

彼女は優雅に会釈をした。長い黒髪が揺れ、バラのような香りが鼻をかすめる。

「当院の事務長を務めております天久真鶴《あめくまづる》と申します。よろしくお願いいたします」

僕は「え？」と呆《ほう》けた声をあげてしまう。中年男性が務めることの多い『事務長』のイメージと、目の前の女性がうまく結びつかなかった。

「お待たせして申しわけございませんでした。医局にご案内させていただきます」

真鶴は微笑《ほほえ》むと、ゆっくり廊下を歩きはじめた。僕はあわててその横に並ぶ。

「あの……、それにしても大きな病院ですね。まだ新しいんですか？」

「ええ、父が院長をしていた十年ほど前に建て替えて、いまの形になりました」

「お父様が……」

「この病院は昔、私の祖父が小さな個人病院として開いたものなんです」

ああ、なるほど。だから真鶴はこの若さで事務長をやっているのか。

「事務長が私みたいに頼りない女でびっくりされましたよね」

真鶴の笑みに少々小悪魔的な雰囲気が混じる。その表情はこの上なく魅力的だった。

「いえ、そんなこと……。年齢なんて関係ないじゃないですか」

「ありがとうございます」真鶴は微笑んだまま、かすかにあごを引いた。

「それにしても、設備の方もかなり整っているみたいですね」

僕はとびきりの美人の隣にいる緊張をごまかすために、口を動かし続ける。

「ええ、MRI、マルチスライスCT、ガンマナイフ、PETまで備えています」

少々得意げに言った真鶴は僕とエレベーターに乗りこむ。扉が閉まると真鶴は最上階である『10』のボタンを押した。

「あれ、医局は一番上の階にあるんですか?」

「いえ、一般の医局は三階にあるんですが……。あの、統括診断部の部長のことは、どれくらいご存じですか?」

「お名前はうかがっています。天久鷹央《たかお》先生ですよね。たしかこの病院の副院長も務めていらっしゃるとか……」

そこまで言ったところで僕は気づく。なるほど、医局ではなく副院長室が最上階にあるのか。『天久鷹央』、よく考えれば真鶴と同じ名字だ。副院長もこの病院の創設者の家系、真鶴の血縁者にちがいない。

「一昨年《おととし》、父が院長を退職して理事長になった際、鷹央が副院長に指名されました。若いので反対も多かったのですが、最終的には父の鶴の一声で決まり、同時に『統括診断部』という新しい診療部を作り、鷹央を部長に据えることも決まりました」

ドアが開き、エレベーターを降りる。そこはごく普通の病棟だった。数メートル先にナースステーションがあり、看護師たちが朝の申し送りを行っていた。真鶴は「こちらです」とエレベーターホールのわきにある幅の広い階段をのぼりはじめる。

「あの、まづ……天久事務長」

「真鶴でかまいませんよ。この病院には他にも『天久』がいますので」

真鶴は振り返って僕を見ると、柔らかく微笑みかけてきた。

「あ……えっと、それじゃあ真鶴さん。あの、どこに向かっているんでしょう?」

「屋上です」

なぜ屋上に? 首をひねる僕を尻目に、真鶴は階段を上って行く。途中、踊り場で折り返して階段を上りきると、真鶴はそこにある重々しい鉄製の扉を開いた。外から日の光が差し込んでくる。真鶴の後を追って屋上へと出た僕は目をしばたたいた。

広々とした屋上、そこに〝家〟が建っていた。赤レンガ造りの〝家〟。玄関には重厚なアンティーク調の扉がはめ込まれ、玄関前にある三段の石段のまわりには、色とりどりの花が咲くプランターが敷き詰められ花壇のようになっていた。

「あれが副院長室です」

「副院長室⁉」僕は耳を疑う。「副院長先生はここに住んでいるんですか？」

「はい、この〝家〟で生活しています。病院の外にはほとんど出ません」

病院に住み着いて、ほとんど外に出ない？　意味が分からない。

「あの、小鳥遊先生」

「あ……、なんでしょうか？」

「鷹央はかなり、なんというか……変わった性格をしています。これまで何人もこの統括診断部にドクターが派遣されてきましたが、全員が鷹央とそりが合わず、すぐに大学に戻ってしまいました。多分、小鳥遊先生も最初は驚いたり、腹が立ったりすると思います。ただ、鷹央には悪気はないんです。それだけはご理解下さい」

「はい、心配なさらないで下さい」

僕は頷《うなず》きつつ、この病院へ僕を派遣した教授から言われた言葉を思い出していた。

「今度、君の上司になる人はかなり変わった人で、もしかしたらすぐに嫌になるかもしれない。どうしても我慢できなければ、二ヶ月で大学に戻ってきてもかまわないから。あちらとは、そういう約束で派遣を決めてあるからね。けれど、あの先生と一緒に頑張れたら、たぶん君にとって、とっても貴重な経験になると思うよ」

突然外科医局を辞め、内科医になりたいと無茶を言って押しかけた僕を快く受け入れてくれた教授。恩あるその教授に僕は絶対の信頼をおいていた。

僕は決意を固める。新しい上司からどれほど理不尽な扱いを受けようとも、この天医会総合病院の統括診断部で頑張って行くことを。外科系初期臨床研修の二年間と、後期外科研修の三年間の計五年間、少しでもミスをすれば容赦なく拳がとんでくるような外科の世界で生きてきた。内科医のいびりぐらい簡単に耐えられるはずだ。

「それでは、どうぞ中に入って下さい。この時間なら鍵は開いています」

「え？　真鶴さんは入らないんですか？」

「ええ、初対面の人と会う時は、鷹央は他に人がいるのを嫌がるんです」

僕は「はあ」と曖昧にうなずいた。天久鷹央という男は相当変わった人物らしい。

「あの、小鳥遊先生、……あの子をお願いします」

あの子？　聞き間違いだろうか？　短い石段を上がった僕は玄関扉を三度ノックする。返事はなかった。僕はそっとノブを回して扉を開く。

「……失礼します」

　部屋へと入った僕はその場で立ち尽くす。電灯は灯っておらず、カーテンのすき間から入りこんでくる日の光だけがうっすらとその異様な室内を照らし出していた。『本の森』。それが最初の印象だった。テニスコートほどはある広い部屋には、いたるところに本が積み上げられていた。小学生の背丈ほどのものさえある。

　呆然《ぼうぜん》としながら、部屋を見回す。部屋の中心には巨大なグランドピアノが鎮座し、その上にも本が小山のように積み上げられている。

　ここはいったい？　僕は無数の本の背表紙を眺めていく。

　医学雑誌、ミステリー小説、国語辞典、マンガ、生物図鑑、純文学小説、英語の手術書……。まちがって倉庫にでも案内されたのではないか？　一瞬そんな考えが頭をかすめるが、真鶴が身内である副院長の部屋を間違えるはずもない。

　僕は部屋の主をさがして視線を動かす。乱立する〝本の樹《き》〟のせいで、部屋には死角が多い。部屋の隅には机があった。その上には本は置かれておらず、そのかわりに巨大なディスプレイが三つ、三面鏡のように並べられていた。

　ふと鼻腔《びくう》を刺激臭がかすめる。なにやら食欲を刺激するスパイシーな香り。

　カレー？　僕がそう思った時、グランドピアノの奥、カーテンが閉められた窓の下でなにかが動いた。僕は背伸びをしてグランドピアノ越しにそちらを見る。ピアノの上に生えた本の樹のすき間から、ソファーに横になる人影が見えた。

僕はおずおずとグランドピアノを迂回《うかい》してソファーに近づいて行く。ソファーの上にいる人物が見えてくると同時に、鼻のつけ根にしわが寄った。

ソファーの上に寝そべっていたのは小柄な少女だった。

手術時に外科医が身につける若草色の手術着の上下を着込んだ華奢《きゃしゃ》な少女が、ソファーに腹ばいになり分厚い本を読んでいる。薄暗いのでその顔ははっきりとは見えなかったが、おそらく高校生ぐらいの年齢だろう。

「誰だ?」本から視線を外すことなく、少女は独り言のようにつぶやいた。

「え、いや……。ここは天久鷹央先生の部屋だって聞いたんだけど……」

「そうだよ。ここは天久鷹央の部屋だ」少女は抑揚のない口調で言う。

「あの、それで先生は」

「先生ってだれのことだ?」少女は手に持っていた本をわきに置いて体を起こした。

「誰って、だから天久鷹央先生……」

「天久鷹央なら目の前にいるじゃないか」少女はソファーの上であぐらをかく。

「え?」僕は周囲を見回す。しかし、巨大な壁掛けの液晶テレビと高級感のある古いオーディオセットが見つかっただけで、やはりこの少女の他に誰も見あたらない。

「いや、見つからないんだけど」

「目、悪いのか?」

「いや別に悪くないよ。両目とも裸眼で一・二あるから……」

「それじゃあ頭が悪いんだな」

少女は軽くウェーブのかかった長い黒髪を掻《か》き上げると、絶句する僕の目を真っ直《ます》ぐにのぞき込んできた。それは目を合わせるというより『ガンを飛ばす』という感じだった。その視線の圧力に圧倒されながら、僕は少女の顔を観察する。

それほど高くはないが形のいい鼻と薄い唇、ネコのような二重《ふたえ》の大きな目。少女には真鶴の面影があった。しかし、にらみつけるような目つきと人形を彷彿《ほうふつ》とさせる無表情のせいか、真鶴とは対照的に人をはねつけるような雰囲気をかもし出している。

「だからさ、私だよ」少女は頭をぼりぼりと掻いた。

「はぁ？」

「なんだよ、聞こえなかったのか？　私が鷹央。お前が探している天久鷹央だ」

この少女が天久鷹央？　新しい上司？　その意味がうまく脳に浸透していかない。

「いや、どう見ても、まだ医者になるような年齢じゃ……」

「二十七歳だ……」彼女は地の底から響くような声で言う。「私は二十七歳のれっきとしたレディだ」

この子が二十七歳？　僕と二歳しか年齢が違わないっていうのか？　けれど……。

「けれど二十七歳じゃあ、まだ研修終わって……」

「一年と九十四日」

僕の言葉にかぶせるように、僕の上司になるらしい女性、天久鷹央はつぶやいた。

「でも、研修が終わってたった一年なのに、なんで部長に？」

「どういう意味だ？　部長になるのに、何歳以上って決まりがあるのか？」

「いや、それは詳しく知らないけど、普通は……」

「普通？　普通ってどういうことだ？　平均値のことを言っているのか？　それならこの病院のすべての科の部長の年齢の平均値は四十九・三歳、中央値は……」

「いや、そういう意味じゃなくて」

僕は思わず鷹央の言葉を遮る。その瞬間、鷹央は大きな目を不機嫌そうに細めた。

「まどろっこしいな。なにが言いたいんだ？　そもそもお前、誰なんだよ？」

少女は、天久鷹央は早口にまくし立てる。

「あ、僕は今日から統括診断部でお世話になる者です。よろしくお願いします」

僕は深々と頭を下げた。年下とはいえ、目の前の女性はどうやら僕の上司に当たるらしい。学ばせてもらう立場として、礼節はしっかり守らなければ。

「世話になる？　それって統括診断部で働くってことか？」

「ええ、まあ……そういうことです」僕はあいまいにうなずく。

鷹央は「ふーん」と、じろじろと僕の全身を舐《な》め回すように見ていく。

「……なんですか」無遠慮な視線にたじろいでしまう。

「お前さ、独身で恋人もいないだろ？　あと、この一年以内に恋人と別れたな」

初対面の相手に放つにはプライバシーに踏み込みすぎた発言に、僕は頰の筋肉を引きつらせる。しかし、鷹央は僕の態度など気にすることなくしゃべり続けた。

「お前のシャツのえり、かすかに染みがついている。前回使用してから洗っていない証拠だ。そしてそのスーツ。夏に着るものにしては生地が厚すぎる。冬物か春物だろう。医者はスーツを着る機会が少ないからな、どーせ一枚のスーツを必要な日にだけ着回しているんだろ。もしお前が結婚しているか、それに近い恋人がいたら、少なくとも染みのついたシャツぐらいは換えさせるはずだ。女は身なりにうるさいからな。だからお前が独身で、恋人もいないと思ったんだ。間違っていたか？　それとも身なりを気にしない、おおざっぱな妻でもいるのか？」

それまで無表情だった顔が好奇心で輝いていた。おそらく自分の推理が当たっているかどうか、わくわくしているのだろう。いったいなんなんだ、この人は？

「……たしかに独り身ですよ。でも、この一年で恋人と別れたっていうのは？」

「そのネクタイだ」鷹央はビシリと僕の胸元を指さした。「スーツは安物なのに、ネクタイだけ高級ブランド製だ。ということは、そのネクタイはプレゼントされた可能性が高い。そんな値の張るネクタイをプレゼントするのは恋人のことが多い」

図星を指され、僕は眉間にしわを寄せる。

「……別れた彼女からもらいました。けど、なんで最近別れたって？」

「簡単だ。そのタイプのネクタイが発売されたのがちょうど去年の今頃だったからだよ。つまりお前が恋人と別れたのはこの一年以内だ。違うか？」

鷹央は左手の人差し指をぴょこんと立てる。すべて彼女の言う通りだった。去年このネクタイをプレゼントしてくれた恋人とは、今年の初めに別れている。

「全部そのとおりですよ。他にも僕について気づいたこととかあるんですか？」

「そうだな、色々あるぞ。お前の手の甲、中指と人差し指の付け根に特徴的なタコがある。それは格闘技、特に空手家に多いものだ。そのうすらでかくて無駄に筋肉のついた体も、お前が空手をやっていることをうかがわせる。どうだ？」

指摘通り、大学時代の六年間、空手部に所属し稽古に明け暮れた。いまも時々、稽古に参加させてもらっている。

頬を引きつらせながら「……正解です」と答えると、得意げにあごを軽くそらせていた鷹央が、急速にもとのどこか不機嫌そうな無表情にもどっていく。

「名前は？」

「はい？」

「名前だよ、名前。お前の名前、なんていうんだ？」

「小鳥遊です。小鳥遊優」

「たかなし……たかなし、たかなし。高い梨？」

「いえ、小鳥が……」

「え、小鳥が遊んでいる〝たかなし〟？」鷹央の目がキラリと輝いた。

「はい、そうですけど……」

「小鳥が遊んでいられるイコール鷹《たか》がいないって……、なんだよそれ、馬鹿《ばか》みたいだな。鷹がいなくても鷲《わし》がいるかもしれないし……カラスがいるかもしれないじゃないか。それに天気が悪くても小鳥は遊べない……」

憮然《ぶぜん》としている僕の前で、鷹央は腹を抱えて笑いだした。何がそこまで面白いのか全く理解できない。笑いの発作が治まると、鷹央は息を乱しながら僕を見る。

「けどさ、ここじゃお前、小鳥遊じゃいられないだろ」

「はい？」なんのことだ？

「だってさ、私、鷹だよ、鷹央。ここは〝鷹有り〟だ。それじゃあ小鳥は遊んでいられないだろ。そうだよ、ここじゃお前、小鳥遊じゃなくて、単なる〝小鳥《ことり》〟だな」

歌うようにリズムをつけてしゃべり続ける鷹央に、僕はあっけにとられる。脳裏を真鶴や教授に言われた『ちょっと変わっている』という言葉がかすめる。

ちょっとどころの騒ぎじゃないぞ、これは。

ひとしきり笑い終えた鷹央は、また急速に真顔にもどる。

「それで、小鳥はなにしに来たんだ？」

呼び名は〝小鳥〟で決定なのか？

「いえ、ですから、赴任してきましたのでご挨拶をと思って……」

「はじめまして。天久鷹央です」「あ、はい。はじめまして」

突然、鷹央は深々と頭を下げた。つられて僕まで頭を下げてしまう。

「挨拶は終わったぞ。ほかに用事がないならもういいだろ」

「いや、あの。そういう意味じゃなくて、仕事の説明なんかを……。病棟で受け持つ入院患者さんに紹介してもらったり……」

「入院患者なんていないぞ」鷹央はあっさりと言い放った。

「え？　いない⁉　どういうことですか？」

「だから、統括診断部は入院患者の担当にならないんだよ。私がするのは患者の診断だけ、治療には関与しない」

「えっ、それじゃあ仕事ってなにをするんですか？」

「回診と、週に二回の外来、あとは他科からの相談をうけたりするだけだな」

「そんな……」めまいがしてくる。心機一転し内科医になったというのに、内科の基礎たる病棟管理を学べないなんて……。

「火曜と木曜が外来だ。外来は九時にスタート。明日の八時五十五分までに十階のエレベーターホールの脇にある統括診断部の外来に来い。今日はお前に仕事はないぞ」

絶句している僕を尻目に鷹央は再びソファーの上に腹ばいになり、本を手にとる。

「あの、ちょっと待って下さい」

鷹央は「なんだ？」とつぶやきながら、不思議そうに僕を見る。

「僕は今日、なにをすればいいんですか？　それに僕のデスクはどこに？」

「やることなければ帰ればいいじゃないか。小鳥のデスク？　それならあそこだよ」

鷹央は手を伸ばし、閉じられていたカーテンをわずかに開く。

「……うそだろ」喉から思わずうめき声がこぼれ出した。

この〝家〟の裏手、屋上の入り口からは死角になっていた場所に、古ぼけた小さなプレハブ小屋がぽつりと寂しそうに建っていた。

2

「でね、私たちは本当に竹槍《たけやり》でアメリカの戦闘機を墜《お》とせると思っていたんですよ」

僕は「はあ……」と、相づちともため息とも取れない言葉を吐き出した。しかし、目の前の老婦人はそんな僕の態度を気にすることもなくしゃべり続ける。

「そんなことできるわけもないのに、竹槍で飛行機をつく練習まで……」

老婦人は天井を見上げる。その目には戦時中の光景が映っているのだろう。彼女は三十分以上、幼少時の思い出を語り続けている。天医会総合病院に赴任して二日目の今日、僕はこうして外来でひたすら患者の話を右から左に聞き流していた。

この統括診断部は、他科では診断がつかないような複雑な病状の患者たちを診る科だと聞いていた。複雑怪奇な症状を呈する患者の疾患を、診察や検査を重ねて暴いていく。そんな外来を期待していた。だけど現実は甘くなかった。

たしかに、ここの外来の患者は難しい患者ばかりだった。疾患的な意味合いではなく、キャラクター的な意味で……。各外来で理不尽なクレームを並べ立てたり、診療に関係ない話を延々と続ける人々が送り込まれてきているのだろう。

「それでね、先生、聞いて下さいよ。B29がね……」

終わりの見えない老婦人の話に、僕はもはや精神的な疲労で倒れ込みそうだった。

「おわりだ」急に背後から声が上がる。上司である天久鷹央の声。

見ると、外来の奥に置かれた衝立《ついたて》から鷹央が出てきていた。

老婦人は「はい？」とつぶやきながら、不思議そうに首をかしげた。

「だから終わりだよ。十一時十五分。もう診察終了時間だ」

鷹央の言うとおり、時計の針は十一時十五分、診察の終了時間をしめしていた。

この統括診断部の外来は特殊で、半日で四人のみしか予約を受け付けていない。一人につき四十分という、普通なら考えられないほどの診察時間を確保し、その時間が来たら話が途中でも、鷹央が抑揚のない声で診察の終了を告げて患者を追い出すのだ。

「え、でも……」

「最初に終了時間は言っていただろ。お前だけ特別扱いできない。だからおしまい」

患者に対して『お前』って……。助けを求めるように老婦人が視線を送ってくるが、僕にはどうしようもなかった。鷹央はまがりなりにも僕の上司で、そして診察時間が四十分であることは、たしかに一番最初に伝えてあるのだ。

「本当にすみません。お話とても楽しかったんですが、次の患者さんをあまりお待たせするわけにも行かないので……。けれどお話聞けてよかったです」

僕は必死にこの場を取りつくろう。

「……そうですか。あら本当、いつの間にかこんなに話していたのね。それじゃあ失礼します。私も先生とお話しできてよかったですよ」

僕はほとんど口を開いていないはずだけど……。笑顔を浮かべた老婦人は席を立ち深々とお辞儀をすると、診察室から出ていった。四十分の苦行から解放され、僕は大きく息をつく。結局、最後まであの老婦人が体の不調を訴えることはなかった。

「小鳥は変わっているな」

「なにがですか？」

振り向くと、すぐ背後に若草色の手術着の上にサイズの合っていないだぼだぼの白衣を羽織った鷹央が立っていた。

「あの女の話が面白かったなんてさ。私は全然面白くなかった」

「面白かったわけないでしょ」

「だって最後、『お話聞けてよかったです』って言っていたじゃないか」

「社交辞令に決まっているじゃないですか」

「ああ、社交辞令……。なるほど、社交辞令か……」

鷹央は独りごちながら大きくうなずく。なんなんだ、この人は……？

統括診断部の外来は、十階病棟にある外来用に改装された八畳ほどの部屋で行われていた。ここでの僕の仕事といえば、患者の話にただ相槌《あいづち》をうつことだけだった。これまでにこの外来に来た三人の患者は全員、僕というはけ口に向けて四十分間ひたすらにグチをぶちまけて帰って行った。その間、統括診断部部長である鷹央がなにをしていたかというと、なにもしていなかった。部屋の一番奥まった窓のそばに衝立を置き、その後ろに隠れて本を読み続けていたのだ。まったく意味が分からない。

鷹央は「次の患者を呼ぶ時間だぞ」と言い残して、再び衝立の後ろに姿を消した。

僕は大きくため息を吐くと、ディスプレイに表示された次の患者の名前を見る。あと一人でとりあえず午前の外来は終わりだ。もう一頑張りするとしよう。

「田宮淳子《たみやあつこ》さん。中にお入り下さい」

僕が声を張ると、すぐにがちゃりとノブが回され、勢いよく扉が開いた。

「ここなら証言してくれるのね！」

体格のよい、というか体に大量の脂肪を蓄えた中年の女が部屋に飛び込んできた。

「ここに回されたってことは、あなたなら証言してくれるってことなんでしょ！」

「あ、あの、すいません。まずはお座り下さい。時間は十分にありますんで」

僕は必死に女をなだめる。彼女は舌打ちをすると、しぶしぶと患者用の席に座った。

「えっとですね。……少々お待ち下さい」

僕は電子カルテのディスプレイをのぞき込む。ディスプレイに表示されたその内容を見て、僕は一瞬めまいを感じた。

『近所の診療所で投薬治療中の母親が医療過誤に遭い、訴訟を検討しているとのこと。訴訟用の診断書と裁判での証言を求めて、外来で大声で騒ぎ続ける。統括診断部へ』

なにが『統括診断部へ』だ。面倒な患者を丸投げしやがったな。

「えっと、お母様の件ですよね。お母様は今日はいらっしゃっていないんですか？」

「来れるわけないでしょ！」女は勢いよく立ち上がる。「医者に殺されたんだから」

「亡くなられたんですか？」

「母は死んでなんていません！　失礼なこと言わないで！」

自分で「殺された」って言ったんじゃないか……。

「母はコレステロールが高くて、昔から近所のヤブ医者のところで薬をもらっていました。そうしたら、三ヶ月ぐらい前から母が『体が痛い』って言いだしたんです。最初は年だからだと思っていました。けれどどんどん悪くなって……。整形外科でレントゲンとか撮ったんだけど異常はなかったんです。そのことをあのヤブ医者にも言っていたんですけど、あいつは採血とかして『老化だと思う』って言うだけで……」

女は悔しそうに唇を噛《か》む。

「母の病状はどんどん悪くなってきました。『痛い痛い』って叫んで、いまじゃあ寝返りうつのも痛がっているんですよ。体はやせ細って……見ていられない……」

女は両手で顔を覆って、肩を震わせはじめる。なぐさめの言葉をかけようとした瞬間、女は顔をはね上げた。憎悪でゆがんだその形相に、思わず仰《の》け反《ぞ》ってしまう。

「もう私しか助けられないって思って、ネットで調べたんです。そうしたらすぐに分かりました。母はコレステロールの薬の副作用であんなになったんです！」

ああ、スタチンによる横紋筋融解症《おうもんきんゆうかいしょう》のことか。僕は小さくあごを引く。

スタチンと呼ばれる高脂血症の薬は一般的に安全性も高く、コレステロール降下作用も強い優れた薬だが、ごく稀《まれ》に『横紋筋融解症』という骨格筋が壊死《えし》を起こす副作って生じたミオグロビンによって腎臓が障害され腎不全を引き起こすこともある。

用が生じる。その副作用が起こった患者には筋力低下や疼痛《とうつう》が生じ、筋肉の崩壊によ

「あのヤブ医者に抗議に行ったら『副作用じゃない』って開き直って」

女性の口からぎりりと歯ぎしりの音が響いた。

「ミスを認めないって言うなら、訴えるしかないんです。絶対にあいつに思い知らせてやる。あいつの医師免許を剝奪して、慰謝料をしぼり取ってやる！」

女は数枚の紙の束を突き出してくる。

「ほら、これが整形外科で採血した時の血液データ。医者ならこれを見て副作用だって分かるでしょ。そうしたら私の弁護士に会って、今後の訴訟の予定を……」

「ちょ、ちょっと待って下さい。えっと……、とりあえず拝見します」

僕はあわてて女性の手から資料を受け取ると、手渡された検査結果に視線を這《は》わせていく。まず最初に目についたのは腎機能障害だった。腎障害の指標である尿素窒素、クレアチニンともに高く、そして時間が経つにつれ着実に腎機能が悪化している。

次に炎症所見が気になった。ＣＲＰという炎症の強さをあらわす指標がかなり上昇している。横紋筋融解症でこんなに強い炎症って起こるんだっけ？

記憶をさらいつつ、他の数値も目を皿にして眺めていく。軽い貧血が見られるが、おそらく炎症性の貧血だろう。主治医は膠原病《こうげんびょう》も疑ったらしく、それらの検査もして

いるが、値は全て正常だった。たしかに横紋筋融解症でもおかしくない気もする。

えっと、こういう場合はどうすればいいんだ？

患者もおらず、情報は娘からの（おそらくは思い込みに満ちた）話と血液検査の結果だけ。この状況でどうしろって言うんだ？　背中を冷たい汗が伝う。

「……クレアチンホスホキナーゼ」

唐突に背後から声が上がる。振り向くと、いつの間にか鷹央が後ろに立っていた。

「クレアチンホスホキナーゼだ。CPKは上がっているのか？」

くり返し鷹央に言われ、僕は「あ、はい」とあわてて検査表のクレアチンホスホキナーゼをあらわす『CPK』の項目を探す。そうだ、本当に横紋筋融解症が起こっていたら、筋細胞に含まれるクレアチンホスホキナーゼと呼ばれる物質が血中に流れ出しデータに表れるはずだ。僕はせわしなく紙をめくり、検査結果を確認していく。

「上がってたか？」

「いえ……上がっていませんでした。……三回とも正常値です」

興味なさげに訊《たず》ねてくる鷹央に僕は小声で答えた。

「なに、なんなのその『くらちん』なんとかって？」女がいらだたしげに体を揺する。

「あの……横紋筋融解症ではないです」

僕が首をすくめながらおずおずと告げた瞬間、女の目が三角形につり上がった。

「なんですって！　どういうことよ！」

「筋肉が壊れた際に出る物質が三回とも正常値です。筋肉の壊死は起きていません」

般若のような表情に圧倒される僕の鼻先に、女は指を突きつけてきた。

「あのヤブもそんなこと言ってたわよ！　分かった、医者だから仲間同士かばいあうっていうわけね。いいわよ、あんたのことも訴えて……」

「うるさい」

低く押し殺した声が診察室の空気を揺らす。僕は呆然とその声の発生源を見る。両手を腰に当てて電子カルテのディスプレイを覗《のぞ》き込んでいる鷹央を。

「騒がしいから口を閉じてろ」鷹央は女に向かって言い放つ。

「な、なによあんた！　看護師は引っ込んでなさいよ！」

案の定、鷹央の態度に激高したのか、女はつばを飛ばしながら怒鳴りはじめた。

「いえ、あの、彼女は看護師ではなく医師で、統括診断部の部長です」

「部長？　……この子が？」

虚をつかれたのか女性は真顔になる。それはそうだ。ぱっと見は女子高生のような鷹央が診療部長だと言われても、そう簡単に信じられるわけもない。

「検査結果を見せろ」鷹央が手を差し出してくる。

僕が慌てて検査結果を手渡すと、鷹央は無言でそれに目を通していった。数十秒後、彼女はぼそりとつぶやく。

「……リウマチ性多発筋痛症《たはつきんつうしょう》」

「は？　なんて言ったの、あんた？」女性がいぶかしげに目を細める。

「これはスタチンの副作用じゃない。主治医の判断は間違ってない」

「なに言ってるの、ちゃんとネットには……」

くってかかろうとした瞬間、女は鷹央の鋭い視線に射《い》貫《ぬ》かれ口をつぐんだ。

「筋肉痛を生じる疾患はいくらでもある。お前はその中で症状が当てはまるものの一つを偶然見つけて、正しいと思い込んだだけだ。そして、自分に都合のいい情報だけを信じて、思い込みを強化していった。ネットにだって横紋筋融解症ではクレアチンホスホキナーゼが上昇するって書いてあったはずだ。それなのにお前はそこを無視して、筋肉痛、スタチン、腎不全などの都合のいいところだけを信じた。素人《しろうと》がへたにネットにあふれる大量の情報に触れると、そういうことが起こる」

たしかにそれは正しいのだろう。しかし言い方っていうものがある。そんな態度では、すでに燃えさかっているこの女の怒りにガソリンを注ぐようなものだった。

「適当なこと言うんじゃないわよ！　あのヤブをかばおうとしているんでしょ！」

「なんで私が、こんな簡単な疾患を見抜けなかった馬鹿をかばうんだ？」

鷹央はまったく動じることなく言い放った。女がわずかに怯《ひる》む。

「私はその医者の知り合いでもなんでもない。単なる他人だ。そんな奴をかばう義理なんて無い。副作用が原因じゃないと言ったのは、たんにそれが事実だからだ」

「……じゃ、じゃあ、なにが原因だって言うのよ？」

「だからリウマチ性多発筋痛症だよ」

リウマチ性多発筋痛症。学生時代に勉強した覚えがある。しかし医師になってから一度も経験したことのない症例、記憶は風化しきっていた。

「なによ……それ？」

「リウマチ性多発筋痛症。自己免疫疾患の一種だ。六十代以上が好発年齢で男女比は一対二程度で女性に多い。体幹や近位筋優位の筋肉のこわばり、自発痛や把握痛が認められる。検査データとしては、ＣＲＰの上昇、赤沈《せきちん》の亢進《こうしん》が見られるが、抗核抗体やリウマチ因子は陰性となる。高率に側頭動脈炎を合併するので……」

鷹央は参考書を読み上げているかのように、平板な口調で知識を羅列していく。説明を聞いて、脳の奥で埃《ほこり》をかぶっていた知識が呼び起こされた。ああそうだ、そんな疾患だった。記憶が蘇《よみがえ》ると同時に疑問が頭をかすめ、僕は小声で質問する。

「あの、リウマチ性多発筋痛症って、腎障害は起きましたっけ？」

「腎障害なんて引き起こさないぞ」

その言葉を聞いて、鷹央に圧倒されて黙っていた女が再び騒ぎ立てはじめる。

「それじゃあその病気じゃないじゃない！　母は腎臓も悪くなっているのよ！」

「ＮＳＡＩＤｓ《エヌセイズ》だ」鷹央は両手で耳を覆いながらつぶやいた。

「なに？　なんて言ったの？」

「ＮＳＡＩＤｓ。非ステロイド系消炎鎮痛剤。その中でもよく使われるロキソプロフェンなどは、大量に使うと胃腸障害や腎障害を引き起こすことがあるんだよ。とくに高齢者だとな。お前はきっと、処方された痛み止めをリウマチ性多発筋痛症で痛がっている母親に飲ませすぎたんだ。この症例はリウマチ性多発筋痛症と解熱鎮痛剤の副作用による腎障害が合併したものだ」

　鷹央の説明が終わり、沈黙が下りる。十数秒後、女がおずおずと口を開く。

「……そのリウマチなんとかって病気だったとしたら、母はどうなるのよ？」

「治るぞ。この疾患は副腎皮質ステロイドが著効することがある。ある程度の期間ステロイドの内服は続ける必要はあるけど、つらい症状はすぐになくなるだろうな」

　鷹央はそう言うと、もといた衝立の奥へと戻ろうとする。

「待ちなさいよ！　あなたよりずっと年上の医者に相談したのに、原因は分からなかったのよ。それなのに、本人を診てもいないガキがなんで診断できるのよ」

「いままでお前が母親を診せた医者より、私が優秀だからだ。そもそも年齢がなんの関係があるんだ？　年齢と優秀さは比例しない。私はお前の母親の病気を診断した。

それで母親は治る。なのになんでお前は怒っているんだ？　医者を訴えて金を取ることが目的だったのか？　私のせいで金を取れなくなったから怒っているのか？」

「そんなことあるわけないでしょ！　ふざけないでよ！」

「そんなことっていうのは、金を取るつもりだったっていうことか？　そんなことないっていうことは……母親を助けるほうが重要だってことだよな？」

難解な方程式でも解くかのように言葉の意味を確認する鷹央に、女は困惑の表情を浮かべる。そして困惑しているのは僕も同じだった。

「当然でしょ……そんなこと」女の語気はトーンダウンしていく。

「そうか、なら良かった。それじゃあ小鳥、膠原病内科の部長外来の予約を取れ。たしか今日の午後に空き枠があったはずだから。あと、その血液検査の結果をつけて院内紹介状を書いておいてくれ。私から膠原病内科の部長には話を通しておく」

「あ、はい」僕はあわててマウスを操作して、膠原病内科の外来予約を入れる。

「そしてお前はいまから家に帰って、予約時間までに母親を病院に連れ出してこい」

急速に進んでいく状況に、女は「は、はい……」とつぶやくことしかできなかった。

僕はデスク下のプリンターから出てきた予約票を女性に差し出す。

「十六時二十分からの膠原病内科外来に予約を入れておきました。予約票です」

「あ、はい。あの……ありがとうございました」

狐《きつね》につままれたような表情で女は予約票を受け取ると、ぎこちなく礼を言う。

「べつに礼なんかいい。仕事だからな」鷹央は衝立の裏へと戻っていった。

女が外来から出て行くのを見送ると、僕はおずおずと衝立の後ろを覗き込む。座り心地の良さそうな革張りの椅子に腰掛けた鷹央が、マンガ本を読んでいた。

「あの……すいませんでした」

「ん？　なにがだ？」鷹央はマンガから視線を上げ、僕の目をのぞき込んでくる。

「いえ、いまの人の件ですよ。全然そんな疾患思いつかなくて……」

「お前は内科の勉強に来ているんだ。最初はできなくて当然だろ」

僕は曖昧にうなずく。あんなことも知らないのかと説教されると思っていた。

「午前の外来はこれで終わりだな」鷹央はマンガに視線を戻す。「私はもう少しここに残ったあと部屋で食事をするから。小鳥は午後の外来まで自由にしていていいぞ」

「あ、えっと、先生は屋上の〝家〟で食べるんですか？　食堂とかは？」

「食堂は人が多くて苦手だ。それに、あそこのカレーは甘すぎる」

「カレーですか？　まあ辛いのが苦手な人もいるでしょうから、食堂は甘口が多いですよね。けれどカレー以外にもメニューはいっぱいあるでしょ」

「私はカレー以外食べない」

「はい？」

「だから、私は基本的に三食カレーしか食べないんだ。他のものは不味《まず》いからな」

「でも、カレー以外のすべてが不味い？　どんなレベルの偏食なんだそれは。

「インド人は毎日カレーだけじゃ栄養バランスが偏りますよ」

「インド人は毎日カレーを食べているぞ。カレーの具を変えればいいだけだ」

「そういうもんですか。……ということはお菓子とかも食べないんですか？」

「甘いものは別腹」にこりともせずに鷹央は言う。

　この新しい上司の突飛な言動がどこまで本気なのか判断つかないが、少なくとも鷹央には一緒に昼食に行くという発想はないらしい。しかたない、とりあえず食事に行くか。マンガ本にかぶりついている鷹央を置いて部屋を出る寸前、僕はたずねておくべきことを思い出し、取っ手に手をかけたまま振り返った。

「あ、そういえば、明日の回診はどこからはじめるんですか？」

「ん？　どこからってなんだよ？」

「いえ、だから、どの階から回診始めるのかなと思って。まだこの病院に慣れていないんで、昼休みのうちに明日の待ち合わせ場所を確認しておこうかと思いまして」

「どこにも行かない。部屋で電子カルテ見て、気になる症例にコメントするだけだ」

「は？　え⁉　患者さんのところには行かないんですか？」

「なんでそんなことする必要があるんだ？　診察は担当医がやって、ちゃんとカルテに書いているだろ。私はデータを見て、カルテを読んで、なにか治療とか診断におかしな点があったらコメントを入れるんだ」

「それじゃあ……、僕はなにをすれば……?」

てっきり鷹央について歩き、様々な症例を診て学ぶことができると思っていた。

「特に何もすることはないから、医局で勉強でもしていればいいだろ」

「そんな!」思わず声が跳ね上がる。

鷹央の体がびくりと震え、二重の大きな目が見開かれた。さっきまで激高した女にあれだけ怒鳴り散らされても意にも介さなかった鷹央の意外な反応に戸惑ってしまう。

「何をそんなに怒っているんだよ? 勉強していていいって、言っただけだろ」

弱々しい声で鷹央は言う。あまりの変わりように、なにやら自分が子供をいじめているような心持ちになる。

「あ、あの、すいません。別に怒っているわけじゃなくて……」

「怒っていないのか?」鷹央は上目遣いに僕を見る。

「ええ、ぜんぜん怒ってなんていません。ただちょっと驚いただけで」

「驚いた? なんでだ?」

「いえ、やっぱり心機一転、外科医をやめて内科医をこころざしたわけじゃないですか。五年間で身につけた、手術とか救急の腕が落ちるかもしれないのに……」

「ああ、なるほど」鷹央は両手を合わせる。「外科の実力が落ちないようにしたいんだな。分かった。空いている時間に救急で働けるよう、救急部長にかけ合ってみる。いつも『猫の手も借りたい』って言っているから、きっと喜んでくれるぞ」

そうじゃない！　僕はもっと内科の基礎を教えてほしいのだ。しかし、嬉《うれ》しそうな上司を前にして、自分でも嫌になる程お人好《ひとよ》しの僕はなにも言えなくなる。

「おっ、もう正午だな。じゃあ私は屋上の〝家〟に戻っているから」

壁時計を見ていつもの無表情に戻ると、止めるすきもあたえず鷹央はすたすたと診察室から出て行く。戸が閉まる音が寒々しく部屋に響いた。

「……僕は猫の手かよ」

口から零《こぼ》れた独白が、やけに寒々しく空気を揺らした。

3

「気持ち悪い……」デスクに突っ伏しながら僕は弱々しくうめく。

「吐き気がするのか？　下痢《げり》は？　ウイルス性胃腸炎なら感染性があるから……」

背後からこの数日で聞きなれた声が聞こえてくるが、振り返る気力もない。

「そんなんじゃなくて、単なる寝不足です」

「寝不足か。睡眠はしっかりとった方がいいぞ」

「昨日は救急当直やらされていたんですよ」デスクに額をつけたまま僕は答える。

鷹央の紹介で外来のない日、僕は救急部の勤務を手伝うことになった。三日前、しぶしぶと救急室に挨拶に行くと、沖田《おきた》という救急部の部長は、狂喜乱舞して僕を迎えてくれた。万年人手不足というのは本当だったらしい。

かくして僕は、鷹央のありがた迷惑な厚意により週に二日、外来のない日に救急部へ猫の手としてレンタルされることになった。しかも沖田に「週に一回ぐらいなら当直できるよな？　な！」と強引に押し切られ、月四回の救急当直まで了承してしまった。そして、昨夜が最初の救急当直だった。

この天医会総合病院は三次救急病院に指定されている。つまり交通事故による多発外傷などの重症患者がひっきりなしに運び込まれてくるのだ。そのため救急当直の忙しさはまさに目が回るほどで、昨夜僕は一睡もできないままに、今日の二回目の統括診断部外来にのぞむはめに陥っていた。

徹夜明けの頭で、患者たちのグチを延々と聞き続けるのはまさに拷問だった。

僕はデスクに突っ伏したまま、ちらりと壁時計をみる。時間は十六時十分。すでに今日予約していた八人のうち七人の診察を終えている。残りはあと一人だけだ。

七人目がこの外来に来る患者には珍しく、三十分ほど話したところで満足して帰っていったので、次の患者の予約時間まで手持ちぶさたになっていた。

「そういえば、母親は良くなったらしいぞ」

椅子ごと衝立の陰から出てきた鷹央が言う。

「……え？　母親？　誰のことです」

「この前、外来で叫んでいた女の母親だよ。あのリウマチ性多発筋痛症の」

「ああ、あの。もう良くなったんですか？」

「副腎皮質ステロイドの内服で、次の日には痛みは消えたってよ。昨日膠原病内科の外来に泣きながら礼を言いにきたらしい。そのうち腎臓も回復してくるだろうな」

「膠原病内科には礼を言って、こっちには顔も見せないんですか？」

「べつにいいだろ。あの女は医療費を払って外来を受診した。私はこの優秀な頭脳を使って診断を下した。病院には金が入ったし、私も少しは頭を使えて楽しめた」

「はあ……そういうものですか」

「そういうものなんだよ。それより、あと一分で次の患者の予約時間だぞ」

僕は「はいはい」とつぶやきながら、上半身をデスクからひっぺがすと、本日最後の患者の情報をディスプレイに映しだす。患者は五十代の男性だった。電子カルテに記された男の情報を目で追っていくにつれ、僕は再び机に突っ伏したくなる。

主訴：宇宙人に誘拐され頭になにか埋め込まれた
起始・経過：数週間前、いきなり意識を失い、気づいたら宇宙人に捕まっていて、脳に怪しい装置を埋め込まれたと訴えている。その後頭痛、幻聴などが生じたとのこと。ＣＴ、ＭＲＩによる脳の精査を強く希望。検査の結果、脳に明らかな異物なし。しかし結果に納得せず、外来でしばしば大声を上げる。精神科受診をすすめるも拒否。元暴力団員。覚醒剤の使用歴あり。
既往歴：高血圧　高脂血症　覚醒剤依存症

どう考えても覚醒剤の長期使用による精神症状だ。覚醒剤は長期間摂取し続けると、幻聴をはじめとした幻覚妄想状態、意欲の低下、被害妄想などの症状を引き起こす。そこまでいたった症例は治療に対して反応が悪く、多くは廃人となってしまう。

軽い頭痛を感じつつ、画面をスクロールしていくと、カルテに『説得は困難、統括診断部へ』と記されていた。ディスプレイを殴りつけたくなる。

「なにしてるんだよ。もう時間だ。早く呼べよ」

部屋の奥、窓際に置かれたもう一つの電子カルテを見ながら鷹央が言った。その声にはかすかに興奮が含まれているように聞こえた。

「こんなシャブ中まで診察しないといけないんですか？」

「シャブ中だとは限らないじゃないか。宇宙人の誘拐だぞ。本当ならすごいぞ！」

なにを言っているんだ、この人？　僕は眉根を寄せつつ、患者を呼ぶ。

「前原隆三《まえはらりゅうぞう》さん、診察室までお入り下さい」

勢いよく開いた扉の奥に立つ男の姿を見て、僕は小さくため息をつく。

虚《うつ》ろな目をした腹の出た中年男。汚れたTシャツの袖からのぞく腕には、派手な刺《い》青《れずみ》が彫られている。顔は垢《あか》で汚れ、無精ひげが顔全体を覆っていた。ぶ厚い唇はだらしなく半開きになっており、その端からはかすかによだれが垂れてさえいる。暴力団崩れの覚醒剤依存症。その姿を見れば医療関係者ではなくてもそう思うだろう。

「お前らなら、これ、こ、これを取ってくれるのか？」

開口一番、呂律《ろれつ》のあやしい声で叫ぶと、前原隆三という名の男は自分の頭を拳でごんごんとたたき出した。

「ああ、落ち着いて。まずは座って話を聞かせて下さい」

僕が席から腰を浮かしながらなだめると、前原は自分の頭部に振るっていた拳をぴたりと止め、「座って……話を……」とぶつぶつぶやきながら椅子に腰掛けた。

「えっとですね……。さっき言っていた『これ』っていうのは、えっと、その……頭の中に埋め込まれた装置のことですか？」

「そうだよ！　あいつら、俺のここに、ここになにか埋め込んで……誰かを、誰か殺せって……。それから……それからずっと……」

前原は頭をかきむしる。白いふけが舞い上がった。

「えっと、『あいつら』っていうのは？」

「う、う、宇宙人だよ。宇宙人だ！」

「あー、えっと。つまり、宇宙人にさらわれて頭になにか埋め込まれたと……」

「そうだ！ ずっとそう言ってるだろ！」

「けれどですね、CTやMRIまで撮ってもなにも写らなかったんで……」

「そんなこと知るかぁ！」

前原は突然立ち上がると、ぶんぶんと頭を左右に振りだした。

これ、どうすれば良いんだよ？ 診察がはじまったばかりだというのに、すでに僕は泣き出したくなっていた。これは明らかに内科ではなく精神科の領域の患者だ。

その時、背後から「小鳥、これ見てみ」と声がかかる。

「なんですか？」

ふり返ると、鷹央が自分の側《そば》にある電子カルテを指差していた。僕は前原に「少々お待ちください」とことわって席を立ち、鷹央と並んで画面をのぞきこむ。

「……ブレインCTですか」

画面には前原の頭部CT画像が映し出されていた。鷹央は画面に顔を近づけると、マウスを操作して頭頂部から頸部《けいぶ》が写っているスライスまで画像を流していく。

「ここに梗塞巣《こうそくそう》がある」

眼球が写る高さのスライスで画像を止めると、鷹央は画面を指さす。左脳の前頭葉の内側に、ゆがんだ三日月のような形の黒い影が見えた。たしかに梗塞巣だろう。

「あと、ここにも」鷹央は他の部位のわずかに白みがかった箇所を指さした。

「えっと、その部分は……」

「扁桃体《へんとうたい》だな。しかも、両側やられている」

鷹央はマウスをクリックして、さらにスライスを動かしていく。

「扁桃体ですか。けれど扁桃体に梗塞って……」

「ああ、梗塞を起こし易《やす》い場所じゃない。あり得ないってわけじゃないけど……」

「ラクナですかね？」

高血圧、高脂血症の既往を持った中年男性だ。ラクナ梗塞と呼ばれる、細い血管の閉塞で起こる小さな脳梗塞ぐらいあってもおかしくはない。

「前頭葉の梗塞はラクナにしては少し大きすぎる。それに形が……。けれど……」

鷹央はディスプレイをにらみつけながら、ぶつぶつとつぶやきはじめる。

「なんだよ！　やっぱりなにか埋め込まれていたのか？　な、何かの装置なのか？」

興奮しながら立ち上がった前原を、僕はあわててなだめる。

「装置とかじゃなくて、小さな脳梗塞です。高血圧と高脂血症もあるので……」

「こ、これまでの医者もみんな……みんな、そう言っていたんだよ！　そうじゃなくて、よ、よく見てくれよ。なんか機械かなんかだろ？　な？」

「いや、機械じゃない」画面を凝視したまま鷹央が言う。「アーチファクトならX線が乱反射して、スライス全体が白く光るはずだ。これは梗塞巣だ」

鷹央の専門的な説明が理解できるわけもなく、前原の虚ろだった目がさらに濁る。

「でも宇宙人の装置なら、地球にある物と、せ……成分が違うから、それで……」

「その可能性もあるな」

鷹央が肯定するのを聞いて、頭痛がしてくる。妄想を加速させてどうするんだ。

「お、お前、……あんた、宇宙人を信じるのか？　信じてくれた……くれるのか？」

「べつに宇宙人がいたっておかしくないだろ。宇宙は広いんだ。そこには生命が生存可能な星だってあるはずだ」

「いや、あのですね。天久先生は宇宙のどこかに生命体がいるかもしれないと言っただけで、あなたの頭に宇宙人がなにかを埋め込んだと言っているわけでは……」

「その男が宇宙人にさらわれたという可能性も、完全に捨てたわけじゃないぞ」

僕の言葉をさえぎって、鷹央がまたよけいなことを言う。頭を抱えていると、前原が僕の鼻先に指を突きつけてきた。

「あ、あんた、……あんたは信じてねえ。目を見りゃ分かるんだ。これまで、おれ……俺を頭がおかしいと思っていやがった奴《やつ》らと、お、同じ目だ」

そりゃそうだ。宇宙人にさらわれた？　『Xファイル』の見すぎだ。

「け、けど、あんたは違う。あんたは、おれ、俺を、うそつきだって思わなかった」

僕に突きつけていた指先を鷹央に向けながら前原は言う。

「あの、それで、頭になにか埋め込まれて体調が悪くなっているんですよね？　その症状を抑えたくて受診なさったんですよね」

僕は一刻も早くこの男の診察を終えようと、話をまとめようとする。覚醒剤依存症なら専門は精神科だ。軽い向精神薬でも処方して興奮を抑えてから、精神科に……。

「ちがう！　ちがうんだよ！　症状なんて、どうでも……症状抑えたいなんて、そんなんじゃねえ。すぐに、すぐこれを、この頭の中の装置を、これを取り出してくれ！」

前原は再び拳で自分の頭をガンガンと殴りつけた。

「あ、あの日から、『俺』は消えちまったんだ」

前原は洞穴のような目を天井に向ける。天空にいる宇宙人を探すかのように。

「もう俺は、うす、薄くなっちまった。いまの『俺』は、俺じゃないんだよ。あいつらが、俺を、俺を薄めちまった。もうこんな、『俺』はいやだ、いやだ、いやだ……」

前原は駄々をこねる子供のように顔を激しく左右に振った。

「えっと、お気持ちは分かりますが、残念ですけど画像検査で異物が見つからない人に脳手術はできないんですよ。ただ、脳神経外科にご紹介することなら……」

「何度も手術でき、できないって言われた。けど……もう、耐えられないんだよ！」

それまで虚ろだった前原の目にかすかに光が戻った気がした。意思の光が。

「なあ、あんた。あんただよ、あんた！」

前原は大声をあげながら再び鷹央を指さす。鷹央はその声が不快だったのか、両手で耳をふさぐようにしながら、ゆるゆると視線をディスプレイから前原に移動させる。

「あんたは俺を馬鹿にしなかった。俺の話を聞いてくれた。あんたなら信頼できる。俺が死んだら解剖して、脳からやつらの装置を取り出してくれ！」

前原は勢いよく立ち上がる。虚ろだったその目が焦点を取り戻した。

頭の中でアラームが鳴り響く。僕が立ち上がるのと同時に、前原はこちらに向かって走り出した。僕は重心を落とす。大学六年間、空手の稽古に明け暮れてきた。運動不足の中年男ぐらいなら、相手に怪我《けが》させることなく取り押さえられるはずだ。

しかし前原は予想に反し、僕の脇をすり抜けようとする。

しまった！　狙いは鷹央先生か？

僕は慌《あわ》てて身をひるがえし、前原と鷹央の間に強引に体を滑り込ませる。

目を見開き立ち尽くしている鷹央を僕は抱きすくめる。予想以上に華奢な体だった。

力を込めすぎると折れてしまいそうなほどに。

背後から殴りかかられることを予想して体を硬くする。しかし、攻撃のかわりにどこからか吹き込んだ風が髪を揺らした。顔を上げた僕は目の前の光景に言葉を失う。前原が窓を大きく開け放ち、窓枠に足をかけていた。

「やめろ!」前原の目的を理解し僕は叫ぶ。腕の中の鷹央の体がびくりと震えた。

「解剖……忘れるな」

ぼそりとつぶやくと、前原はわずかなためらいも見せることなく窓から身を躍らせた。十階の窓から……。数瞬して、遠くから悲鳴が聞こえて来る。

体を支えているのも難しいほどの脱力感に襲われた僕は、ただその場に立ち尽くすことしかできなかった。ゆっくりと受け入れがたい事実が心に染みてくる。

ああ、僕は患者に死なれてしまったのだ。また……。

「あの男……、落ちたのか……?」

腕の中の鷹央が発したかすれた声に、僕は答えることが出来なかった。

4

「疲れましたね……」

感染防御用のディスポーザブルガウンを脱ぐと、体にまとわりついていた熱気が一気に放散していく。血液で濡《ぬ》れた手袋を床に脱ぎ捨て、僕は大きく伸びをした。

「大物だったな」救急部部長の沖田もガウンを脱ぎ捨てると首をぼきぼきと鳴らす。

数分前まで、僕たちはバイク事故で救急搬送された青年の治療に当たっていた。走行中にスリップし電柱に叩《たた》きつけられたというその青年は、胸部を強く打ったせいで左右両方の胸腔《きょうくう》内に大量の出血を起こし、肺が押しつぶされて呼吸状態が悪化していた。僕と沖田は必死に左右の胸腔にドレーンを挿入し、溜《た》まっていた血液を排出させるとともに大量の輸液を行うことで呼吸、循環などの全身状態をなんとか安定させた。そしてその後、一通りの画像検査を行ったのち、外科と整形外科の待つ手術室へと引き継いだ。これから外科によって損傷した内臓の修復手術がはじまるのだろう。

「あれー、交通外傷の患者は？」

底抜けに明るい声が響く。見ると処置室の入り口から、頭が見事に禿《は》げ上がった体格の良い中年男が部屋を覗き込んでいた。

「あ、蔵野《くらの》先生。どうもお疲れ様です」僕は男に声をかける。

蔵野正《ただし》。この病院に勤務する四人の脳神経外科医を束ねる脳神経外科部長。救急業務で何回か一緒に処置にあたり、顔見知りになっていた。

「おお、小鳥遊先生、お疲れさん！　なんかさっき重症交通外傷の患者が搬送されたから、念のため頭のチェックお願いって連絡きたんだけど」

「蔵野先生、遅《おせ》えよ。患者なら外科に持っていかれたぞ」沖田が茶化すように言う。

「あらま、ちょっと遅かったか。いやー、外来やっていたもんでね。けど沖田先生が外科に渡したってことは、脳は大丈夫そうなんでしょ？　ところで小鳥遊先生、今日も救急に派遣なの？　鷹央ちゃんのお手伝いしなくていいの？」

「鷹央先生は……回診しているらしいんで、僕が手伝うことなんてないですし」

僕は口調に不満がにじまないように注意する。

「ああ、カルテ回診ね。せっかくだから見学させてもらえばいいのに。かなり勉強になると思うよ。それじゃあね」蔵野はそう言うと、手を振りながら身をひるがえした。

「あの……、鷹央先生ってカルテ回診しているんですか？」

救急室から出て行く蔵野の背中を見送りながら、僕は隣に立つ沖田に声をかける。

「ん、知らなかったのかい？　鷹央ちゃんは決められた時間、内科患者のカルテを眺めて診断とか治療についてのコメント書き込んでいるんだよ。まあ、ずけずけと担当医の診断を否定したりするから煙たがっているドクターもいるけど、たいがい鷹央ちゃんの指摘って的を射ているんだよな、これが」

「そうなんですか……」てっきり、あの〝家〟でだらだら過ごしていると思っていた。

「みんな診断に困ったら、もっと鷹央ちゃんに相談するべきなんだよ。鷹央ちゃん以上の診断医なんてそうはいないんだから。まあ、鷹央ちゃんあの性格だし外見は子供みたいだから、頭を下げにくいんだろうな」

沖田は唇の片端を持ち上げ、皮肉げな笑みを浮かべる。

「……先生は、鷹央先生のことよく知っているんですか？」

「俺は鷹央ちゃんが小学生ぐらいのころから見ているからな」

「小学生のころから？　沖田先生って、鷹央先生の親戚とかですか？」

「いやいや、そうじゃなくて、鷹央ちゃんは子供のころから父親、前の院長に連れられて毎日のように病院にいたんだよ。病院中の本を読み漁《あさ》ってたな。まだ小学生なのに英文の専門書とか読んでいたりしてたよ。中学生になる頃には、ありとあらゆる分野で専門医よりも知識があって、難しい患者の相談にいくと答えを知っているみたいに診断をしてくれたよ。中学生が専門医の相談に乗るんだぜ、笑っちまうよな」

「けれどこの前、鷹央先生は採血もできないって噂《うわさ》を聞いたんですが……」

「たしかに鷹央ちゃん、とんでもなく不器用だからな。けど、俺はそんな医者がいても良いと思うけどね。アメリカなんか見てみろよ。専門外の疾患は診ない、けれどその専門疾患に関しては完璧っていうスペシャリストと、広く浅い知識を持ったジェネラリストがいる。つまり鷹央ちゃんは、診断のスペシャリストなんだよ」

僕は沖田の言葉にあいまいにうなずく。確かに専門の領域を極めた専門医がいていいとは思う。そして、鷹央は診断という領域に関しては一流のスペシャリストなのだろう。しかし、どうしても僕は素直に自分の上司を賞賛する気にはなれなかった。

「鷹央先生の知識はすごいと思いますけど。先生の患者さんに対する対応はあまりにも空気が読めないというか、……その……医者として」

「空気が読めないのはしかたねえだろ。だって……」

そこまで言ったところで沖田は口をつぐむと、まじまじと僕の顔を見た。

「ああ、そうか。小鳥遊先生はまだ気づいていないんだ」

「気づいていない？」いったいなんの話だ？

「いや、これは俺の口から言うことじゃねえな。鷹央ちゃんから直接聞くか、先生が自分で気づくかしなきゃ。先生はさ、統括診断部のドクターなんだからよ」

「あの、それってどういう……？」

「先生も鷹央ちゃんのそばで勉強すれば色々わかってくるさ」

怪訝《けげん》な表情を浮かべる僕をはぐらかすように、沖田はニヤリと笑みを浮かべた。

「それにしても小鳥遊先生、さっきの胸腔ドレーンの挿入早かったな。いい腕だ」

露骨に話題をそらされ、僕は曖昧に頷く。

「はあ……。一応、大学で一年間、救急部に派遣されていましたから」

「いや、あのメスとコッヘルの扱いはやっぱり外科医独特のもんだよな。それだけの腕なのになんで外科やめちまったんだよ？　もったいねえな」

沖田の言葉を聞いた瞬間、僕の脳内で『あの光景』がフラッシュバックした。

世界から音と光が消え、虚無の世界に放り出される。目の前で振り子が揺れる。

ゆらゆら、ゆらゆらと……。

強い嘔気《おうき》を感じ、僕は反射的に口を手で押さえた。

「おい、どうした？　大丈夫か？」

「大丈夫です。……すみません、ちょっと急に気持ちが悪くなって」

「あ、ああ。……悪かったな。えっとな……、この前送った論文見てくれたか？」

僕の態度にただならぬものを感じたのか、沖田があわてて再び話題を変える。

「論文？」

「なんだよ。最初に俺に会いに来たときに言っただろ、論文一緒にやらないかってさ。まだデータ集めただけの段階だけどな、けっこう面白そうな結果が出てるんだよ。この前、メールにデータを添付して送っといたのに」

「すみません。この数日間、いろいろばたばたしていたもので」

新しい環境に慣れる必要があったうえ、あの前原の事件があった。もともとメール無精なこともあって、この数日間ろくにメールチェックをしていない。

「先週の事件か。大変だったな、赴任早々あんなことがあって。シャブ中だっけ？」

「はい、覚醒剤の精神症状がひどくて、ずっと妄想を口走ってたんですよ。けれど、まさか飛び降りるなんて……」

なんの躊躇《ちゅうちょ》もなく前原が窓から飛び出した光景を思い出し、僕は唇をかんだ。

「急に飛び降りるなんて、誰も予想つかねえよ。それで思い悩む必要はねえって。できる限りのことはしたんだろう」

……僕は前原を助けるためにできる限りのことをしたのだろうか？　しょせんは薬物による妄想に取り付かれた男と軽んじていたのではないだろうか？

僕はあの日、前原が飛び降りてからのことを思い起こす。

＊

十階の窓から飛び降りた前原は、病院脇の街路樹がクッションになり即死はまぬがれた。しかし、骨盤骨折をはじめとする無数の骨折、重度の肺挫傷、肝損傷、脾臓《ひぞう》・腸管の破裂。すぐに救急室に運ばれ治療が開始されたが、前原がまず助からないことは治療に当たった医師の誰もがわかっていた。

事件ということで所轄署である田無《たなし》署から警官も派遣されてきたが、幻覚・妄想を訴えていた覚醒剤依存症患者の自殺ということで、形式上の事情聴取と「診察中に自殺されるなんてねえ」といういやみを口にしただけで、すぐに帰っていった。

緊急手術の後も前原が意識を取り戻すことはなく、受傷から三十時間ほどたって死亡が確認された。死亡宣告の時には僕と鷹央も立ち会った。

宣告のあと一騒動あった。鷹央が「前原を病理解剖する」と言い出したのだ。それに反対したのが、前原の担当医だった救急部副部長である山田《やまだ》という医師だった。病理解剖はもともと家族の承諾のもとに遺体を解剖することで、診断の正否や治療の効果を確認し、今後の医療に役立てようというものだ。飛び降り自殺により死亡した人間を解剖するなど無意味だという山田の意見はもっともだった。

しかし山田がいくら反対しても、鷹央は「解剖する」の一点張りで、まったく議論はかみ合わなかった。それはそうだろう。鷹央は『前原の脳に何か埋め込まれているか確かめる』という、常識外れの目的のために解剖を行おうとしていたのだから。

部下である僕が鷹央の暴走を止めるべきだったのかもしれない。けれど、できなかった。鷹央が好奇心のためだけに解剖しようとしているなら、僕も反対しただろう。しかし、前原自身が死後解剖されることを望んでいた。いや、それどころか解剖されるために自らの命を投げ捨てたのだ。それを考えると、たとえ妄想によるものだとしても、前原の最後の望みをかなえてやるべきなのかもしれないと迷っていた。

延々と続く不毛な議論は、最終的には救急部部長の沖田が間に入り、『もし家族が賛成してくれるなら』という条件の下で病理解剖するということで落ち着いた。

前原には妻がいて、解剖するためには彼女の許可が必要だった。

僕は前原の妻が解剖を拒否すると思っていた。しかし僕が解剖のことをやんわりと切り出した瞬間、泣きはらし疲れ果てた表情の彼女は「ぜひおねがいします！」と、僕の手を強く握りしめたのだった。

涙ながらに語った妻の話によると、覚醒剤取締法違反で去年の冬まで三回目の刑に服していた前原は、出所後人生をやり直そうと工場の期間従業員としてまじめに働いていたらしい。何度も裏切られてきた妻も、今度こそ二人で小さな幸せをつかめると、ほのかな希望を抱いていた。しかし二ヶ月ほど前、前原は一晩家に帰らなかった。そして次の日に帰宅した時には、前原は別人になっていたということだった。

最初、妻は前原が再び覚醒剤に手を出したと思った。しかし、前原の言動はそれまでの覚醒剤に溺れている時とは明らかに異なっていたらしい。家に閉じこもり、「宇宙人にさらわれた。なにか埋められた」とぶつぶつつぶやき続ける前原は、まるで魂が抜かれたようだったと妻は語った。

「なんで夫があんなことになったのか、少しでも分かる可能性があるなら、どうか解剖をして下さい。それが……あの人の遺志だから」

充血した目で見つめてくる前原の妻に、僕はただうなずくことしかできなかった。

かくして、僕は深夜から鷹央とともに前原の病理解剖に立ち会うことになった。ちなみに霊安室から解剖室まで、ストレッチャーで前原の遺体を運んだのは僕だった。地下には天医会総合病院が誇る最新医療機器が置かれており、平日の昼間には多くの患者や医療従事者が行き来しているのだが、休日や夜間は入り口が施錠され入れなくなっている。僕は鷹央から各診療科の部長に配られているという病院のマスターキーを借り地下階に入ったのだが、人気《ひとけ》のない地下を一人で遺体を搬送するのは、あまり気持ちの良いものではなかった。

病理医による解剖がはじまると、鷹央は身を乗り出して見学をはじめた。そして解剖が、前原が「宇宙人になにかを埋め込まれた」と訴えた頭蓋内に及ぶと、その目が好奇心で輝きはじめた。僕はそんな鷹央の様子を見て一言言わずにはいられなかった。

「……先生は、なんでそんなに楽しそうなんですか?」

「うん? これから問題の脳を調べられるからに決まっているだろ」

鷹央は僕の口調に含まれるトゲにまったく気づくことなく、無邪気に答えた。

「この人は僕たちの目の前で死んだんですよ。なにか思うところはないんですか?」

「思うところ? この男が死んだのはもうしかたがない。いまはこの男が望んだとおりに、脳を調べることが大切だろ」

鷹央が口にした「しかたない」という言葉を聞いた瞬間、僕は奥歯を噛みしめた。たしかに、どんなに後悔をしても死んだ者は生きかえらない。だからといって、そう簡単に割り切ってしまう鷹央に強い反感をおぼえた。

　当然、脳内に特別な器機が埋め込まれているようなことはなく、ＣＴ画像に写ったとおり、前頭葉と左右の扁桃体に比較的新しい梗塞巣が見られただけだった。ただ、病理医の所見では前頭部と後頭部に二箇所、小さな刺し傷があって、頭蓋骨の表面まで達しているが、それが何の傷なのか分からないということだった。

「普通の脳梗塞は円錐《えんすい》状にできることが多いんだけど、この梗塞巣はきれいな三日月形をしているように見えるな。こんな形ははじめて見たな……」

　鷹央が脳刀でスライスされた前原の脳を観察するのを見ながら、僕は唇を嚙んだのだった。

＊

　物思いに耽《ふけ》っていた僕は、沖田にばんばんと背中を叩かれて我に返る。

「そんなに落ち込むなって。悩んだって患者はよくならねえんだ。昔のこと後悔するより、新しい患者の治療に全力を尽くすしかないんだよ」

　僕は弱々しい笑顔を作る。沖田の言葉は要約すると、鷹央と同じ『しかたがない』ということになるのかもしれない。しかし鷹央とは違い、彼の言葉は素直に胸にしみこんできた。これは沖田と鷹央の医師としての経験の差からくるものなのだろうか？

数瞬思考を巡らせるが、僕にはどうもそれだけではないような気がした。

「で、そのシャブ中の患者は、どんな妄想をしてたんだよ?」

沖田はイスに座り、電子カルテに診療記録を打ち込みはじめる。

「ああ、よく聞く話ですよ。『エイリアン・アブダクション』とか言うんでしたっけ? なんだか宇宙人にさらわれて、頭の中に小さな装置を埋めこまれたって……」

僕の声は尻すぼみに小さくなっていく。キーボードを打つ手を止めた沖田の表情筋が複雑に蠕動《ぜんどう》していくのを見て。

「……宇宙人?」沖田はまるで獣が唸《うな》るかのように、その単語をつぶやく。「そいつは宇宙人って言っていたのか?」

「はい。あの……それがなにか?」沖田の豹変《ひょうへん》に僕は思わず後ずさりをする。

「なんでもない……」

「あの……沖田先生」

「なんでもない!」

壁が震えるような怒声が処置室に満ちた。なにごとかと救急処置室の隣にある救急外来から、看護師や救急医たちがこちらをのぞき込んでくる。

「あ、ああ、悪い……」一瞬で我に返ったのか、沖田は目を伏せる。

部屋に粘着質で重苦しい沈黙が下りる。その時、けたたましい電子音が沈黙をやぶった。見ると、赤色の電話機が着信を示すLEDライトを点滅させていた。救急隊からの直通回線の電話だ。看護師が素早く受話器を取り沖田に手渡した。

「お、サンキュー。よし、いまなら処置室のベッドもがらがらだし、さっきの患者でテンション上がってるからな。どんな重症患者でも受けられるぞ」

重い空気をごまかすかのように、沖田は陽気に芝居じみたセリフを口にする。

「はい天医会総合病院救急部。二十代前半ぐらいの男性……意識混濁……薬物が疑われる……。バイタルは……。了解、受け入れ可能。何分ぐらいで来られる？」

通話を終えると、沖田は走り書きしたメモを見ながら声を張り上げる。

「路上で倒れていた二十代ぐらいの男。氏名不明。バイタルは安定。意識レベルはGCS11点。薬物の使用も疑われる。あと三分で到着。準備よろしく」

その言葉を合図にスタッフたちが一斉に動きはじめ、受け入れの準備をはじめていく。僕も新しい滅菌ガウンをビニールパックから取り出し、身に着けた。救急車のサイレン音が遠くからかすかに聞こえはじめる。

救急部副部長の山田も、研修医を引き連れ処置室にやってきた。

「沖田先生。さっきの交通外傷の患者さんのご家族が……」

救急外来から、事務員がためらいがちに沖田を呼んだ。

「おお、そうか。えっと……ちょっと待ってくれ。山田君。ちょっとファミリーに説明をしないといけないんで、こっちの方とりあえず任せて良いかな?」

「はい。大丈夫です」山田は頷くと、沖田にかわって受け入れ準備の指示をはじめた。

「小鳥遊先生もこっちを手伝っていてくれ。……さっきは悪かったな」

「いえ……気にしないで下さい」

すれ違いざまの謝罪の言葉に、僕も他の者には聞こえないよう小声で答える。

沖田がなぜあんな反応を示したのか気にはなるが、追及する気はなかった。誰でも他人には知られたくない秘密の一つや二つ持っている。……もちろん僕も。

「救急車到着しました!」

救急搬送口に控えていた看護師が声を上げた。すぐに研修医が外へと飛び出していく。僕は採血の準備を整えながら患者を待った。研修医が飛び出してから十数秒後、救急隊ががたがたとストレッチャーを押しながら処置室へと駆け込んできた。

ストレッチャーに駆け寄りながら、僕はその上に横たわる男を見る。痩せたかなり若い男だった。二十代前半……、いや、十代かもしれない。短い頭髪は茶色に染めてあり、Tシャツから覗く細い二の腕には蜘蛛《くも》のタトゥーが彫り込まれていた。よく繁華街にたむろしているチンピラ。それが男の第一印象だった。

天井を見つめる男の目は焦点が合っておらず虚ろで、硝子玉《ガラスだま》のようだった。だらしなく半開きになった口の端からは、涎《よだれ》がこぼれている。ふと、僕は首をひねる。目の前の男にどこか見覚えがあった。男の顔にと言うわけではなく、その目つきに。

「ベッドに移すぞ。一、二の三」

山田の合図で、患者の体をストレッチャーからベッドの上に移動させた。

「一号液でルート確保。血算・生化、血ガス、十二誘導。ポータブルX線と……」

山田が指示を出していく。研修医が点滴ラインの確保をしようとしているのを確認して、僕は動脈血採血の準備をはじめた。器具台の上から注射器を手にとると、患者の右手首の内側に人差し指と薬指をそろえて沿わし、橈骨《とうこつ》動脈の拍動を確認する。

「……た」

動脈に注射針を刺そうとした瞬間、僕の鼓膜をか弱い声がくすぐる。視線を持ち上げると、涎で濡れている患者の口がかすかに動いていた。

「気づいた？　ここがどこか分かる？」

声をかけると、男の眼球が動いて僕を見た。意識レベルが回復してきたようだ。

「なに？　なにか言いたいの？」僕は男の口元に耳を近づける。

「……おきた。あんた、沖田先生か？」

沖田先生？　この男、沖田先生の知り合いか？

「いや、沖田先生ならいまここにはいないけど……」

「君、名前は？　沖田先生の知り合いなのか？」

山田が僕を押しのけ、男に話しかける。

「おき……沖田」男は質問に答えることなく上半身を起こそうとしだす。

「落ち着いて。もうすぐ沖田先生も戻ってくるから。それより名前を教えてくれ」

山田は必死に男に話しかけるが、男が答える気配はない。

「どうだ？　患者の調子は？」

明るい声が響く。振り返ると、すっかりもとの雰囲気に戻った沖田が、救急部のユニフォームのポケットに両手をつっこみながら大股で処置室に戻ってきていた。

「検査中です。患者が沖田先生を呼んでいるんですけれど、ご存じですか？」

男の肩を押してベッドに横たえながら山田が言う。

「俺を呼んでる？　前に診たことある患者かな」

沖田はベッドのかたわらに立つと、身を乗り出して男の顔をのぞき込んだ。

「うーん、覚えねえけどなあ。とりあえず検査すすめてくれよ。もしもし、分かるか？　俺が沖田だけど、前に会ったことあったかな？」

「あんたが……沖田？」男の視線が沖田の顔に固定される。

「そうだけど。何で俺のこと知っているんだ？」

「……宇宙人」

男の半開きの口から、その単語が漏れる。沖田が「ああ？」と表情をこわばらせると同時に、虚ろだった男の目が大きく見開かれた。硝子玉のように意思の光が見えない眼球が剝《む》き出しになる。その瞬間、僕の脳裏で記憶がはじけた。

前原！　そうだ、この男の目は外来にやってきた時の前原の目にそっくりだ。

「宇宙人の命令だ！」

唐突にはっきりした口調で言うと、沖田に向かって飛びかかった。

二人はもんどりうって倒れる。男の豹変に誰もが状況について行けず立ちつくす。

「があっ！」沖田の口からほとばしった苦痛の叫びが、処置室の空気を震わせる。

男は沖田に馬乗りになり、先の尖った棒状の物を振り下ろしていた。

何度も何度も何度も……。

目の前の光景がなぜかスローモーションに見えた。僕は男の手元を呆然と眺める。

男が両手で摑《つか》んでいるもの、それは機械の修理などに使うプラスドライバーだった。

「やめろ！」

金縛りからとけた僕の喉から怒声が飛び出す。同時に、看護師たちが甲高い悲鳴を上げはじめた。一瞬にして空間が混乱に支配される。

体が勝手に動いた。僕はまだ沖田に馬乗りになっている男に近づくと、思いきり左足を踏み出し、その勢いを殺すことなく腰から右足へと伝えて蹴りを放った。

中段回し蹴りが男の顔面を襲う。男はとっさに沖田の胸に突き刺さったドライバーから両手を離し、頭部を防御する。次の瞬間、僕の蹴りは男の腕ごと頭部を直撃した。それほど体格の良い男ではない。いくら両手を使おうが、八十キロ近くの体重を乗せた蹴りを吸収などできるはずもなかった。衝撃で男は沖田の体の上から吹き飛ばされ、床に倒れて動かなくなった。脳震盪《のうしんとう》を起こしたのだろう。

僕は視線を男から沖田に移す。沖田はピクリとも動かなかった。血に濡れたユニフォームに包まれた胸がかすかに上下し、まだ息があることを伝える。

沖田の胸に深々と刺さっているドライバーの位置を見て顔がこわばった。ほぼ胸の中央。おそらくは心臓を貫いている。

それまで呆然と事態を傍観していた研修医がふらふらと沖田に近づくと、その胸に突き刺さっているドライバーに震える手を伸ばす。

「抜くな!」「抜くんじゃない!」

僕と山田が同時に叫ぶ。しかし遅かった。研修医は力任せにドライバーを引き抜く。その瞬間、沖田の体が大きく仰け反り、咳《せき》とともに口から血液が漏れ出した。

刃物などが刺さっている場合は、そのまま手術室に搬送する。それは救急の基本だった。へたに抜くと出血を抑えていた栓がとれ、大量出血を起こしかねない。

「馬鹿野郎! さっさと傷口を押さえろ。それからスタットコールだ! 警備員と警察もすぐに呼べ! 手の空いてるやつは処置を手伝わねえか!」

その場で凍りつく研修医を押しのけ、山田が圧迫止血をしながらスタッフに指示を飛ばす。処置室の外に逃げていた看護師たちが慌てて動き出した。

「ルートをとります！」

僕は沖田のそばにひざまずくと、点滴ラインの確保をはじめる。出血がひどい。早く輸液をして血圧を保たなくては。

「ここだ！　ここを押さえてろ！　俺は挿管をする」

山田は自分の失態に固まっている研修医の手を傷口に押し当てる。

『スタットコール、スタットコール、一階救急室。くり返す。スタットコール……』

スタットコール、医師を招集するための非常放送が響きわたる。

僕は沖田の右手の血管を確保し、全開で乳酸加リンゲル液を落としはじめると、続いて左腕の血管確保をこころみる。視界の隅で人影が動いた。顔を上げると、蹴り倒した男が頭を振りながら身を起こしていた。意識が戻ったようだ。

また襲いかかってくる気か？　僕はひざまずいたまま身構える。しかし男はふらふらと立ち上がると、こちらに背中を向け、おぼつかない足取りで離れていく。男の進行方向にいた看護師たちが悲鳴を上げながら道を開けた。処置室と廊下を繋《つな》ぐドアを開け、男は左右に揺れながら部屋から出て行こうとする。

一瞬、僕は男を追おうかと立ち上がりかけるが、すぐに思いなおした。いま重要なのはあの男を捕まえることじゃない、沖田を救うことだ。

再び点滴ラインに集中しようと視線を落としかけた時、男が姿を消した扉が開き次々と医師が室内へと流れ込んできた。スタットコールを聞きつけた医師たちだ。

「どうした?」「状況は?」「沖田先生? なんで沖田先生が?」

次々に質問を口にする医師たちに、山田が的確に状況を説明していく。

ふと視線を上げた僕は、いまも断続的に医師が駆け込んでくるドアの奥で、男が非常階段の扉を開け、中に入っていくのを見た。

あの非常階段を上がっていったら……。全身から血の気が引く。あの階段を上がり続けたら、あの男は屋上に出る。鷹央の〝家〟がある屋上に。

考えるより早く、僕は床を蹴って駆け出していた。白衣の波を掻き分け非常階段室へと入ると、手すりから身を乗り出し上方を見る。

スタットコールに出遅れた医師たちがぱらぱらとおりてくる中、階段を駆ける男が見えた。もはや脳震盪からは完全に回復したのか、そのスピードはかなりのものだ。

やはり屋上に行くつもりだ。僕も男に続いて階段を駆け上がりはじめる。

あの男はいったいなにをしているんだ? なぜ屋上に?

僕は足を動かしながら頭を振る。重要なのは、沖田を刺した男があの口の悪くて空気の読めない、そして小柄で弱々しい上司のところへ向かっているということだ。

最近の運動不足のせいか、早くも悲鳴を上げはじめた太股《ふともも》に活を入れつつ、僕はひたすらに階段を屋上まで上がっていった。扉を開くと、僕は素早く左右に視線を走らせるが男の姿は見あたらない。やはり鷹央の〝家〟に逃げ込んだのか？

僕は息を整えながら家に近づいた。石段をあがり、玄関扉のノブを摑んで回す。カチャリと小さな音がして、扉がわずかに開いた。鍵はかかっていない。

僕は勢いよく室内へと飛び込んだ。足が当たって入り口近くにあった本の山が崩れるが、そんなこと気にしている余裕はない。〝本の樹〟が生い茂り、死角の多い室内に視線を這わしていく。

鷹央はすぐに見つかった。部屋の奥に置かれたソファー、そこに横になって英文の医学雑誌を読んでいた。

飛び込んできた僕を見た鷹央は、慌てて上半身を起こす。ネコのような目が裂けそうなほどに見開かれ、口が酸欠の金魚のごとくぱくぱくと動いていた。

「あ、あの……無事ですか？」

「なんだなんだなんだ？」鷹央は声を上ずらせながらまくし立てる。

「いや、えっと……あやしい男が飛び込んできたりしませんでしたか？」

「きた！　お前だ！　お前があやしい男だ！」

「いや、そういうことじゃなくて……」

「レディの部屋に入る時にはノックするもんだぞ。そんなことも知らないのか⁉」

「おどろかせてすいませんでした。救急室でその……事件があって」

「事件？」少し冷静さを取りもどしたのか、眉間にしわを寄せる。

「はい、沖田先生が……刺されました」

「刺された⁉ 沖田は大丈夫なのか？」鷹央はネコを彷彿させる大きな目を剝いた。

僕はついさっき目の前で繰り広げられた凶行を思い出す。心臓、肺、大血管、多くの重要臓器が詰まった胸部をあれだけくり返し刺されたら……。

「……救急部でみんなが必死に治療しています」

「そんなことは聞いていない。沖田は大丈夫なのか？」

「……かなり厳しいです」

「厳しいって言うのは、死ぬ可能性が高いってことか？」鷹央の声が震えた。

そこまで言わないと分からないのか。鷹央の鈍さに辟易した僕は、彼女の背後にある窓の、カーテンの隙間から見えた光景に息を吞む。沖田を刺したあの男が、天を仰ぎながら屋上の端に立っていた。男の手が屋上の周囲を囲むフェンスにかかる。

僕は急いで外へと出る。〝家〟の裏側に回りこむと男の姿が見えた。転落防止用のフェンスを乗り越えようとしている男の姿が。

「やめろ！」

僕が叫ぶと、フェンスを越え数十センチほどの足場に立った男は、緩慢な動きでふり返った。一歩踏み出せば、落下してコンクリートに叩きつけられるだろう。

……前原のように。

男と視線が合った瞬間、その硝子玉のように無機質な瞳を見て、体がこわばる。

自らの命を絶とうというのに、その眼球にはなんの感情も浮かんでいなかった。

血色の悪い薄い唇の両端が吊《つ》り上がり、いびつな笑みを形作ると、男の体がゆっくりと傾いていく。宙空に向かって……。

僕は床を蹴って走ると、フェンスから体をのりだし手を伸ばす。指先が男の着ているシャツの襟にかかった。全身の力を振りしぼり男の体を引く。男が痩身だったことが幸いだった。男の体は僕の腕力で屋上に引き戻される。

僕は屋上に倒れた男のシャツの両襟をつかむと、上半身を強引に引き起こした。

「なんで沖田先生を……」奥歯がきしむ。抑えがたい凶暴な感情が胸で荒れ狂う。

「宇宙人が言ったんだ」人工音声が喋《しゃべ》っているような単調な声で男はつぶやく。

「ふざけるな！　宇宙人が沖田先生を殺して自殺しろとでも言ったっていうのか」

「そうだ。じゃまするな。お前も殺すぞ」

男は右の拳を僕の顔面に向けて振るってきた。僕は体を反らし、攻撃をよける。

こんな男に沖田先生は……。僕は右手の小指から人差し指までを順に握りこむと、その上から親指をそえ拳をつくる。目の前の男のような弱々しい拳ではなく、空手家の武器としての『拳』を。

次の瞬間、僕は男の顔面に向かって力いっぱいその凶器を振り下ろしていた。

拳頭《けんとう》に衝撃が走る。骨と骨がぶつかる鈍い音が鼓膜を揺らした。

男の鼻から血が噴き出した。しかし、男は痛みに声を上げることもせず、いびつな、まるで嘲笑するような笑みを浮かべ続けた。

頭の中でなにかが切れる音が響いた。視界が真っ赤に染まる。

僕は無我夢中に拳を振り下ろした。男の唇が切れ、まぶたが腫れる。首ががくんと後方に仰け反る。

振り上げた拳が温かいものに包まれる。振り返ると、いつの間にか背後にいた鷹央が、両手で僕の血で濡れた拳を包み込んでいた。真っ白な細い指が赤黒く染まる。

「もうやめろよ。それ以上やったら、そいつ死んじまうぞ」

体の中で暴れ回っていた激情がみるみると萎《しぼ》んでいく。

僕が襟を放すと、男は軟体動物のようにだらりと力なく屋上に横たわった。

「……警察が来たな」鷹央が遠くを見ながらつぶやく。

聞き慣れた救急車のものとは違うサイレン音が遠くから聞こえてきた。

第二章　最小の密室

1

「それで、先生はここで、容疑者が飛び降りようとしているのを止めたわけですね？」

「……はい」

　フェンスから軽く身を乗り出し、下をのぞき込んでいるくたびれた中年男の言葉に、僕はため息まじりに答える。すでに同じことを何度もくり返し説明してきた。それにもかかわらず、事件から二日後におとずれたこの桜井公康《さくらいきみやす》とかいう名の警視庁捜査一課の刑事は、一つ一つ微に入り細に入り確認してくるのだ。

「いや先生、本当に申しわけございません。同じことを聞かれてうんざりなさっているでしょうが、どうかご協力お願いします」

　僕の表情を読んだのか、桜井は慇懃《いんぎん》に頭を下げる。僕は「はあ」と、もはやため息なのか返事なのか分からない言葉を吐き出すことしかできなかった。

二日前、僕の拳で気を失った男は、駆けつけた警官により殺人未遂の現行犯で逮捕された。そして、その容疑はすぐに『殺人』に切り替わった。肺、大動脈、そして心臓を幾度となく貫かれた沖田は、治療のかいなく命を落としたのだ。

その日のニュースで、救急医が搬送された患者にめった刺しにされたというショッキングな事件は大々的に取り上げられた。しかしその犯人はというと、『容疑者はわけの分からないことを口走っており、警察は今後精神鑑定を……』という説明のもと『二十一歳の無職の男』としか発表されておらず、氏名はいまだに伏せられている。

まあ、しかたないだろう。『宇宙人に命令された』と人を殺し、そのうえなんの躊《ちゅう》躇《ちょ》もなく自分の命を捨てようとした男だ。あの底なし沼のような暗く空虚な双眸《そうぼう》。正常な精神の人間があんな目をできるとはとても思えなかった。

「先生、……先生」

「あ、はい」もの思いにふけっていた僕は、桜井に声をかけられ我に返る。

「どうなさいました、ぼーっとして」

「いえ……ちょっと疲れているもので」

その言葉に偽りはなかった。体の奥に重い疲労感がヘドロのように溜《た》まっている。

同僚の医師が目の前で刺し殺されるという異常な状況、そしてその後に延々と続いた事情聴取に精も根も尽き果て、二日経《た》ったいまもそれは回復していなかった。

「それは大変ですね。お察しします。では、話を続けさせていただきますが、ここから飛び降りようとした容疑者を先生が屋上にひきもどし、半殺しにしたんですね」

「半殺し……まあそういうことです」

あんまりな言い草に、一瞬反論が喉元まで出かかったが、僕はその言葉を飲み下す。逮捕後の検査であの男の鼻骨と頬骨に骨折が認められたらしい。相手が殺人犯で、しかも自殺をしようとしていたところを止めたということで、僕に対する直接的なおとがめはなかったが、事情聴取はまるで容疑者の取り調べのように厳しいものだった。

「そして、えっと……、天久《あめく》先生が小鳥遊《たかなし》先生を止めたんですね」

桜井は表情にかすかにとまどいの色を浮かべながら、僕の後ろに立つ鷹央《たかお》に向けて言った。顔の半分近くが隠れるような大きなサングラスをかけた鷹央に。

「日差しがまぶしい」とか言って鷹央はそのサングラスを持ち出していた。そう言えば〝家〟の中も、いつもカーテンがひかれていて薄暗い。光に過敏なのかもしれない。しかし、手術着の上に白衣を羽織った服装にファッショナブルなサングラスをかけた姿は、異様なほどにアンバランスだった。桜井が戸惑うのも当然だ。

「そうだよ。あのままだと小鳥《ことり》、あいつを間違いなく殴り殺してたな」

……刑事の前でそういうことを言わないでくれ。

「そのあと駆けつけた警官たちに容疑者を引き渡したんですね。その時、容疑者はなにか言っていましたか？」

懐から手帳をとりだした桜井に、僕は投げやりに答える。

「わけの分からないこと言っていましたよ。宇宙人がなんとか」

「ああ、そうですか……宇宙人ねぇ」

桜井はまるでＵＦＯでも探すかのように、雲一つない晴れわたった空を見上げた。

「あの男……まだ、宇宙人の命令で沖田先生を殺したって言っているんですか？」

「申しわけありませんが、捜査の内容につきましてはお答えできません」

僕の問いに、桜井のすぐ後ろに立っている成瀬隆哉《なるせりゅうや》とかいう名の体格の良い刑事が、低い声で言った。

桜井の紹介では、桜井とペアを組んでいる田無署の刑事らしい。

「ということです。申しわけありません」桜井は芝居じみたしぐさで肩をすくめる。

「言っているに決まっているだろ」

「え？　なんですか？」

不意に上がった声に、僕はすぐ横に視線を向ける。

「だから、あの男はまだ『宇宙人の命令』で殺したって供述しているんだよ」

鷹央はもう昼過ぎだというのに、まだ寝ぐせの残る黒髪を掻《か》き上げた。

「あの……なんでそう思うんですか？」

「そこの偽コロンボが来てるからだよ」

鷹央のセリフで、僕は目の前の中年刑事が誰に似ているのか気づく。なるほど、言われてみれば鳥の巣のようにもじゃもじゃとした天然パーマの髪型、貧相に見える猫背、そして夏だというのになぜか腕にかかっている茶色い古びたコート、全てがアメリカの有名刑事ドラマに出てくる殺人課刑事にそっくりだ。

「あの、『からだよ』って言われましても……」

戸惑う僕に、鷹央は面倒くさそうに説明をはじめる。

「いいか、事件のことについてはもう所轄の刑事に全部話した。それなのに、今日になって警視庁捜査一課の刑事が話を聞きにのりこんで来た。ということは、田無署に捜査本部が立ったってことになる。そこまではわかるな？」

「え、ええ……」刑事ドラマは嫌いではないので、それくらいの知識はあった。

「犯人が捕まっているのに、捜査本部が立ったんだぞ。普通ならおかしいだろ。ということは警察は、実行犯の逮捕だけでこの事件を終わらせる気がないってことだ」

「事件を終わらせる気はない？　犯人はもう捕まっているのに？」

「……大宙神光教《だいちゅうしんこうきょう》」

鷹央は左手の人差し指をぴょこりと立て、耳慣れない単語をつぶやく。その瞬間、桜井と成瀬の顔にかすかな動揺が走った気がした。

「だい……ちゅう？　なんですか、それ？」

「知らないのか？　沖田はその新興宗教団体とトラブルになっていただろ？」

新興宗教とトラブル？　そんなこと初耳だ。なんでこの人、自分の知っていることは他人も知っているっていう前提で話をすすめるんだろう？

「警察は犯人が大宙神光教の関係者で、教団の命令で沖田を殺したかもしれないって疑っている。そういうことだろ？　な？」

鷹央が水を向けると、桜井は苦笑を浮かべた。

「さっき申し上げたように、捜査情報はお教えできないんですよ。ご了承下さい」

「私に情報を流して頭脳を有効活用した方が、捜査が進展するぞ」

鷹央が真顔で放った冗談としか思えない申し出に、桜井は苦笑を浮かべた。

「申し出はとてもありがたいのですが、私たち専門家にどうぞおまかせ下さい」

「お前たちなんかより、私の方がはるかに知識もあるし、頭が切れるんだぞ」

鷹央の暴言を聞いて、僕は頭を抱える。『はるかに頭が悪い』と評された刑事たちのうち、桜井はまだ苦笑を浮かべているが、成瀬はいかつい顔を紅潮させていた。

「素人《しろうと》は引っ込んでいて下さいよ。捜査情報なんか流せるわけないだろ」

成瀬は唸《うな》るように言いながら、気の弱い子供なら失禁しそうな視線で鷹央を射ぬく。

しかし、鷹央はそんな視線に動じた様子もなく「ちっ」と大きく舌打ちをすると、白衣のポケットからスマートフォンを取り出した。

「あの、どこにかけるつもりですか？」

僕の問いを黙殺して、鷹央は電話越しに誰かと話しはじめた。

「久しぶりだな。鷹央だ……そう、天久鷹央。頼みがあってな……。そうだ……」
二、三分会話をした鷹央は唐突にスマートフォンを桜井に差し出した。
桜井は「私ですか？」と戸惑い顔でスマートフォンを手にとり、顔の横に当てる。

「えっと……私、桜井と申しますが……。あの、失礼ですがどちら様で？　……は？」

それまでどこか眠そうだった桜井の目が大きく見開かれる。

「はい！　はい！　いえ……それは……本当によろしいのでしょうか？　はい……はい。了解いたしました。……はい。失礼いたします」

通話を終えた桜井は、呆然《ぼうぜん》としながらスマートフォンを鷹央に返す。

「あの、桜井さん。一体どなたから……」

桜井のただならぬ様子を見て成瀬が訊《たず》ねると、桜井は弱々しい笑みを浮かべる。

「……課長だよ。警視庁捜査一課長からだ。そちらの天久先生は信頼できるから、マスコミに流すぐらいの情報は教えて差し上げて、ご意見を求めろだって」

成瀬は「うぇ!?」と、喉にものを詰まらせたような声をあげて鷹央を見る。

「天久先生、あなた、課長とどんなお知り合いなんですか？」

「私は帝都大の出身だ」鷹央は低い鼻を自慢げに鳴らした。

僕は鷹央をちらりと横目で見る。やっぱり帝都の出身か。そんな気がしていた。

帝都大。日本の最高学府。とくにその医学部は日本最難関学部として有名だ。そして帝都大学医学部は医学界の頂点に君臨していた。

「帝都大。それはすごい。けど、それがどうかしたんですか?」桜井は首をひねる。

「帝都の文系には、国家試験に合格して官僚になる奴《やっ》らも多い。その中には警察庁にキャリアとして入庁する奴もいる」

「けれど、捜査一課長はキャリアではなく、代々たたき上げって決まっていますよ」

「キャリアは入庁してある程度経つと、所轄署の署長になることも多い。そんな奴らが自分の管轄で起こった難事件を、帝都のツテを使ってお忍びで私に相談することがあったんだよ。帝都大の中でも私の知能は有名だったからな。もちろんその中には、捜査本部が立って警視庁捜査一課が捜査をしているような事件もあった」

「その時に、捜査一課長とも知り合いになったって言うわけですか?」

半信半疑、いや八割方疑いのまなざしで桜井は鷹央を眺める。

「私のおかげで解決できた大事件もあるぞ。で、教えてくれるんだろ?」

鷹央は薄い唇にいやらしい笑みを浮かべる。桜井は大きくため息をつくと、「マスコミに流す程度の情報までですよ」と前置きしてから話しはじめた。

「たしかに、私たちは今回の事件と大宙神光教の関係について調べています」

「あの男、その、だいちゅう……なんとか教っていう宗教の信者だったんですか？」

僕の質問に桜井は手をぱたぱたと振る。

「周囲の話では、あの男から宗教の話が出たことはなかったらしいです。ただ……」

桜井は、一瞬口ごもる。どこまで教えていいのか迷っているのだろう。鷹央はじれったそうに、「ただ、なんだよ？」と先をうながす。

「……あの男の部屋を捜索したところ、散乱したゴミの奥から、大宙神光教の教義について記された小冊子が発見されたんですよ。と言うか、そのことからあの男と大宙神光教の関係が疑われ、捜査本部の設置が決まりました」

「沖田と大宙神光教の関係は、警察は知っていたのか？」

「聞き込みで、沖田先生が教団とトラブっていたっていう情報が出てきましたからね。逆に沖田先生のトラブルはそれくらいしか聞けませんでした。みんな口をそろえて素晴らしい先生で、人から恨まれるなんてあり得ないって言っていましたね」

「あの男と沖田の間には個人的なつながりはないんだな？」

「捜査中ですが、いまのところそういう情報はないですね」

「そうか、それで犯人は具体的にはどんな供述をしているんだ？」

鷹央の問いに、桜井は一瞬視線を宙にさまよわせた。

「……たいした供述は取れていませんよ」

「黙秘しているってことか？」

「いえ、取り調べには素直に応じていますよ。素直すぎるくらいだ。ただ、なんというか……まったくつかみ所のない奴でしてね」

「つかみ所？　つかみたいなら、手でも髪でもつかめばいいじゃないか」

桜井が助けを求めるような視線を僕に向けてきた。僕はその視線に気づかないふりを決め込む。なぜか鷹央はなかなか比喩表現を理解してくれない。僕はそのことに慣れはじめていたが、初対面の桜井にしてみれば戸惑うのもしかたない。

「なんというか、質問に答えるんですけど、まるで感情が見えないんですよ。ロボットと話しているような感じです」

「で、具体的にはどんなこと言っているんだ？　動機は？　沖田との関係は？」

桜井の感想になど興味はないと言わんばかりに、鷹央は矢継ぎ早に質問をしていく。

「それはさっき先生が推理されたとおりですよ。動機は『宇宙人に殺せと命令されたから』、そして被害者とは面識がなかったと言っています」

「なんで宇宙人が沖田を殺そうとするんだ？」

「そのへんの供述も曖昧でしてね。『そう言われた』としか言いません。そんな供述と、家に小冊子があったことで、大宙神光教と男の関連が疑われはじめたんです」

『宇宙人に命令された』なんて供述でどう関連が疑われるんだ？

「あの、宇宙人の話で、なんでその宗教団体が怪しいってことになるんですか？」

「なんでって、大宙神光教が宇宙人を信仰しているからに決まってるだろ」

　僕が訊ねると、さも当然のように鷹央は答えた。

「宇宙人を？　なんなんですか、そのわけの分からない怪しげな宗教」

「大宙神光教は五年ほど前に宗教法人に認定された宗教団体だ。信者数は約三万人、そのうち五百人ほどは出家信者として奥多摩《おくたま》にある本部施設で集団生活を送っている。教祖は現在二十四歳の『神羅《しんら》』という女……」

「しんら？」

「もちろん本名じゃないぞ。本名は大河内《おおこうち》桜《さくら》だ。七年前に大河内桜は『神託』を受けるようになって、『神羅』と名乗りはじめた。簡単に言えば神様の声が聞こえるようになったってことだ。ただ、この宗教のユニークなところは、神羅にとって『神』イコール『宇宙人』だったってことだな」

「神様が宇宙人……ですか？」

「ああ。つまり大宙神光教の教えでは、人類はもともとはるか昔に宇宙人の手によって誕生して、常に宇宙人は人類の進歩を見守ってきたとされている。そして、地球が人類によって汚染されてきている現在、もうすぐ宇宙人が正しい行いをしている人間だけを救って、それ以外の人類を滅ぼそうとしているってことらしい。まあ、感じとしてはキリスト教の『再臨』に近いものをイメージしているんだろうな」

「お詳しいんですね」

感心と呆《あき》れが混ざった口調で、桜井が口をはさんでくる。

「大宙神光教は天久先生がご説明して下さった通りの教義を持っています。そして、沖田先生と大宙神光教との間ではトラブルが持ち上がっていました」

「トラブルって、どんな?」

僕が首をひねると、桜井の代わりに鷹央が答えた。

「沖田の一人娘が、大宙神光教の出家信者なんだよ」

「娘さんが……」

「沖田は娘が小さい時、妻を亡くしているんだ。それ以来、男手ひとつで娘を育ててきたけれど、三年前に大学生だった娘がいきなり家を飛び出して、大宙神光教の出家信者になった。大学で勧誘されて感化されたらしい。それでも最初のころは時々、家にも戻ったりしていたらしいけど、一年半ぐらい前からは音信不通になった」

「沖田先生はいろいろな手段を使って娘さんを教団から取りもどそうとしたようですね。我々、警察にも相談におとずれたらしいですが、なにしろ娘さんはすでに成人して、自分の意思で教団に入信していますからね、なかなか手が出せませんでした。最近では、沖田先生は教団を刑事告発しようとするとともに、民事の方でもなんとか訴訟に持ち込めないか弁護士に相談していたようです」

鷹央の説明を桜井が引き継ぐ。事件が起こる直前、沖田がなぜ『宇宙人』という単語に異常な反応を示したのかようやく理解できた。

「ということで、沖田先生を刺殺した犯人が『宇宙人、宇宙人』と騒いでいるとなれば、私たちも教団の関与を疑わないわけにはいきません」桜井は小さくため息を吐《つ》く。

「疑うって、明らかに関わっていますよ。その教団の捜索とかしないんですか？」

「教団を調べるとなると強制捜査ということになります。そのためにはかなりしっかりした根拠がないと難しい。しかも、強制捜査に入ってなにも見つからなかったりしたら大問題になります。第一、容疑者は宇宙人に命令されたと言っているだけで、大宙神光教のことはなに一つ口に出していません。部屋に本が置いてあっただけでは、さすがに強制捜査の根拠には弱すぎますしね。そもそも大宙神光教は変な噂《うわさ》もあるにはありますが、これまで何一つとして犯罪行為を摘発されたことのない教団です。まあ、当分は手を出せないでしょうね」

「それで、犯人の男はどんな感じで宇宙人に命令されたって言っているんだ？」

鷹央の問いに、桜井は芝居じみた仕草で肩をすくめた。

「いやいや、なんとも滅茶苦茶な話ですよ。容疑者いわく、気づいたら宇宙船の中にいて、おかしな半球状の物体をかぶせられると、世にも幸せな気分になったとのことです。そしてその後、宇宙人は沖田先生を殺すように命令をしてきたらしいです」

「それって前原《まえはら》と同じ……っっ！」

思わず声を上げかけた瞬間、固く尖《とが》った物が僕の脇腹に突き刺さった。あまりにも予想外のタイミングで急所の肝臓をえぐられ、肺の空気が強制的に押し出される。

「……どうかしましたか？」

「なんでもないよ」

腹を押さえる僕を訝《いぶか》しげに見る桜井に、肘を突き刺した犯人が何食わぬ顔で答える。

僕は横目で鷹央をにらむが、鷹央はそっぽを向いたままだった。

「まあ、上層部はどうやら、容疑者が洗脳されて犯行に及んだと考えているようですけどね。しかし、どうなんでしょうねえ……」

「どうなんでしょうねえ、と言うと？」

僕は脇腹をさすりながら、歯切れ悪い桜井に水を向ける。

「私も職業柄、そういう『洗脳』された奴らもけっこう見てきました。ただね、今回の容疑者はそういう奴らとは明らかに違う気がするんですよ。なんて言うか……人間として壊れてしまったというか……心が無くなってしまったというか」

そこまで言うと、桜井は「いえ、なんでもないです」といってかぶりを振った。

「あの男のＣＴ写真は見たか？」唐突に鷹央が話題を変えた。

「え、なんですか？　ＣＴ？」

「そうだ。あの男は小鳥《ことり》にぼこぼこにされたんだから、逮捕後にＣＴ撮っただろ」

「はあ、あまり詳しくは聞いていませんが、一応検査はしたらしいですよ」

「その時に撮ったＣＴでなにか異常は無かったか？」

僕は鷹央がなにを知りたいのか気づいた。前原のＣＴ写真に写っていた不自然な梗《こう》塞巣《そくそう》、あれが犯人の頭にもあったのかどうか、それを知ろうとしているのだ。

「大きな異常はなかったと聞いていますけどね。私たちは医療の専門家じゃないんで、それ以上のことはちょっと」

「そうか……」少し不満げにつぶやくと、鷹央は腕を組んで黙り込む。

「いやぁ、話を聞くつもりが逆になってしまいましたね。まいったまいった。これくらいの情報はそのうち世間にも知られる程度のものですが、一応ご内密にお願いしますよ。特に大宙神光教の名前は出さないで下さい。よろしくお願いしますよ。捜査一課長の顔を立ててお教えしたんですから」

桜井が苦笑しながらこめかみを掻くと、鷹央はいぶかしげに眉根を寄せた。

「顔を立てる？　顔はもともと真《ま》っ直《す》ぐになっているものだろ？」

桜井が訴えかけるように僕を見る。だから、助けを求められても困るんだけど。

「ああ、それも比喩表現だな。分かっているって」

「さて、長居しちゃいましたね。そろそろおいとまします。天久先生、小鳥遊先生、ご協力感謝いたします。またなにか情報などありましたら、ぜひご連絡下さい」

桜井がふところから名刺をとりだし僕に押しつけたとき、後ろに控えていた成瀬のズボンから着信音が響いた。成瀬はポケットからスマートフォンを取り出し、通話をはじめる。十数秒後、「は……ぐぇ？」という、カエルが車に轢《ひ》かれたかのような濁った音が成瀬の口からもれ出した。

「ん？　成瀬君、どうかしたの？」

桜井が声をかけると、通話を終えた成瀬が口を半開きにしながらつぶやく。

「容疑者が。ここで起きた事件の容疑者が……留置場で自分の首にズボンを巻き付けて自殺をはかりました。……心肺停止状態です」

2

「本気なんですか⁉」

薄暗い部屋に僕の怒声がこだまする。ソファーに横になり分厚い本を読んでいた鷹央は、じろりと僕をにらみつけた。

「……うるさいな」

不機嫌で飽和したような声が部屋に響く。普段ならここであきらめて引き下がってしまうところだが、今日はそうはいかなかった。僕は軽くネクタイを緩めると、鷹央の寝そべるソファーに近づき襟元を正す。喪服の襟元を。

救急室でのあの衝撃的な事件から五日。今日は沖田の葬儀の日だった。しかし、あと一時間ほどで葬儀がはじまるというのに、鷹央はまだ手術着姿だ。

「先生は副院長じゃないですか。それに、沖田先生とは古い付き合いなんでしょ。それなのに本気で葬式に行かないつもりですか？」

「……それが悪いのか？　葬式に行くかどうかなんて、私の勝手だろ」

「勝手じゃないです！　先生は僕の上司で、統括診断部の部長です。葬儀に部長が参加しないなんて統括診断部の恥になります。それくらい空気を読んで下さいよ」

「なんだよ空気を読むって。意味が分からない！」

鷹央はヒステリックに叫ぶと、手にしていた本をソファーに叩きつける。

あまりにも子供じみた態度に、僕は怒りを通りこし呆れはじめていた。胸郭の奥が冷えていく。僕は一度大きく深呼吸をすると、ゆっくりと口を開いた。

「もう一回だけ確認します。本当に……沖田先生の葬式に行かないつもりですか？」

鷹央は無言のまま薄い唇を尖らすと、どこかためらいがちにうなずいた。僕は唇を嚙《か》み、頭を力なく左右に振る。

「先生は沖田先生と仲が良かったんじゃないんですか?」

「仲は……よかった」

「先生が子供の時からの知り合いなんでしょ。それくらい長い付き合いなんでしょ」

「ああ、そうだ……」渋々といった感じで鷹央はうなずく。

「今日が沖田先生に挨拶をする最後のチャンスなんですよ。だから、葬式に行きましょう。僕の車がありますから、そんなに疲れませんよ」

僕はゆっくりとした口調で諭すように言う。しかし、軽く首をひねった鷹央の口から出た言葉は、僕の期待していたようなものではなかった。

「沖田は死んでいるんだ。葬式に行ったって、もう挨拶なんてできないじゃないか」

絶句する僕の前で鷹央は持論を展開し続ける。

「葬式に行ってももう沖田はいない。あるのは沖田の遺体だけだ。脳への血液が遮断され、前頭葉の脳細胞が死滅した時点で沖田の人格は消滅したんだ。たしかに肉体が死んでも『魂』というものが存在するという思想もあるが、たとえ『魂』が存在したとしても、それが遺体のそばにいるとはかぎらな……」

「そういう問題じゃないでしょう!」

僕は鷹央の言葉をさえぎり、思わず叫んでしまう。鷹央の細い体がびくりと震えた。

「じゃあ……じゃあ、どういう問題なんだよ？」

「気持ちの問題ですよ。故人を思いやって、弔うべきなんです」

「沖田はもういないんだよ。遺体を見に行くことが、なんで弔うことになるんだ！」

「……分かりました」

もはや我慢の限界だった。僕は歯を食いしばりながら低い声で言う。気を抜けば鷹央を怒鳴りつけてしまいそうだった。

「分かったならいい」

「ええ、分かりました。先生が人の気持ちを理解できない人だっていうことが。申し訳ないですけど、僕はそんな人の下で働いたり勉強したりしたいとは思いません」

「え？」鷹央はぱちぱちとまばたきをした。

この病院に勤務してから、頭の隅でずっと考えていたことが口をつく。

「この病院を辞めさせていただきます」言い聞かせるように、僕はゆっくりと言った。

「本気……なのか？」鷹央は大きく目を見開く。

「ええ、前々から考えていましたが、今日で決心がつきました。約束ですから来月いっぱいまではお世話になります。けれど、そこで退職させていただきます」

鷹央は無言で僕を見つめ続ける。次の瞬間、カーテンのすき間から差し込んだ光が唇を固く結ぶ鷹央の目元できらめいた気がした。

「そうか……分かったよ」

鷹央はうつむいて、耳をすまさなければ聞こえないほど弱々しい声で言った。

予想外の鷹央の反応に僕は動揺する。まさか涙を見せるとは思わなかった。てっきり『好きにすりゃいいだろ』とでもいわれると思っていた。

「じゃあ、そういうことで。……僕はこれから沖田先生の葬式に行きますから」

「ああ……」鷹央が顔を上げることはなかった。

正体不明の罪悪感をおぼえながら僕は部屋から出る。真夏の日差しが照りつけてきた。薄暗い部屋に慣れていた目には強すぎる刺激に僕は目を細める。

玄関前の短い石段を下りると、背後の〝家〟を振り返る。思わず勢いで退職を宣言してしまったが、これで良かったのだろうか？

たしかに医局から指定されていた二ヶ月が終わった時点で大学に戻った方がいいかもとは考えていた。しかし、結論はもう少し考えてから出すつもりだったし、あんな売り言葉に買い言葉のような状況で伝えるつもりなどなかった。

鷹央の大きな目の端に光った涙の記憶が僕を責め立てる。

「小鳥遊先生」

不意に涼やかな声が聞こえてくる。見ると、真鶴《まづる》が微笑《ほほえ》みながら階段室から出てくるところだった。やはりこれから沖田の葬式に向かうのだろう、彼女も喪服姿だった。

「お疲れさまです、真鶴さん。これから葬式に向かうんですか？」

「ええ、そうなんですけど、その前にちょっと鷹央に渡しておかないといけない書類があって。あの、小鳥遊先生はここでなにを？」

「いえ。……鷹央先生を葬式に連れて行った方がいいのかと思いまして」

「ああ、それはわざわざありがとうございます。けれどあの子、行かないでしょう？」

「ええ。……『葬式に行っても意味がない』みたいなことを言われて」

ついさっきの鷹央の言葉を思い出してしまい、思わず声にとげが混じった。

「すいません。鷹央が不愉快な思いをさせたみたいで」

「いえ、そんなことは……」

「けど、しかたがないんです。あの子は人が多い場所が苦手で。とくにお葬式みたいな、たくさんの人の泣き声が混ざるような場所だと、苦しくてしょうがないんです」

「……苦しい？」

「ええ、小学生のころなんて祖母のお葬式でパニックになって、大声で叫び出しちゃって。それにあの子、自分がその場の空気を読めないことを分かっていますから、まわりを不快にさせないか心配して、冠婚葬祭の場には出ないんです」

「いや、いくら空気を読むのが苦手だと言っても鷹央先生もいい大人なんだから、葬式の時ぐらい普通に行動できるんじゃ……」

真鶴は切れ長の目を大きくして僕の顔を凝視してきた。

「先生は、まだ気づいていらっしゃらないんですか？」

「え？　気づいて？」

反射的に聞き返すと、真鶴は答えることなく僕の顔をまっすぐに見た。いったいなんだと言うのだろう？　そう言えば、以前沖田にも同じようなことを言われた気がする。いったいなにに気づけと……？

空気が読めない。比喩が理解できない。光に過敏。そして異常なほどの知識……。

喉から「あ……」声を漏らした僕は真鶴を見る。真鶴はかすかに表情を緩めると、小さく首を縦に動かした。その態度で僕は確信する。想像が正しいことを。

ついさっき鷹央と交わした会話の内容が頭の中で反響する。僕はなんてことを……。

恥辱と後悔で一瞬顔が火照り、その後すぐに顔面から血の気が引いていく。

鷹央に謝らなければ。そう思うが、いま戻ってもすぐに追い出されてしまうだろう。なにか〝家〟に入る口実がないか探す僕の視線が、真鶴が抱える茶封筒に注がれる。

「あ、あの、真鶴さん。その書類、僕が鷹央先生に渡してもいいですか？」

「え、この書類ですか？」一瞬、真鶴は不思議そうに自分の手の内の書類を見るが、すぐに微笑んだ。「それじゃあ、よろしくお願いします」

「はい！」僕は真鶴が差し出してきた封筒を受け取る。

「私、小鳥遊先生がこの病院に来てくれて、本当に嬉《うれ》しいです」

封筒を持って〝家〟に戻ろうとすると、真鶴が唐突に言った。

「これまで統括診断部に派遣されてきた先生たちは、本当に鷹央と相性が悪い方が多くて。二、三日で鷹央が『もう来なくていい』なんて言い出したりしてましたから。あの子、小鳥遊先生が来て本当に喜んでいるんですよ。最近は『今度来た奴は面白い』って褒めてますから。鷹央が初対面の人と仲良くできてるなんて珍しいんです」

「面白い……ですか」とても褒めているとは思えないんだけど……。

「あの子にとって『面白い』は最高の褒め言葉ですよ」

「そういうもんですか……」

「小鳥遊先生」

真鶴の囁《ささや》くような声が鼓膜をくすぐり、「は、はい」と声が上ずる。

「大変だとは思いますけど、鷹央をよろしくお願いします」

「はい、分かりました！」

「それじゃあ、私は先にお葬式に行っています」

身をひるがえして階段室へと向かう真鶴の背中を見送りつつ大きく息をつくと、僕は〝家〟の玄関前の石段を上がり扉をノックした。しかし、返事はない。

「……失礼します」

おそるおそる扉を開け、出て来たばかりの部屋の中に入る。鷹央はソファーの上で体育座りになっていた。元々小さい鷹央の体がさらに一回り縮んだように見える。

「……なんだよ。なにしに戻ってきたんだ?」

鷹央はゆるゆると顔をあげると、不機嫌を隠そうともしない口調で言う。

「あのですね、真鶴さんが書類を……」

「……ピアノの上にでも置いておけ。あとで読んでおくから」

「……はい」僕は書類の入った封筒をグランドピアノの鍵盤に置く。

「なんだ? まだなにか用があるのか?」

書類を置いてもまだ部屋を出ようとしない僕を、鷹央は目を細めてにらむ。

「いえ……あの」なんと言うべきなのか分からず、僕は必死に口にするべき言葉を探した。そんな僕を、鷹央は上目遣いに険のある目つきで観察してくる。

「姉ちゃんになにか言われたのか? ……いや、違うな。姉ちゃんが『このこと』を言うわけない。ということは……自分で気づいたのか」

独り言なのか、それとも確認なのか分からない口調で、鷹央は言葉をつむいでいく。

「まあ、私みたいな典型例と二週間も一緒にいてようやく気づくなんて、診断医として失格だ。ここを辞めるらしいけど、たしかに外科医に戻った方がいいな」

鷹央のセリフはしだいに独り言なのか、いやみなのか分からないものへと変化していく。返す言葉もなかった。激しい後悔が僕の胸をむしばんでいく。

『空気を読め』『相手の気持ちも考えろ』

自分が鷹央にかけた言葉が耳によみがえる。なんてことを言っていたのだろう。鷹央にはそれができなかったというのに。

鷹央が細いあごをくいっと持ち上げると、自虐的な笑みを浮かべる。

「そうだよ。私はアスペルガー症候群だ」

アスペルガー症候群。表情や身振りなどによる非言語的な対人能力の障害により、他人との人間関係がうまくつかめない。特定の物事に対して度を超えた興味を示したり、異常にこだわりが強いなど行動に偏りがある。以上のような自閉症的傾向を認める者の中で、知能や言語コミュニケーションに問題がない者とされている。

それらの特徴は、『空気が読めない』『融通が利かない』『人付き合いが悪い』などと捉えられることが多く、その知能レベルは平均的に高いにもかかわらず、社会的に低い評価を受けやすい。

「まあ最近は、アスペルガー症候群を一つの独立した症候群としてみるのではなく、自閉症スペクトラム、つまり自閉症的性質を持つ者のうちで知能指数が高い集団として見るようになりつつあるけどな」

鷹央は平板な口調でつぶやくと、僕に鋭い視線を投げかけてきた。

「哀れんでいるのか？」

「え？」一瞬、なにを言われたか分からず、僕は呆《ほう》けた声を漏らす。

「お前は私を哀れんでいるのか？　私のことがかわいそうだと思っているのか？」

「いえ……そんなわけじゃ……」

否定しようとした。しかし、自分の心をかえりみた僕はすぐに言葉に詰まる。

たしかに僕は鷹央を哀れんでいた。場の空気を読み、言葉の行間を読み、まわりの世界と自分との距離感、関係性を把握することで、他人とうまく付き合っていく。多くの人々が当然のように持っているその能力が欠如していることが、一般社会で生きていく中でいかに大変なハンディキャップになるのか、僕には想像もできなかった。

「三二四×九八七は？」唐突に鷹央は声を上げる。

「え？　なんですか、いきなり」

「三一九七八八だ。三四五六×八七九二は？」

「え？　ちょっと……」

「三〇三八五一五二だ」

僕は目を見開き絶句する。暗算で四桁同士のかけ算を解いたのか？

「好きな小説は？」

「あの、何を？」

「いいから好きな小説を言え」

「え、えっと。……『走れメロス』？」そんなことを急に言われても……。

「『走れメロス』？　それが一番好きな小説か？　渋いのか、それともまったく本を読まないのか……。『メロスは激怒した。必ず、かの邪智暴虐《じゃちぼうぎゃく》の王を除かなければならぬと決意した。メロスには政治がわからぬ。メロスは、村の牧人である。笛を吹き、羊と遊んで暮して来た。けれども邪悪に対しては、人一倍に敏感であった。きょう未明メロスは村を出発し、野を越え山越え……』」

　鷹央は目を閉じると、少々あごをそらしながら朗々と語りだす。

「ちょ、ちょっと待って下さい。もしかして……全文覚えているんですか？」

「当たり前だろ」

「当たり前じゃないですよ。あの、それじゃあ……『人間失格』は」

「だからなんでそんな渋いのを選ぶんだ。『私は、その男の写真を三葉、見たことがある。一葉は、その男の、幼年時代、とでも言うべきであろうか、十歳前後かと推定される頃の写真であって、その子供が大勢の女のひとに取りかこまれ……』」

「分かりました。分かりました。もう十分です」僕は両手を前に突き出す。

「なんだ、もういいのか。次はなににする？　聖書を最初から全部読んでやろうか？

何日もかかるだろうけどな。それとも円周率を一万桁まで言おうか？」

あまりにも常識外れの能力。僕の口から無意識に一つの単語がこぼれ落ちる。

「サ、サヴァン症候群……」

「正確には違う。サヴァン症候群はもともと、一八八七年にイギリスのジョン・ランドン・ダウンによって異常な記憶力を持つ男性を『idiot savant』、つまりは『白痴の賢人』として報告されたものだ。そのうち、『白痴』という言葉が差別用語になるにつれ『サヴァン症候群』と呼ばれるようになった。つまり狭義のサヴァン症候群は、重度の知的障害があるにもかかわらず特定の分野でのみ異常な才能を発揮する症例のことを指している。『レインマン』でダスティン・ホフマンが演じたキャラクターがその典型だ。その意味では知能レベルが常人より高い私は、正確にはサヴァン症候群じゃない。ただ私のように知的障害がなくても特別な能力がある場合を含めることもあるから、広い意味では私もサヴァン症候群といえるのかもな」

鷹央はサヴァン症候群についての知識を羅列していく。フィクションの中でしか見たことのなかった存在を目の当たりにしているという事実に、僕は圧倒されていた。

「それで小鳥。お前は私と同じようなことができるか？」

「いや、できるわけないじゃないですか」

反射的に答えると、鷹央は唇をゆがめ、蔑むようないやらしい笑みを浮かべる。

「そんなこともできないのか。かわいそうな奴だな」

理不尽な言い草に喉元まで反論が上がってくる。しかし、鷹央がなにをしようとしているのか気づき、僕は口をつぐんだ。鷹央の顔が普段通りの無表情に戻る。

「腹が立ったか？　ちなみに、いまのはお前を怒らせるために言った」

「はい、一瞬ですけどね。……僕も同じことをしていたんですね」

「察しがいいな。二週間もアスペルガーに気づかなかった奴とは思えない」

「……すみません」僕は頭を下げる。あらゆる意味での謝罪をこめて。

「たしかに私はアスペルガー症候群だ。脳の働きが多数派の人間とは大きく違う。『他人の気持ち』とかいうものを本能的に察することができないし、『空気を読む』ということもよく分からない。比喩表現をそのままの意味にとることもある。相手との関係性を摑《つか》むのが苦手で敬語も上手《うま》く使えないから、誰に対しても同じように話してしまう。視覚過敏のせいで、まぶしすぎて日中外に出るのは苦手だし、かなり不器用だ。音に敏感すぎるから人が多いところが嫌いで、食べ物も基本的にカレー味のものか甘いものしか食べられないし、予想外のことが起きるとパニックになりやすい」

鷹央は淡々と自らの症状について語っていく。

「けれど、私の知能レベルは一般人の平均をはるかに凌駕《りょうが》している。それに、気に入ったことだったら何十時間でも集中していることができるし、一度見た光景をそのまま思い出すことができる映像記憶の能力も持っている。音楽なら一度曲を聴けばすぐにピアノで演奏することもできる。大多数の人間ができないことが私にとっては『当たり前』なんだ。私は自分のこの特徴を『疾患』だなんて思ったことはない。これは『個性』だ。たしかに、この世の中は多数派にすごしやすいようにできている。私は世の中でいろいろ不便を感じることはあるけど、だからって、私はこの『個性』を捨てたいとは思わない。この『個性』は私の一部なんだ」

鷹央の口調に熱がこもっていく。

「……本当にすみません」

「べつに謝らなくていい。たしかに、アスペルガー症候群は『できること』より『できないこと』の方が目立ちやすくて、病人みたいに扱われることも多いんだ」

鷹央は自虐的にふっと鼻を鳴らした。

社会は大多数の者に使いやすいように設計されている。それ故、利き腕が大多数の者と反対というだけでも、日常生活でかなり不便を強いられることがある。左利きよりもはるかに珍しい鷹央の『個性』を、社会は残酷に排除していったのだろう。

鷹央は僕の目をじっとのぞき込んできた。その唇がゆっくりと開く。

「さっき、……お前は私に沖田を悼む気持ちはないのか質問したな」

「……はい」

「あるぞ、あるに決まっているだろう。沖田がいなくなってすごく悲しい。ただ、自分が葬式に行って……変なことをするのが怖いんだ」鷹央の表情がゆがんだ。

「そうならそうと言ってくれれば……」

「悪かったな。私は自分が分かっていることは、他人も分かっていると思ってしまうんだよ。それが間違っていることを知ってはいるんだが、本能的にそう思ってしまう」

「いえ……。でも、先生がそんなふうに思っていたって分かってよかったです」

再び部屋に下りる沈黙。けれど、部屋の空気はさっきよりも明らかに軽くなっていた。鷹央の本音が聞けて良かった。今後も統括診断部で働くかどうかはまだ決められないが、少なくとももう二度と鷹央と仕事をしたくないとは今は思わなかった。

「えっと、……それじゃあ僕は葬式に向かいますので」

僕がおずおずと言うと、鷹央はこくりと頷いた。

「そうか。行ってこい。私はここで自分なりの方法で沖田を悼むことにするから」

「自分なりの悼み方?」

「私は葬式に行けないけど、それよりももっと沖田が喜ぶことをしてやるんだ」

鷹央はにやりと笑うと、さっきまで手にしていた本を摑み、僕に向かって掲げる。

その表紙には大きく『宇宙からの声に導かれて　大宙神光教の教え』と記されていた。

「沖田の娘を教団から引っ張り出して、ついでに事件の真相をあばいてやるんだよ」

3

「それじゃあお大事にね」

「また来て下さいよ、先生。あ、今度は酒でももってきてよ」

「まだ未成年だろ。成人するまで入院していないように、リハビリ頑張れよ」

頭に包帯を巻いた少年に片手を上げ、軽口を返すと、僕は病室を出る。腕時計に視線を落とすと、時刻はもう少しで午後六時半になるところだった。沖田の葬式の翌々日、午後六時までの救急業務を終えた僕は、六階西病棟へとやってきていた。

「えっと、どっちだっけ？」

廊下に出て左右を見回す。この病院に来てからというもの外来と救急ばかりで、病棟業務をやっていないため、まだ病棟の構造がいまいち頭に入っていなかった。

まあいい。歩いていればそのうちエレベーターホールに着くだろう。僕はぶらぶらと廊下を歩きはじめる。病室などをちらちら覗《のぞ》きながら一分ほど進むと、右手にナースステーションが見えてきた。エレベーターホールはその奥だ。

「よお、小鳥遊先生」

ナースステーションの前を通過しようとすると、陽気な声が飛んでくる。見ると、ステーションの中で脳神経外科部長の蔵野《くらの》が笑顔で手を振っていた。

「あ、蔵野先生、どうも」

「どうしたの、こんな所で。このフロアは脳外病棟だよ」

「いえ、先週に救急で診た患者がどうなったか気になって、ちょっと様子を見に」

「先週に救急？　ああ、バイクで事故った十七歳の子供か。確か急性硬膜外血腫《こうまくがいけっしゅ》の」

「ええ、そうです」僕はうなずきながらナースステーションの中に入る。

「元気だったろ。暇なのか早く退院させろってやかましくってさ」

蔵野は笑顔を浮かべると、禿《は》げあがっている自分の頭を撫《な》でる。

「良かったです。搬送された時は意識もなくて、助からないかもって思いました」

「おいおい、誰が執刀したと思ってるの。この脳神経外科部長様だよ。硬膜外血腫なんて、目をつぶってもきれいさっぱり除去してあげるよ」

「子供が植物状態とかになるのは見たくありませんからね」

「ああ、うちの科だとどうしてもそういう患者も出るからな。意識もないまま胃瘻《いろう》を開けられて、栄養を流しこまれるような患者が……」蔵野の顔に一瞬暗い影がおちた。

「けど、いま病棟一周してきたんですけど、この病棟はそういう患者さんが少ないですよね。大学病院の脳外病棟とかと比べると活気がある気がします」

「だから言ってるだろ、手術の腕が良いって。だてに頭がこんなになるまで手術帽かぶってオペには入っていないよ。仕事に命をかけすぎたせいで、こんな年まで独り身だったんだ。脳のことに限っちゃ、鷹央ちゃんと知識で張り合えるよ」

　脳に限れば鷹央と張り合うことができる？　僕の頭にちょっとした考えが浮かぶ。

「あの、先生。いまって時間ありますか？」

「時間？　なんか相談かい？」

「ちょっと見てもらいたい画像があるんです」

　僕はわきにあった電子カルテのディスプレイに頭部CT画像を表示させる。前原隆《りゅう》三《ぞう》――『宇宙人にさらわれた』と訴えながら自らの命を絶った男のCT画像。

「誰のCTだい、これ？」蔵野は目を細めて画面を覗き込む。

「統括診断部の外来にきた患者です。五十三歳の男性、覚醒剤中毒の既往があって、主訴は『宇宙人に誘拐され頭になにか埋め込まれた』ってことでした」

「……それって明らかにシャブ中の精神障害だろ？」蔵野の表情がゆがむ。

「ええ、僕もそう思います。ただ……『宇宙人』っていうキーワードがどうしても気になって。それにCTもちょっと変な感じなんですよ」

「宇宙人？　ああ、沖田先生を殺した犯人もそんなこと言っていたんだっけ……」

　蔵野はディスプレイに向くと、舐《な》めるように画像に視線を這《は》わせていく。数分間画像を見続けた蔵野は、閉じたまぶたの上から眼球を揉《も》んだ。

「左前頭葉と……両側の扁桃体《へんとうたい》に梗塞巣《こうそくそう》があるな、この患者に脳梗塞の既往は？」

「はっきりした既往は分からないんです。採血データではＬＤＬコレステロールがかなり高くて、Ｃ型慢性肝炎も指摘されていました。あと糖尿病も」

「それだけ生活習慣病になってりゃ、脳梗塞おこしても不思議もないけど……」

蔵野は再びディスプレイに顔を近づけ、画像を凝視する。

「既往だけ聞いていると、アテローム性の梗塞でいいんだろうけど、この前頭葉の梗塞巣の形がなんともな。基本的には梗塞巣は画像上は扇形に広がるはずなんだけど、前頭葉の梗塞巣は、なんというか……三日月形に見えるね。あと扁桃体の梗塞だけど、ほとんど左右対称だな」

「鷹央先生もそこが気になったみたいです」

「これ、解剖しているんだよね。どうだったの、この梗塞巣に見える部分は？」

「細胞が壊死《えし》していて、普通の梗塞巣みたいに見えました。少なくとも肉眼的には」

「ふーん。それでこの患者は、宇宙人になにかされたって訴えてたってわけだね」

「ええ、宇宙人に頭になにかを埋め込まれてから、『自分』が変わってしまった。自分が『自分』じゃなくなって、身の置き所がないって訴えていました」

「『自分』が変わったか……」

眉間にしわをよせ十数秒黙りこんだあと、蔵野は独り言のようにつぶやいた。

「……俺な、かなり昔に似た症例を見たことがあるんだよ」

「似た症例？」

「ああ、俺は二年前にこの病院に着任する前、地方の県立病院に勤めていてね、そこで診た患者だよ。もともと前頭葉に大きな脳梗塞のあった患者だったんだけど、その人がヘルペス脳炎にかかって、両側の扁桃体を含む辺縁系が障害されたんだ。そうしたら、どうなったと思う？」

「どう……なったんですか？」

「『心』がなくなったんだよ」蔵野は声をひそめる。

「心が……？」

「ああ。まあ、『心とはなにか？』って言われると哲学の領域だけど、俺はそういうふうに感じたな。『心』とか『自我』ってやつが消えちまったって」

「それってどういう状態なんですか？　植物状態になるってことですか？」

「いや、植物状態じゃない。はた目に見ただけでは普通の人間と大きくは変わらない。けれど『感情』とか『意思』ってものがなくなっているんだよ」

「感情と意思……ですか」いまいちイメージがつかめなかった。

「うん、まあ定義はいろいろだと思うけど、『心』っていうやつは突き詰めれば外部からの刺激に対してどう評価を下し、どう反応するか選択することだって俺は思うんだ。まず刺激に対して適切に評価を行い、それに対してどう反応するべきか、経験とかを元にしてもっとも適当な方法を選択する」

僕は頷く。なんとなくだが蔵野の言っていることは理解できた。

「まず刺激に対して評価をくだすのが大脳辺縁系だ。その中にある扁桃体、海馬《かいば》、側坐核《そくざかく》なんかが連携して、その刺激が好ましいものか、それとも避けるべきものかの判断をくだす。その一連の動きの中で生じるのが一般的に『感情』って呼ばれるものだ。そしてその中心的役割を果たしているのが扁桃体だよ」

蔵野はディスプレイに映し出されている扁桃体を指さす。

「扁桃体を中心とする大脳辺縁系が障害されると、感情の鈍麻が起こる。そしてその感情をもとに自分がどのように行動するかを決める中枢が前頭葉、ここが『意思』の中枢だね」

「意思の中枢……」

「ああ、むかし重症のうつ病なんかに対して行われたロボトミー手術なんかは、この前頭葉を破壊するものだ。ロボトミー手術を受けた患者たちにはかなりの高確率で手術の後遺症があらわれた。まあ脳を破壊しているんだから当然だね。その後遺症の中に人格の鈍麻という症状がある。つまり、前頭葉には人格の中枢があるんだよ。人格の中枢がある前頭葉、そして感情の中枢、扁桃体……」

「その二つが同時に破壊されたら……」

「そう、『心』がなくなる」

「それって……どんな状態なんですか？」

僕の質問に蔵野はなにかを思い出すかのように視線を上げた。

「俺が見た症例では、まず喜怒哀楽がなくなって、ほとんど表情ってものがなくなった。それに自発性も消え失《う》せて、自分から行動を起こすことがなくなったんだ。他人に命令されるまで自分ではなにもしない。目が覚めてもそのまま動かない。誰かが『起きろ』と言うまで布団の中でそのまま動かない。食事とか排泄《はいせつ》とか、生命を維持するのに必要最低限のことはするけど、それ以外はなにもしない。そのかわり命令されればその通りに動くんだよね」

「え、命令が入るんですか？　言葉とか通じるんですか？」

「ああ、しっかり通じた。というか、知能とか運動能力にはほとんど障害がなかったんだよ。しっかりと歩けるし、計算問題なんかも普通にできる、誰かに指示さえされればね。その患者は知性や運動機能を司る部分の脳は障害を受けていなかったんだよ。そして命令すれば、どんな命令でもそれに従おうとする」

蔵野の声が低くなる。その意味を僕は敏感に悟ることができた。

「どんな命令でもっていうことは……倫理的にやばい命令でもってことですか」

「ああ、そうだよ。なにしろ、それが人としてやって良いことなのか悪いことなのかっていう判断がつかなくなっている。『感情』ってもの自体が消え去っているからね」

沖田を刺した男と前原。あの二人は少しの躊躇もなく自らの命を絶とうとした。蔵野がかつて見たという患者と自殺を試みた二人の男、その類似点に僕は身震いする。

「つまり、もし人為的に前頭葉の一部と扁桃体を破壊できれば、その人間を好きなように操れるということですか？」

「いやぁ、正直むずかしいだろうな。俺が見た症例は偶然が重なった、世界的にもかなりまれな症例だと思うよ。よっぽど上手く必要な所だけ破壊しないと、そんなことにはならないからね。扁桃体はともかく、前頭葉は意思決定以外にも、知性に関する機能や運動機能、感覚機能なんかが複雑に絡み合っているうえに、どの場所がどの機能を担っているかはかなり個人差がある。脳をいじることで人間をロボットみたいにする方法を確立するのはかなり難しいと思うな。大量の人体実験でもしない限りまず無理だ。あくまで理論上は不可能じゃないっていうだけ、ＳＦの世界の話だよ」

自分から言い出したくせに、蔵野はおどけて肩をすくめる。しかし、僕は笑う気にはなれなかった。大量の出家信者を抱える新興宗教——大宙神光教とかいう団体なら世間の目に触れることなく人体実験を行うことも可能なのではないだろうか？　そして沖田の娘もそんな実験の犠牲者となり、だからこそ沖田が何度会いに行っても姿を見せることがなかったのでは？　おぞましい想像に全身の産毛が逆立つ。

しかし、そうだとするなら一つ大きな謎が残っていた。

「あの……先生、ちょっと質問なんですけど、外部からこのCT画像みたいに部分的に脳を壊死させる方法ってないですか？」

脳の特定の場所を壊死させればどんな命令にも従う人間を作れることを知っていたとしても、そのためには思い通りの場所の脳細胞を破壊する方法が必要だ。

「脳を外から壊死させる？」

「たとえばですね、大腿動脈《だいたい》からカテーテルを入れて、それを脳の血管まで持っていって、そこでがんの塞栓《そくせん》療法とかに使う塞栓剤を……」

「いや、そりゃ無理だろ。たしかに脳動脈瘤《のうどうみゃくりゅう》とかの治療で、脳血管までカテーテルを通したりするけど、それは結構太い血管までだからな。そんなところで塞栓剤なんて使ったら、この画像程度の梗塞巣じゃあすまないよ」

「そうですか……」いいアイデアだと思ったが、あっさりと否定されてしまった。

「血管からのアプローチで自分の思い通りに梗塞を作るのは、今の医学じゃ不可能だと思うよ。外科手術をして物理的にアプローチをするならまだしも」

「そう言えば、患者の額と後頭部に二箇所、針で刺されたような傷があったんです」

「その傷は頭蓋骨を貫通していたのかい？」

「いえ……その表面までです」

「それじゃあ意味ないねえ」蔵野は後頭部で両手を組むと、背もたれに体重をかける。

「えっと。なら、たしか脳の手術で、鼻からアプローチする方法が……」

蔵野の呆れ顔を見て、僕の声は尻すぼみに小さくなっていった。

「いくら専門外でもそりゃないよ。いいかい、鼻からアプローチするのは脳下垂体の手術の場合だ。そこから前頭葉にアプローチしようとしたら、脳の中をずぶずぶ進んでいくことになる。脳がぐちゃぐちゃになるね」

「……ですよね」言われてみればその通りだ。

「脳はね、人体の中で一番大切な臓器で、分厚い頭蓋骨に囲まれて守られているんだ。その頭蓋骨を外さないで人為的に梗塞を作ることなんて不可能だと思うけどね。もし外部から脳梗塞を起こして、それで人間の『心』を殺したとしたら、そりゃある意味『密室殺人』ってことになるな。世界最小の密室殺人じゃないかい」

「密室殺人……」

冗談めかした蔵野の前で僕はその単語をつぶやく。その時、白衣のポケットの中で院内携帯電話が震えた。取り出して確認すると、『イエニ　スグ　コイ　タカオ』という、電報のようなメールが届いていた。

「ご主人様に呼ばれたかな」からかうように蔵野が言う。「それじゃあ急いでいかないと。鷹央ちゃん、待たされると機嫌悪くなるからな。まあ頑張りなよ。慣れないうちは鷹央ちゃんに振り回されて大変だろうけどね」

「……慣れるんですか？」

「どうだろうな。鷹央ちゃんは台風みたいなもんだからね。中途半端な位置にいると大変なことになる。俺みたいに違う科である程度の距離を置いて眺めるのが一番いいんだよ。遠くから眺める分にはすごく楽しいんだよね、鷹央ちゃんは」

「直属の部下で、距離を置くことができない僕はどうすればいいんですか？」

「そんなの決まっているじゃないか」

恨めしげに言う僕の前で蔵野は唇の端を上げた。

「もっと距離を縮めて、台風の目に入れば良いんだよ」

「台風の目って言われてもな……」

蔵野と別れ屋上へとやって来た僕は、つぶやきながら〝家〟の扉をノックする。

「おお、さっさと入れ」

中から鷹央の声が聞こえてくる。僕は眉根を寄せながら扉を開き室内へと入る。なぜかいつもより鷹央の声が楽しげなような気がした。

この人が上機嫌な時って、ろくなことがないんだよな……。まだ数週間の付き合いだが、僕はすでにそのことに気づいていた。頭の中で警報音が鳴り響いている。

「あの、……なんの用ですか？」

ソファーに座っていた鷹央はにやりと笑うと、ネコのような目を向けてきた。薄暗い部屋の中、その瞳がキラリと光った気がした。

「小鳥って車通勤だったよな？　ちょっと車の乗り心地を確認させてくれないか」

4

高さ四メートルはあろうかという観音開きの門扉《もんぴ》を見上げる。鉄製の重厚な作りで、その上部には星型の彫刻がいくつも施されていた。中央には『大宙神光教本部』と流麗な文字が彫り込まれている。

僕は鷹央とともに愛車のマツダＲＸ－８を飛ばして奥多摩の山奥にあるこの大宙神光教の本部施設へとやって来ていた。

僕は周囲を見回す。門の前は林が大きく半円状に切り開かれ、ゆうに数十台は停《と》められる駐車場になっている。そこには大型のバス一台と、数台の乗用車が止まっていた。そのうちの一台は僕の愛車だ。駐車場と周囲の林との境界には、一メートルほどの高さの鉄柵が設けられている。鷹央は門扉に近づくと、頭と体を大きくそらせた。

「よし、それじゃあ行くか」

「え、もう戻るんですか？　せっかくけっこう遠出したのに」

天医会総合病院からここにたどり着くまで、二時間近くかかっている。

「なに言っているんだ。帰るんじゃない。中に行くんだ」

「中？　いや、関係者以外入れないに決まっているじゃないですか。もうこんな時間ですよ。見学させてもらうにも遅すぎますよ」

僕は腕時計を見る。時計の針は午後八時半をまわっている。

「こんな時間だからこそ良いんだろ。暗闇にまぎれられるじゃないか」

僕は数瞬かけて、鷹央の言葉の意味を咀嚼《そしゃく》すると目を剝《む》く。

「忍び込むつもりですか！」

「大きな声をだすな。見つかったらどうするつもりなんだ」

「見つかったらやばいようなこと、しなければ良いんです」

「それじゃあ意味がないだろ。なんのためにこんな遠いところまで来たんだ」

「知りませんよ。先生がむりやり車を出させたんでしょ」

そう、僕はなんの目的でここに来たのかまったく教えてもらっていなかった。三時間ほど前、鷹央が「小鳥って車通勤だったよな？」と聞いてきた。僕が警戒しながらうなずくと、鷹央は僕の予定をたずねることもせず「いまから行きたいところがあるんだ。連れて行け」と言い出したのだった。

嫌な予感がしたので一瞬断ろうとした。しかし、喉元まで上がっていた拒否の言葉は、付け足すように鷹央が「沖田のためだ」と言った瞬間に口の中で溶けた。そうして僕はしぶしぶ、鷹央とともに大宙神光教の本部へとドライブすることになっていた。

しかしまさか侵入するつもりだったとは……。だから車の中でなぜ大宙神光教本部施設に向かうのかたずねるたびに、はぐらかされていたのか。

「ごちゃごちゃ言ってないで、さっさといくぞ」

鷹央はフェンスの前まで移動すると、「体を持て」とばかりに両腕を水平に伸ばす。

「いやですよ。逮捕されたくありません」

「大丈夫だ。見つからなければ逮捕なんかされない」

「見つかったらどうするんですか！　やるなら一人でやってください」

かたくなに僕が拒否すると、鷹央は唇を尖《とが》らす。

「分かったよ、一人で行けば良いんだろ。私は体力無いし方向感覚が鈍いから、一人だと遭難してしまうかもしれないけど、しかたないな」

鷹央はこれ見よがしにいじけはじめた。しかし僕は無視を決め込む。

「じゃあ行ってくるよ。私を置いて帰っていいぞ。もし私が病院に戻らなければ、姉ちゃんに言って捜索願を出してもらってくれ。多分、手遅れだろうけどな……」

ぶつぶつと不吉なことをいいながら鷹央は足を上げフェンスを乗り越えようとするが、足は三十センチもあがっていなかった。鷹央は軽く首をひねると、今度はダイブでもするように上半身からフェンスの上に乗る。しかし、勢いが不十分で腹が引っかかり、柵の上でやじろべえのように揺れはじめた。その状態から抜け出せなくなったのか、わたわたと四肢をばたつかせている。

「ああもう！」僕は鷹央の両脇に手を入れて体を持ち上げると柵の奥へと着地させる。想像以上にその体は軽かった。おそらく四十キロもないだろう。

「分かりましたよ。共犯になればいいんでしょ、共犯に」

僕は投げやりに言いながら柵を跳び越えた。

「分かればいいんだ。それじゃあ行こうか」

鷹央はめずらしく、にっこりと無邪気な笑顔を見せた。


「畑ですね」

暗い雑木林の中を足元に気をつけて歩きながら、僕は小さくつぶやく。雑木林の外に畑が広がっていた。鷹央は僕の前を雑草を踏みしめながらすたすた歩いていく。

「こんなに暗いのに、よく普通に歩けますすね」

生い茂った葉によって月光も街灯の光もさえぎられている林の中は、自分の足先さえもはっきりとは見ることができない。

「私の目は普通の人間より光に敏感にできているからな。夜目が利くんだよ」

「そうなんですか。それにしても、畑があるなんて想像した感じと全然違いますね」

「小鳥はどんな想像をしていたんだ？」足を止め鷹央が振り返る。

「いえ、新興宗教の本部っていったら、なんか異常に派手な礼拝堂があったり仏像があったりして。あとは、警備員が何十人も巡回していると思っていました」

敷地内に侵入してから雑木林の中をすでに十五分ほど歩いているが、いまだに警備員どころか一般の信者も見ていない。

「大宙神光教の教義を考えたら当たり前だろ」

「教義？　この教団って、いったいどんな宗教なんですか」

「大宙神光教が宇宙人を『神』として崇《あが》めているのは言ったよな。そして教祖の神羅いわく、人類は地球を汚しすぎて宇宙人の怒りをかっている。もうすぐ宇宙人は人類を滅ぼすつもりだが、正しい行いをしている人間だけが宇宙人の侵略の際に救われ、人類が消えた地球で正しい文明を築いていくらしい。因《ちな》みにここで言う『正しい行い』とは、科学技術に頼らない自給自足での生活のことを指しているみたいだな」

「……色々な宗教に『インデペンデンス・デイ』を混ぜ合わせたような教義ですね」

「『インデペンデンス・デイ』面白いよな！」鷹央がどうでもいいところに食いつく。

「映画の話はいいですから、ここのことをもう少し教えて下さいよ。具体的にはここにいる信者たちはどんなことをしているんですか？」

「だから自給自足の生活だ。文明の利器はできるだけ排除して、畑を耕して作物を収穫している。ただそうは言っても、あくまで『できるだけ』ってことで、あの街灯見たら分かるように一応電気水道のライフラインはしっかり利用しているし、食べ物も完全に自給自足はできていなくて、必要な分は買ってきているらしい」

「中途半端ですね」

「しかたがないんじゃね。楽な生活に慣れた日本人にいきなり原始の生活にもどれって言っても、どだい無理な話だろ」

「けれどそれだけ聞くと、宇宙人はおいとくとして、とくに危険なことはやってなさそうですけどね。まあ、あくまでお題目通りの運営をしていればですけど」

「トラブルはこの手の新興宗教としても少ないらしいぞ。信者が家族に会ったり家に戻るのは自由だし。脱会してもとくに問題はないらしい。この宗教でトラブルになっているのは、信者が家族に内緒で大金を寄付している場合が多いみたいだな」

「それは変でしょう。だって沖田先生は娘さんに会えなくなったんだから」

「だよな。まあ、あくまで私がネットの知り合いに当たって集めた情報だから、細かいトラブルまでは分からないよ」

「……知り合い？」

「そう『知り合い』だ」

それ以上説明することなく、鷹央は暗闇の中を再び歩き始めた。僕があとを追う。

「それで、いま僕たちはどこに向かっているんですか？」

「信者たちが住んでいる施設がそろそろ見えてくるはずだ。まずそこを探すぞ」

転ばないように注意しながら、僕は鷹央の後ろを歩き続ける。速度が遅いとはいえ、十五分以上歩いて全容が見えてこないとは。どれだけの広さがあるんだ、ここは？

「この教団、本当に敷地広いですね。そこまで金がある教団なんですか？」

「たしかにとんでもなく広いけどな、ただこんな山奥だから、土地は二束三文だったはずだ。まあ金はあるみたいだな。この一、二年ですごい勢いで信者を増やしていて、寄付金もうなぎ登りらしい」

「……その情報も『知り合い』から聞いたんですか？」

「ああ、そうだ」

人嫌いであまり他者を寄せ付けないくせに、おかしな『知り合い』がいたり、警視庁捜査一課長と仲が良かったり、まったくもってつかみどころのない人だ。

「なあ、……葬式はどんな感じだった？」唐突に鷹央が振り向くことなくつぶやいた。

「どんな感じと言いますと？」

「沖田の家族は誰かいたのか？」

「……娘さんはいなかったですよ。お姉さんが喪主をつとめていました。そのお姉さんも、それほど沖田先生と親しかったっていう感じじゃなかったですね」

「だろうな。沖田は『自分の家族は娘だけだ』ってよく言っていたからな」

前を歩く鷹央の表情は見えないが、その声は哀《かな》しげに聞こえた。

「そんな娘さんと会えなくなったら、そりゃ必死で取り返そうとしますよね」

「沖田は娘が教団に『洗脳』されたって言っていたけどな」

「洗脳……ですか。よく聞きますけど、そんなこと本当に可能なんですかね？」

「定義によるんじゃね。人間なんて常に外からいろいろ影響を受けて自我を構成していくもんだからな。極論すれば、教育とかも洗脳の一種だろ」

「いや、それはさすがに極論すぎじゃ……」

「それくらい、人間っていう生き物は他人の影響を受けやすいってことだよ。だからノウハウさえあれば、教団に帰依《きえ》させて家族と会わせなくしたり、宇宙人の存在を信じさせるぐらいなら十分可能だろうな」

「それじゃあ……」

「人を殺させたり、自殺させたりは可能か……だろ？」鷹央は僕のセリフの先を読む。

「そうです。沖田先生を殺したあの男みたいな状態にできるのか。あと前原……受診中に飛び降りたあの男もこの宗教団体となにか関係があるのか」

僕は蔵野との会話で思いついたことを口にする。犯人は『宇宙人に命令された』と言って、大宙神光教とトラブルを起こしていた沖田を刺し殺した。あの男が大宙神光教の信者で、洗脳されて犯行におよんだとしたら筋は通る。けれど……。

僕はあの男の意思のかけらも見えなかった双眸を思い出す。沖田をくり返し刺していた時も、僕に殴りつけられた時も、男の目に感情が浮かぶことはなかった。はたして、『洗脳』というもので、あそこまで人間性を奪えるものなのだろうか？

「さあな。だからそれを調べるために、わざわざもぐり込んだんだろ。ほら、見えてきたぞ」立ち止まった鷹央が、雑木林の奥を指さす。

目を凝らすと、鷹央の指の先に十数棟の建物が立っていた。鷹央は好奇心で飽和した、小学生のような笑みを浮かべる。

「さあ、『ミッション：インポッシブル』ごっこを始めようぜ」

雑木林から出た鷹央は身を屈《かが》めることもせず、まるで散歩でもするように数十メートル先にある建物群へと近づいて行く。

「ちょっと。見つかったらどうするんですか。もっと目立たないようにしないと」

「大丈夫だって。いいからついてこいよ」

僕の忠告に聞く耳をもたず鷹央は歩いていく。僕はきょろきょろとせわしなくあたりを見回しながら鷹央のすぐ後をついていった。

三百メートル四方ほどの空間に建造物は密集していた。おそらくは信者の居住用であろう団地を小さくしたような直方体をした三階建ての建物が、十棟ほど規則正しく並んでいる。その外観はよく言えばシンプル、悪く言えば味気ないものだった。明かりは灯《とも》っているものの、その多くは内廊下を薄く照らす照明のようで、明かりが漏れている部屋の窓はほとんどなかった。

建物からは人の気配があまり感じられない。まだ二十一時過ぎのはずだが、すでに就寝時間は過ぎているのだろうか？　そうだとするなら、見つかるリスクは低そうだ。少し落ち着き、周囲を詳しく観察する余裕が出てきた僕は、脱個性の建物群の奥に一棟だけ他の建物とは明らかに異なった建造物が見えることに気づく。

他の建物の倍ほどの高さがあり、天井がドーム状になっている楕円形《だえんけい》の建物。街中で見ればコンサートホールかなにかだと思うだろう。

「よし、行くぞ」鷹央が僕のサマージャケットのすそを引っ張る。

「引っ張らないで下さいよ。行くってどこに？」

「あそこに決まっているだろ」鷹央はドーム状の建物を指差す。

「あそこになにがあるんですか？」

「いま何時だ？」

「えっと……二十一時十二分ですけど。それがなにか？」僕は腕時計に視線を落とす。

「もうはじまっている時間だな」鷹央はつぶやくと、また僕を残して歩きはじめた。

「あの中でなにかあるんですか？」あとを追いながら鷹央に訊《たず》ねる。

「コウシンだよ。宇宙人との交信。コンタクトだ」

「は？　宇宙人との交信？　そんなものをあの中でやっているって言うんですか？」

「教団は少なくともそう主張しているな」鷹央はドームの裏手へと進んで行く。

僕たちは街灯の光もほとんど届かず、闇がわだかまる建物の真裏に到着した。二十メートルほど先には鬱蒼《うっそう》とした林が広がっている。

どこからかかすかに声が聞こえてきた。エコーのかかった若い女の声が。一瞬、体を硬直させた僕は、声の出所を探し視線を泳がせる。

「ここから聞こえてきてるな。ほら、覗けるぞ」

見ると、鷹央が地面に這いつくばっていた。鷹央は僕の手を引く。しかたなく鷹央にならって這いつくばると、地面すれすれの位置に通気用らしき小さな窓があった。

鷹央はゆっくりと窓を開いていく。内側には真っ黒なカーテンが掛かっていた。鷹央は無造作にカーテンをめくり中を覗《のぞ》き込む。僕もびくびくしながらも鷹央の横に顔を並べる。好奇心が不安にまさった。

暗幕のようなカーテンをめくっても光が溢《あふ》れてくることはなかった。どうやら中も暗くなっているらしい。柔らかいヒーリングミュージックが聞こえてくる。

最初に網膜に映し出されたのは満天の星だった。ドーム状の会場の天井には、都会ではまず見ることなどできない美しい星空が広がっていた。

「プラネタリウム……？」無意識にその言葉が口をつく。

そう、ドームの内部はまさに巨大なプラネタリウムだった。その中心にはサッカーボールを二回り大きくしたような球体が設置されている。おそらくはあれが投影機だろう。そして会場には無数の、空を見上げられるようにリクライニングの角度を深くした座席がおかれていた。少なく見積もっても三百席はあるそれらの座席に数十人の紺色のジャージを着た人々が座り、空を眺めている。

こんなプラネタリウムを見ることが、宇宙人との『交信』？

『体の力を抜け。なにも不安はない。あなたたちは宇宙の一部だ』

またエコーのかかった声が聞こえてきた。その声の出所を探すと、僕がのぞき込んでいる場所から二、三十メートル先、会場の一番奥まった部分が一段高いステージになっていて、純白の衣装をまとった女性がスポットライトを浴びて立っていた。

女性が身に纏《まと》っている衣装は一見すると和装のようだったが、着物にしては広がりがあり、見ようによってはウェディングドレスのようにも見えた。僕は窓の外から目を凝らして女の顔を見る。中が暗く、そのうえ距離もあるのではっきりとは分からないが、女の顔の前にはなにやら黒いベールのような物がかかっていた。

「あれが『神羅』だ」隣で鷹央がつぶやく。

「それって、ここの教祖ですか？」

「ああ、そうだ」

鷹央が頷いた瞬間、唐突に会場内に色とりどりのレーザー光線が走りはじめる。

『感じなさい。「彼ら」はすぐそばにいる。普段は私たちに感じることができないだけ。私が導こう。「彼ら」を受け入れるんだ。なにも怖がる必要はない』

神羅は舞を踊るかのように手をゆっくりと、そして複雑に動かしつつ、芝居じみたセリフを吐き続ける。なんだこれは？　プラネタリウム、安っぽいヒーリングミュージック、レーザー光線、そして若い女の妖しい舞。こんな下らない演出が『宇宙人との交信』？　好奇心が塩をかけられたナメクジのごとく急速にしぼんでいく。

「くだらない。先生、行きましょう。これ以上見ていても眠くなるだけですよ」

立ち上がろうとする僕の上着の裾を鷹央が摑んだ。

「……そうでもないぞ。信者たちをよく見てみろ」

「はい？」しかたなく僕はもう一度這いつくばり、中をのぞき込んだ。

薄くライトアップされたステージとは違い、信者たちが座っているフロアは暗く、必死に目を凝らさないと中の様子をうかがうことはできなかった。暗順応《あんじゅんのう》した目がなんとかフロアの様子を映し出すと、僕は大きく息を呑《の》む。

信者たちの多くが座席から身を乗り出し、まるで目の前になにかがいるかのように宙空を見つめていた。人によっては目に涙を浮かべながら『なにか』に向かって手を伸ばすものまでいる。信者たちの誰もが恍惚《こうこつ》の表情を浮かべていた。窓の近くにいる信者の目つきを見て背筋に冷たい震えが走る。焦点を失った目。それは沖田を刺したあの男の目に似ていた。

「な……なんなんですか、あれ?」あまりにも異様な光景に声がかすれる。

「さあな。ただ、見たところ、なにか見えている奴が多そうだな」

「なにかって……?」

「知るかよ。ただ少なくともあいつらは『宇宙人』を見ていると思っているんだろ」

「そんな。ただ音楽を聴きながら、プラネタリウムを見ているだけじゃないですか」

「大きな声出すなよ。この教団によると、『神羅』が宇宙人との交信を取り持つ媒体、つまりは『巫女《みこ》』で、彼女を通してはじめて『交信』が可能になるってことだ」

「そんな馬鹿な……」

「そうは言っても、実際に信者たちは私たちに見えない『なにか』を見ているぞ」

次の瞬間、ステージ上に立つ神羅がおもむろに顔の前に垂れていたベールを取り去り、その下の顔をさらす。僕の口からうめき声が漏れる。

神羅の顔には、舞妓《まいこ》のように真っ白に化粧がほどこされていた。しかしそれはあくまで顔の左半分だけだった。神羅の右の顔面は……融《と》けていた。

遠目にも、神羅の右顔面が赤黒く変色し、波打ち、引きつっているのが見てとれた。

「あれは……」視線を吸いつけられたまま、僕は震える声を絞り出す。

「火傷《やけど》の痕だ。教団の説明によると、神羅は数年前に事故で煮えたぎった油を顔面に浴び、それがきっかけで『巫女』としての能力に目覚めたってことらしい。しかし想像以上にひどい火傷だな。ありゃ、皮膚移植もしていないだろ」

「なんなんだよ、これ……」

顔の焼け爛《ただ》れた教祖と、見えない『何か』に向かって手を伸ばす信者たち。異様な光景に圧倒されていた僕は、ふと神羅が立つ舞台の袖、信者たちから見えない位置に四十前後の男がいることに気づいた。信者たちとは違い細身の体にスーツを着込み、黒縁のメガネの奥から神羅を見つめている。異様な雰囲気の会場の中、その男の周囲だけ切り取られたかのように、まともな空気がただよっているように見えた。

「舞台袖の男……」

「ああ、あれは大河内《おおこうち》和之《かずゆき》だ。神羅の兄で、この教団の実質的なナンバーワンだよ」

「ナンバーワン？　教祖は神羅でしょう？」

「神羅はあくまで『宇宙人』からの天啓をうけ、その言葉を他の人間に伝える『巫女』だ。その教えを広げるために教団を立ち上げ、運営を一手に握っているのが兄の和之だよ。ちなみに私たちの同業者だぞ」

「同業者？」

「ああ、あの男、帝都大医学部出身の精神科医だ。ただ、数年前から教団の運営の方がメインの仕事になっているようだけれどな」

「医者から宗教家に転職したんですか⁉」

「この宗教法人を立ち上げた時には、医業停止処分を受けていたらしい」

「医業停止？」僕は眉をひそめる。「あの男、なにをしたんですか？」

医師が犯罪やそれに準ずる行為を犯した場合、医道審議会という厚生労働省の会議でその内容が審議され、医業停止や医師免許の取り消しなどの行政処分を下される。

「よくある話だよ。開業していたクリニックで診療報酬の水増しをやっていたんだ」

「ああ、……たしかによくある話ですね」

「まあ、それだけじゃなくて、メチルフェニデートをチンピラに横流ししていたなんていう話もあったらしいぞ。そっちの方は立件されていないけどな」

喉の奥から「ええ……」といううめき声が漏れる。特殊な睡眠障害の治療などに使用するメチルフェニデートは覚醒剤に似た作用があり、処方は専門医が慎重に行う必要がある。それを横流しするということは覚醒剤を横流ししているのと大差ない。

「そんなことしていた奴が宗教に関わっているんですか？」

「そんなことしていた奴だからこそだろ。そういう噂があるかぎり、医業停止があけたって徹底的にマークされるから、医者をやっていくのはきついだろうからな」

「だからって……」

僕は大河内という男を凝視する。異様な興奮が充満する中で大河内だけは冷静に神羅を、そしてフロアを観察していた。いや、よく見ると大河内だけではない。大河内の背後には数人のジャージ姿の男が控えていて、興奮のうずに巻きこまれることなくフロアを眺めている。彼らの着ているジャージは一般信者と同様の作りだったが、その色だけが一般信者が紺色であるのに対して焦げ茶色になっていた。

注意して再びフロアを見てみると、そこにも焦げ茶色のジャージの男たちが所々に立っていた。やはり彼らは他の信者たちとは違い、冷静にフロアを眺めている。

『「彼ら」はそばにいる。彼らは物質的な存在ではない。一人一人に「彼ら」の姿は異なった形で見える。もっと心を開け。すべてを「彼ら」にさらけ出すのだ！』

神羅の高らかな声とともに会場内のボルテージはさらに増していく。信者たちの大部分が立ち上がり、『なにか』に向かって手を伸ばしながら歓喜の声を上げている。

中年の女が突然長い髪を振り乱しながら奇声を上げはじめた。すると、すぐに焦げ茶色のジャージを着た男二人が女性に近寄り、なだめるようにしながらペットボトルに入っている液体を飲ませ、ゆっくりと席に着かせた。どうやら焦げ茶色のジャージを着ている者たちは、この儀式の管理を取り仕切っている側のようだ。

すぐ隣で「くくっ」と忍び笑いがあがった。僕は身を固くし、鷹央の横顔を見る。まさか鷹央にまで『何か』が見え始めてしまったのでは……。

鷹央は唇の両側を持ち上げ、瞳を好奇心できらきらと輝かせながら、「面白い」とつぶやいた。その目はドームの中の信者たちのように焦点を失ったものではなく、強い意思の光に満ちあふれていた。僕は静かに安堵《あんど》の息を吐く。

「先生、もう十分でしょ。行きましょうよ、見つかる前に」

「……ああ、そうだな。たしかに十分だ」

思いのほか素直に同意すると、鷹央は立ち上がり、ジーンズについた汚れを払う。

「よし、帰るぞ。今日は本当に面白かった。満足だ。家に帰っていろいろ考えたい」

いまにもスキップしそうな勢いで鷹央はドームから離れていく。

「おい小鳥、見ろよ、牧場があるぞ」

ドームの裏側にある、背の高い雑草が生い茂った雑木林に入ろうとする寸前、鷹央がはしゃいだ声をあげた。見ると、二百メートルほど先に木製の柵で囲まれた広い空間があった。たしかに牧場のようだ。そのことを証明するかのように、牧場の奥には家畜用の小屋らしき建物が見えた。

「あー本当ですね。牛でも飼っているんですかね。農業をやっているみたいですから」

「いや、たぶん馬だな。あそこにある厩舎《きゅうしゃ》は牛用というよりは馬用だろ？」

「そうなんですか。なんでもいいですけど、早く帰りましょう。ほら行きますよ」

「なあ、ちょっと馬見ていかね？　どんな種類の馬がいるのか……」

「だめです！」なんでこの人、観光気分なんだよ。

「いいじゃないか。ちょっとのぞくだけでいいからさ」

鷹央は楽しげに言うと、僕の返事を聞く前に牧場に向かって走り出した。僕は「あ、こら」と、あわてて後を追う。普通に走れば、小柄で恐ろしいほど運動神経の悪い鷹央より、僕の方がはるかに速いだろう。しかし、暗闇で足元に目を凝らさなければならないというハンデのもとでは、純粋な足の速さなど意味がなかった。不器用なフォームで走っていく鷹央に、下を見ながら走る僕はひき離されていく。

牧場を囲む柵のすぐそばで僕はようやく鷹央に追いついた。

「なんでこんな所で先生と鬼ごっこしないといけないんですか」

「どんな馬がいるんだろうな」鷹央はキラキラと目を輝かせている。

これは少なくとも、一目馬を見ないことには帰りそうにないな。僕はため息をつく。

「ちょっとだけですよ。手早く見てきて下さい。見たらすぐに戻りますからね」

鷹央が上機嫌で「分かってるって」と牧場の柵に手をかけた瞬間、けたたましいアラーム音が響きわたった。

「な、な、な？」柵に手をかけたまま、鷹央は分かりやすくパニックに陥る。

「警報です！　先生、逃げますよ！」

鷹央は「え？　え？」と目を白黒させるだけだった。しかたがない。僕は「失礼しますよ」と一言断りを入れると、鷹央の背中と膝の裏に腕を差し込み、俗に言うお姫様だっこの体勢で持ち上げた。

「うわぇぇ？」鷹央は意味不明の奇声を上げると、四肢をバタバタと動かしはじめた。

「落ち着いて！　暴れないで下さい。とりあえず逃げないと」

必死に言い聞かせるが、パニック状態の鷹央はなかなかおとなしくならない。暴れる鷹央に苦労しながら、僕は周囲を見回す。周りに身を隠すような場所はなかった。少し距離があるが、ドームの裏の林に逃げ込むしかない。

僕は小走りに林に向かう。軽量の鷹央とはいえ、人を一人抱えて走るのは大変だし、周囲は暗く足元もよく見えない。何度か転びそうになりながらも、林まであと十メートルぐらいの所まで到達する。なんとか逃げ切れそうだ。そう思った時、死角になっていたドームの後ろ側から数人の男が飛び出してきた。僕はあわてて足を止め、背後を振り返る。しかし、背後にも他の男たちが走り込んできていた。

一瞬のうちに十人ほどに囲まれた僕は、唇を軽く嚙みながら彼らを観察する。若い男たち、おそらくはほとんどが三十前だろう。全員が胸に星のマークが入った焦げ茶色のジャージを着ている。さっき『儀式』を仕切っていた側の信者たちだろう。

鼻の付け根にしわが寄る。遠目では分からなかったが、間近で見ると男たちの雰囲気は宗教者とはほど遠いものだった。全身から反社会的な空気が匂いたっている。

ぱっと見ただけでも、何人かのジャージの襟元からタトゥーが覗いている。よく繁華街にたむろしているチンピラといった雰囲気だ。なるほど、この教団の代表者が過去にメチルフェニデートを横流ししていたという噂も本当かもしれない。

僕はゆっくりと、ようやく大人しくなってきた鷹央をおろす。

「誰だ、てめえら？　なんの目的で侵入したんだよ、あ？」

男の一人が恫喝《どうかつ》するように言う。なんと答えるべきなのか、どう言えばこの状況を打開できるのか必死に考える僕のわきで、鷹央がなにか言おうと息を吸った。

「すいません！　道に迷ってしまって」

鷹央が言葉を吐く前に僕は声を張りあげる。鷹央にしゃべらせたら「この教団をスパイしていたんだ」と馬鹿正直に答えるのが目に見えていた。

「ふかしこくんじゃねえ。この時間は正門閉じてんだよ。なにが目的で……」

「やめなさい」

男の背後から声が上がる。男は軽く視線を背後に送ると、大きく舌打ちをして横にずれた。いつの間にか男の後ろに茶色っぽいスーツ姿の長身の男が立っていた。この教団の実質的なナンバーワン、大河内和之。

「うちのものが大変失礼しました。それで、ここでなにをしていらしたんですか？無断で私有地に入りこむのは、正直あまり感心はしませんね」

「この教団に興味があったんだ」僕が言い訳を考えつく前に鷹央が答えた。

「興味が？」

「え、ええ、そうなんです。僕たち、入信を検討しているのですが、急に入信するのも抵抗がありまして。だから信者の方がどんな生活をされているか見てみたいと思って思わず忍び込んでしまいました。本当に申し訳ありません」

鷹央がなにかぼろを出す前に、僕は適当な理由を口にする。

「なるほど。私たちの生活を見学したかったということですか」

大河内はつぶやくと、スーツの懐に手をしのばせた。拳銃？　全身に緊張が走る。大河内の手が懐から出ると同時に、僕は盾になるように鷹央の前に立った。

「よろしければ一泊二日の体験生活を受けてみてはいかがでしょうか？　信者の皆さ

んと同じ生活をすることができます。もちろん神羅による『コンタクト』も行います。毎週土日に実施しておりますので、ご興味があればぜひ」

大河内は一分《いちぶ》のすきもない営業スマイルを浮かべながら、きれいに四つ折りにされたパンフレットを差し出してきた。

5

バスから降りた僕は天をあおぐ。雲一つない空が目にまぶしかった。

「なんで……」突き抜ける青空を見上げたまま僕はつぶやく。

「なにしてるんだよ。早く行くぞ」

背中から聞き慣れた声が飛ぶ。大きなサングラスをかけた鷹央が、遠足に向かう小学生のようにぎこちないスキップをしながら僕を追い越していった。

「なんで抽選に当たるんだよ！」

鷹央の背中を眺めながら叫んだ僕は、先々週の出来事を思い出す。

鷹央とともに夜中、大宙神光教の教団施設に忍び込んだ翌日、精神修行のような外来を終え、デスクが置かれたプレハブ小屋で僕は一息ついていた。だらだらと電子カルテに今日診察した患者の紹介状の返事を打ち込んでいると、内線電話が鳴り響く。

「おい小鳥。ちょっと〝家〟に来い」

受話器を取ると鷹央の声が聞こえてきて、すぐに電話は切れた。

一日外来をやって疲れているのに、今度はなんだよ？　まさか、またあの教団に忍び込むとか言い出さないよな。ピーピーと気の抜けた音を出す受話器をフックに戻した僕は、なんとなく嫌な予感をおぼえながらすぐ隣にある〝家〟へと向かう。

ノックをしてから扉を開けて室内に入った瞬間、マウス片手にパソコンの前に座っている鷹央が声をかけてきた。

「イヌとネコ、どっちの方が好きだ？」

「はい？」

「だから、イヌとネコ、どっちの方が好きかって聞いているんだよ」

「えっと、どちらかというとネコですかね……」

「そうか。ヨーロッパと東南アジアなら、どっちに旅行に行きたい？」

パソコン画面を眺めたまま、鷹央はわけの分からない質問を重ねてくる。

「そうですね……。できればヨーロッパですけど、あまり休みがとれないので……」

「ヨーロッパだな。春と秋ならどっちが好きだ？」

「待って下さい。さっきからなんなんですか？　その取り留めのない質問は」

「アンケートだ」鷹央はようやく僕の方を向く。

「アンケートってなんの？」

「大宙神光教の生活体験に申し込むためのアンケートだ」

「はあ？」僕はディスプレイをのぞき込む。画面いっぱいに質問が並んでいた。

『あなたは特定の宗教を信仰していますか？』などという宗教に関係したものから、『あなたはカレーが好きですか？』などという、なんのためか分からないものまで、様々な質問が画面を埋めつくしている。

「これ、いくつあるんですか」

「二百問だ」

「二百⁉」

「そうだ。これに全部答えて、その上で抽選によって参加者が決まるらしい」

「抽選？　申し込んでも行けない可能性があるんですか？」

「週一回しか実施されていなくて、一回の参加人数は三十人だけだ。けっこう倍率は高いらしいぞ。うわさじゃ十倍近くになるんだってよ」

「そんなに参加したい人がいるんですか？　あんな怪しい宗教に」

「最近エコブームだからな、ああいう生活に憧れる奴も多いんじゃね？」

「それなら普通に田舎《いなか》暮らしでもしていればいいじゃないですか。なんでわざわざ、『宇宙人』とかわけの分からないことを言い出してる宗教に興味を持つんですか」

「宇宙人に興味を持つのは当たり前だろ」突然、鷹央の声に力がこもる。「お前は宇宙人に興味ないのか？　宇宙人だぞ、宇宙人！　グレイ、レプティリアン、ノルディック、エリア51、キャトルミューティレーション、ロズウェル……」

「分かりました、分かりましたから。たしかに宇宙人は魅力的ですね」

「分かればいいんだ」

満足げにうなずく鷹央を前にして、僕はどうやって鷹央を止めるかを考えはじめる。

昨夜見たあの教団の異様な儀式。そして、先日蔵野と話すことで頭に浮かんだ疑念。鷹央が一人であの教団に行くなんて、どう考えても危険すぎる。

「ちなみに参加費は二十万円だ」鷹央は僕に向かってVサインを掲げる。

「二十万？」声が裏返った。

「なんだよ、大声上げて」鷹央は顔をしかめ両手で耳をふさいだ。

「いや、いくらなんでも高すぎでしょう。海外旅行いけますよ」

「海外旅行に行くより参加したいって奴がたくさんいるんだろ。需要と供給のバランスは取れているんだよ。というか、どちらかというと需要の方が多いくらいか」

僕にはまったく理解できない。顔を左右に振っていた僕はふとあることに気づく。

「あの、さっき質問してきたってことは、もしかして僕の申し込みを？」

「ああ、私のは済んだからな」鷹央はマウスをかちかちとクリックする。

「待って下さい！　僕はあんな怪しげな儀式に参加なんかしませんからね」

僕はあわてて鷹央の手からマウスをひったくる。

「なにするんだよ。返せよ」

「いやです！　いいですか、僕は絶対に参加しませんよ。二十万円も払って、なんであんなやばそうな教団に関わらないといけないんですか」

「気にならないのか？　教団のこと、儀式のこと、そして宇宙人のこと」

「気にならなくはないですけど、参加したいとはまったく思いません」

「お前には好奇心はないのか？」

「『好奇心ネコをも殺す』っていうことわざ、知らないんですか？」

「私はネコじゃない」

「そういう意味じゃなくてですね……」

「沖田のためだぞ」

卑怯《ひきょう》にも沖田の名前を出され、僕は「うっ」と言葉に詰まる。

「お前が行かなくても、私は行くぞ。そうか、お前は私を一人で行かせるつもりなんだな。そんな冷たい部下しかいないなんて、私は本当にかわいそうな女だ」

鷹央は顔を伏せると、肩を震わせ始める。あまりにも露骨なうそ泣きだった。少し待てばやめるかと無視をしているが、なかなかやめる気配はない。うそだと分かっていても、目の前で女性が泣いているという状況はなんとも居心地が悪かった。

「……分かりましたよ」数分後、僕は大きなため息をつきつつ敗北宣言をする。

鷹央が一人でも行こうと決めている時点で、僕が折れることは決まっていたのだろう。こんな近所のコンビニまでも一人で行けるかどうか不安になる人を、底抜けにお人好《ひとよ》しの僕が怪しい新興宗教の本部などに単身で行かせられるわけもないのだ。

「そうか、行ってくれるか。それでこそ小鳥だ」

鷹央は伏せていた顔を跳ね上げた。やっぱりうそ泣きだったか。脱力する僕に向かって、鷹央は次の瞬間、衝撃的な一言を吐く。

「あ、ちなみにお前と私は婚約していることになっているから」

「はあ⁉　なに言ってるんですか⁉」僕は目を剝《む》いた。

「当たり前だろ。そうでもしないと、どっちか一人だけが当選するかもしれないじゃないか。夫婦にするつもりだったけど、参加するのに身分証明書が必要らしいからな」

「いや、だからって婚約しているなんてうそつくのは……」

「うそつくのがいやなのか？　それじゃあしょうがないな、参加する直前に一回籍を入れて、終わったらすぐに離婚……」

「なんでそうなるんですか！」

「うそをつくのはいやだっていうなら、一時的に本当に結婚するしかないだろ」

「できるわけないでしょ！　そんなこと」

「できないことはないぞ。私はこう見えても二十七歳だし、お前だって成人した男だろ。お互いの合意さえあれば、あとは婚姻届さえ役所に出せばすぐ受理されるぞ」

頭痛をおぼえ、僕は眉間にしわを寄せて頭を抱える。

「どうかしたか？」鷹央が下から顔をのぞき込んでくる。

「いえ、ちょっと頭痛が」

「解熱鎮痛剤飲むか？」

「……いえ、けっこうです。もう婚約者でもなんでもかまいません」

蔵野先生、台風の目に入っていく前に吹き飛ばされそうです。僕は内心で、先日適当極まりないアドバイスをしてくれた脳神経外科医に恨み言を吐く。

「そうか。それじゃあこのアンケートの続きをやってくれ。半分ぐらい想像で埋めておいたから。一時間もあれば全部答えられるさ」

鷹央は白衣の袖をつかんで、僕をイスに座らせる。勝手に他人のアンケートに答えないで欲しいものだ。僕はしかたなく『最近は食欲はありますか？』『この一ヶ月で映画館で映画を見ましたか？』などの目的不明のアンケートに渋々答えていく。

まあいい。鷹央の話によると参加を希望する者が多く、抽選の倍率は高いらしい。

きっと落選するに違いない。

人のプライバシーにまったく配慮することなく、となりで画面をのぞき込んでくる鷹央に辟易《へきえき》しながら、僕はマウスをクリックしていったのだった。

ところが、その二日後、僕の予想、というか希望に反して、あっさりと体験生活当選のメールが鷹央に届いた。そしてその翌週の土曜、新宿駅出発の小型チャーターバスに乗って、僕は鷹央とともに再び大宙神光教の本部へとやってきていた。

僕はまぶしさに目を細めたまま、正面にある巨大な門を見上げる。前回、夜中におとずれた時には閉じられていた門扉は、いまは大きく開かれていた。

「それでは皆さん、これから宿泊施設にご案内します」

最後にバスから降りてきた三十歳前後のガイドの女が、張りのある声で言った。その態度は旅行添乗員のようだったが、彼女が身に纏っているのは旅行会社の制服ではなく、胸に星形のマークのついた紺色のジャージだった。

「私についてきて下さいね。それじゃあ、しゅっぱーつ」

ガイドは右手をびしっとあげると、鼻につく陽気さで号令をかける。行進するように大きく手を振る彼女のあとを追って、三十人の参加者がぞろぞろと歩き始めた。

集団の一番後方を歩きながら、前を歩く参加者たちを観察する。ほとんどの者がどこか不安げに、しかし期待を孕《はら》んだ態度できょろきょろと周囲を見回していた。参加者同士で会話しているものは少ない。多くの者が単独で参加しているようだ。

年齢、性別はばらばらだったが、どちらかというと年配の者が多い。還暦を迎えているとおぼしき人もいる。ほとんどの者がそれなりに小綺麗《こぎれい》な身なりをしていた。

ああ、なるほどな。僕は先日のアンケートの目的に気づく。質問の中には、暗に現在の経済状況を訊ねてくるものも含まれていた。あのアンケートはおそらく、金を持っていそうな者を見つけるためのものなのだ。そうして、そのような者をこの体験生活に参加させ、信者にして、寄付を巻き上げることが教団の狙いなのだろう。

「なにをちんたら歩いているんだよ」鷹央が軽い足取りで僕の隣に並ぶ。

「なにをそんなにはしゃいでいるんですか？」

「楽しみじゃないか。宇宙人とコンタクトできるんだぞ」

「……まさか、本気でそんなこと信じているんですか？」

「一度体験しないと、信じるも信じないもない。お前もそのために来たんだろ」

「違います。僕は先生に無理矢理連れてこられたんです。しかも、先生と婚約していることにしたせいで、あのやけに明るいガイドにいじられまくっているんです」

ここにくるまでのバスの中では、ガイドの司会のもと、大宙神光教の教義や歴史について教団のつくったＶＴＲを見せられたり、日程について説明を受けたり、お互いに軽い自己紹介などしながら過ごした。その際、ガイドはなにかにつけて婚約中ということになっている僕と鷹央を茶化して、車内の雰囲気を明るくしようとしたのだ。

「はい、そこのご夫婦、じゃなくてもうすぐご夫婦でしたっけ？　そんな後ろにいないでもっと前に来て下さーい。二人っきりになりたいのは分かりますけど、そこまで聞こえるように説明してると、私の声が嗄《か》れちゃいますよー」

いつの間にか集団から遅れていた僕たちに、ガイドがまたからかうような声をかけてくる。参加者たちから冷たい視線が浴びせられ、僕たちは早足で集団に戻った。

十五分ほど歩くと、この前侵入した時も見た信者たちの宿泊所らしき建物群に到着する。ガイドは僕たちをそのうちの一棟の入り口近くまで案内した。

「はい、本日皆さんにお泊まりいただく宿泊所に到着いたしました。先ほども少しご説明しましたが、この本部は約八十ヘクタールの広さがあり、約五百人の信者が共同生活を送っています。かく言う私もその一人です。一日は夜明け前から始まり、午後九時に就寝となります。健康的な生活でしょ。朝食を終えると信者はそれぞれの作業にあたります。ここで言う作業とはおもに農作業や家畜の世話になります」

ガイドは大仰に手を振る。

「ご覧下さい。広がる大きな畑を。私たちの教団では自給自足をモットーに、土に触れ、自然に触れ、『彼ら』から与えられたこの地球とともに生きていきます。現代の人類は自分たちを地球の支配者だと勘違いし、『彼ら』から授かった美しい地球を破壊しています。『彼ら』は人類に深く失望しています。まもなく、『彼ら』は人類に対して鉄槌《てっつい》を下すでしょう。しかし、『彼ら』は人類を深く愛してもいるのです。『彼ら』の言葉を聞き、従う人々に、『彼ら』は決して危害を加えません」

「あの……」二十歳前後の参加者の男がためらいがちに声をあげる。

「はい、なんでしょうか？」

「あの……『彼ら』って言うのは、その……宇宙人のことですか？」

おどおどと視線を泳がしながら男は言う。ガイドの顔がかすかに引き締まる。

「たしかに地球外の存在である『彼ら』は、ある意味『宇宙人』でしょう。教団が発行している書物などにも分かりやすいように『宇宙人』と記載してあることが多いです。ただ、『彼ら』は皆さんが一般的にイメージするような宇宙人とは一線を画する存在です。『彼ら』自身が名乗る正式な名前もあるのですが、それは私たちには決して発音できないのです。そのため、私たちは敬意をこめ『彼ら』と呼んでいます」

流暢《りゅうちょう》なガイドの説明。彼女がこの質問に何度も答えていることをうかがわせた。

「宇宙じ……『彼ら』と、その、本当に話すことはできるんですか？　ガイドさんも『彼ら』の声を聞いたんですか？」男が質問を続ける。

「声を聞いたというと語弊があるかもしれません。『彼ら』は私たちのように声を使いません。『彼ら』は直接頭の中に話しかけて来るんです」

「それじゃあ、『彼ら』を見たことはあるんですか?」男は身を乗り出す。

「はい、見ました。『彼ら』は宝石のように輝いていて、とても美しいです。ただそれは『彼ら』の本当の姿ではありません。『彼ら』の本体は我々と同じ次元には存在しないんです。ですから『彼ら』はこの世界のどこにもいなくて、どこにでもいる……。本来なら私たちは『彼ら』のことを知覚できないんです。けれど、『彼ら』は私たちを救うため、一人の少女に『巫女』としての能力を与えました。彼女を通すことにより、私たちも『彼ら』の声を聞き、姿を見ることができるようになりました」

「『神羅』様ですね!」男は興奮気味に叫んだ。

「その通りです。本当ならあとでご説明するつもりだったんですが、ちょうどその話になりましたので、ここで神羅様についてご説明しますね」

ガイドはもったいつけるように参加者たちの顔を見渡す。

「神羅様が『彼ら』に見いだされたのは、今から七年前、彼女が十七歳の時でした。その時、彼女は入院中でした。その数日前、料理中に誤って天ぷら油の入った鍋をひっくり返してしまい、煮えたぎった油を顔に浴びていたんです」

おそらく知っている話だというのに、参加者の数人がわざとらしく息を呑む。

「神羅様は右の顔面全体にひどい火傷を負いました。皮膚の移植が必要で、たとえそれをしたとしても、かなり目立つ痕が残ると医師には言われていました。皆さん、想像してみて下さい。それがどれほどつらいことなのか」

　ガイドは声を震わせながら話を続ける。

「将来に対する絶望と、激しい痛みで神羅様は苦しんでいました。そんな時です、『彼ら』が接触してきたのは。ベッドで苦しむ神羅様の頭の中に、突然『彼ら』は話しかけてきました。その瞬間、神羅様をさいなんできた苦しみはすべて消え去りました。彼女は悟ったのです。なぜ自分がこの世界に生まれてきたのか。自分がなにをするべきなのか。神羅様はその後、医師が勧めた形成手術を断りました。神羅様にとって火傷の痕は『彼ら』と接触するきっかけ、大切な勲章になったのです」

　ガイドは演説でもするかのように胸を張って声を上げる。

「そして火傷の痕を残したまま退院した神羅様は、すぐに『彼ら』の声を世に伝えるべく布教活動をはじめます。しかし、当初は上手くいきませんでした。顔に大きな火傷の痕を持つ彼女を世間は奇異の目で見て、話も聞こうとしませんでした」

　沈痛な表情で唇を噛むガイドを見て、参加者たちも悲しげに眉間《みけん》にしわを寄せる。

　するとガイドは顔を跳ね上げ、満面の笑みを見せた。

「けれど、『彼ら』は決して神羅様を見捨てることはありませんでした。『彼ら』は神羅様に特別な力を与えたのです。そう、それが『巫女』の能力です。神羅様は『彼ら』と人とを繋《つな》ぐ触媒となったのです」

参加者の中から「おおっ」というざわめきが上がった。

「神羅様は自らの能力で、多くの人々に『彼ら』の声を伝えました。やがて教団は少しずつ大きくなり、三年前にはここに本部施設を設立するまでになっています。今後も教団は成長し続け、全世界に『彼ら』の声を広めていくでしょう」

ドキュメンタリー映像のナレーターのように最後をしめると、ガイドは得意げに参加者たちを見渡す。参加者の多くは、今の話に感銘をうけたのか身体を震わしている。最初に質問した若い男にいたっては目頭を押さえてさえいた。

二十万円も払ってこのセミナーに参加しているだけあって、参加者の大部分がすでに多かれ少なかれ、この教団の教祖である『神羅』という存在に心酔しているのだろう。そんな参加者たちの中にあって、僕は冷めた目でまわりの人々を見回していた。

なにが『彼ら』だ、馬鹿馬鹿しい。二十歳前後という年齢、顔が傷ついたことによる大きなストレス、そして急に聞こえてきた声。医師ならその神羅という女性になにが起こったかすぐに予想がつく。つまり神羅という女性は……。

「精神疾患」

僕は硬直すると、おそるおそるその言葉を発した人物を見る。僕の隣に立つ鷹央を。

「え、なにかおっしゃいましたか？」ガイドは困惑の表情を浮かべた。

「だから精神疾患じゃないのか？　その神羅っていう女」

鷹央は決してここで訊ねるべきではない質問をぶつけていく。

「え、……え？　なんの話ですか？」

「精神疾患の中には、幻聴を生じさせるものもある。そしてストレスはそれらを引き起こすきっかけになりやすい。そして幻聴の中には神や悪魔など超越者からのメッセージのような形をとるものもある。特に二十歳前後でのそのような症状は、破瓜《はか》型の統合失調症が……」

「ちょ、ちょ、ちょっと待って下さい！」

抑揚のない口調で知識の垂れ流しをはじめた鷹央を、ガイドが必死に黙らせる。

「なんだ？」鷹央は不愉快そうに桜色の唇を尖《とが》らせた。

「なんだ、じゃありません！　あなたはいったいなにを言っているんですか？」

「聞こえなかったのか？　その神羅という女は精神疾患の可能性が……」

「そんなことを言っているんじゃありません！」ガイドは金切り声を上げる。

「お前が『なにを言っているんですか？』って質問してきたから、答えただけだぞ」

「だから、そんなことを言っているんじゃありません！　あなたは、……あなたは、神羅様が病気だと言うんですか？　『彼ら』が妄想だと？」

ガイドの顔が赤みを増していく。鷹央が僕の脇腹をつついてきた。

「なあ、小鳥。もしかしてあの女、怒っているのか？」

「ええ、とっても」僕は小声でささやく。

「なんでだ？　私は正しいことを指摘し、聞かれたことに答えただけだぞ」

「世の中には正しいことでも、指摘しない方がいいこともあるんです」

　鷹央は首をかしげる。僕がなにを言っているか分からないらしい。

「ですから、あのガイドさんにとって、『神羅』っていう存在は神聖なものなんです。先生がその『神羅』が病気だっていったから」

「ああ、なるほど。神羅の言う宇宙人が妄想かもという可能性を受け入れられないんで、混乱して、それを怒ることでごまかそうとしているんだな」

「……まあそんな感じです」微妙にニュアンスが違う気がするけど、まあいいか。

「つまり私はあの女に、神羅という女が精神疾患の可能性が高いということをしっかり納得させればいいんだな」

「違う！」そんなことをすれば、あのガイドは間違いなく卒倒する。

　ふと僕は全身に突き刺さる視線に気づき、周囲を見回した。ガイドだけでなく、このツアーの参加者たちも僕と鷹央に鋭い視線を投げつけてきていた。

　背中に冷たい汗が伝わるのを感じながら、僕は身をこわばらせる。

「どうかしましたか？」

　どこからか男の声が聞こえてきた。ガイドが体を硬直させ、素早く振り返る。長身の男が施設から出てきた。すらりとした細身の体、質の良さそうな糊《のり》のきいた茶色いスーツ、黒縁の高級感のあるメガネ。見知った男だった。この教団の実質的な支配者、大河内和之。ガイドは大河内に駆けよると僕たちを指差す。

「あの二人、あの二人が、神羅様を、神羅様を……」

呂律《ろれつ》の回っていないガイドに指さされた僕たちを見て、大河内は相好《そうごう》を崩した。

「ああ、この前いらっしゃったお二人ですね」

「大河内先生、この二人をご存じなんですか？」

「ええ、うちの教団にとても興味がおありのお二人ですよ。とってもね」

いたずらっぽく笑うと、大河内はスーツのポケットから紙を取り出し、それを開く。

「えっと、天久鷹央さんと小鳥遊優さんですね。いや、まさかお二人がドクターだとは思いませんでした。えっと、天久先生が帝都大で小鳥遊先生が純正医大のご出身なんですか。ということは、天久先生は私の後輩ということになりますね」

「なんでそんなことまで？」

僕は警戒して身構える。応募のアンケートでは職業は『自営業』と記したはずだ。

「いいえ、応募される時に備考欄にそのことが書かれていましたが。あと、この前にこちらに忍び込んだことも」大河内は首をかしげる。

「……」僕はすぐ隣にいる犯人に湿度の高い視線を浴びせかける。

「うん？　なにを見ているんだ？」

「……なんでもありません」この人に視線での抗議なんて通用するはずがなかった。

「それで、お二人がどうかしたのかな？」

「この二人が神羅様のことを……病気だって」ガイドは僕たちをにらみつける。

「病気？　ああ、統合失調症をお疑いですか？」あっさりと大河内は言う。

「ああ、そうだ。私がその神羅っていう女が統合失調症の可能性が高いって教えてやったら、そこの女が急に興奮しだしたんだ」

鷹央はガイドを指差すと、大河内は薄い唇にかすかな笑みを浮かべた。

「たしかに話だけを聞けば、神羅は統合失調症のように思えるかもしれません。ただ、それは間違いです」

「その根拠は？　なぜ宇宙人の声が幻聴ではないと言い切れる？」

「ご存じかもしれませんが、私は精神科医です。その私が見て、神羅は、妹は精神疾患をわずらっていないことははっきりしています」

「精神疾患は、内科的疾患のように検査の数値や画像検査のような客観的な診断根拠を持っていないことが多いから、医師の主観が混じる。同じ患者でも医師によってまったく違う診断が下されることも少なくない。お前の精神科医としての力量を知らない以上、私はお前の診断を信頼できない」

大河内の表情が硬度を増す。

「……たしかにあなたが言うような一面があることは否定しません。けれど、神羅が精神疾患患者でないことは明らかです。神羅には『彼ら』とコンタクトできるだけで、疾患の症状は見られません」

「幻聴は症状なんじゃないか？」

「それは違いますよ、天久先生。その証拠に……」大河内は挑発的な笑みを浮かべる。「先生方にもあとで『彼ら』とコンタクトしていただきます。神羅の導きによってね」

「つまり、『彼ら』とかいうやつらの声を私たちも聞けるということか？」

「ええ、声を聞く方もいれば、姿を見る方もいます」

「それは楽しみだ」鷹央は屈託なく笑う。

鷹央の無邪気な反応に大河内はいぶかしげに眉をひそめつつ、話を続ける。

「それに今日の夜には、儀式の前に少々神羅と話をする時間もとってあります。話をすれば、神羅が精神疾患をわずらっていないことはきっとすぐに分かり……」

「分からないよ」大河内の説明を鷹央がさえぎる。

「はい？」

「だから、私には態度や話し方でその人間が正常かそうでないか、判断がつかないって言っているんだ」

大河内はかすかに首をかたむけながら、まじまじと鷹央を見る。

「天久先生、失礼ですが、あなたもしかして……」

「アスペルガー症候群のことか？　そうだとしたら正解だ」

「そうなんですか。それは……」こめかみを掻きながら、大河内は言葉をにごす。

「私は人間の表情や雰囲気を読むのは苦手だ。そのかわり……」

鷹央は大河内に向けて楽しげで、そして挑戦的な笑みを見せる。

「私はお前なんかとは比べものにならない知能を持っている。本当に宇宙人とコンタクトできるならすごく楽しみだ。けれど、もしお前が詐欺師で全部インチキなら、絶対にその手口をあばいてやる。覚悟をしておけよ」

6

……疲れた。顔からシングルベッドに倒れ込んでいく。柔らかいクッションに体がバウンドする。体中汗でべとついて不快だったが、それ以上に体中の血管を流れる疲労がまさっていた。このまま目をつぶって睡魔に体を委ねてしまいたい。

「なんだ小鳥。男のくせに情けない。私はそんなに疲れていないぞ」

僕は首だけ動かして、部屋の隅に置かれた椅子に前後逆に座っている鷹央を見る。

「そりゃそうでしょ。先生はなにもしていないんだから」

「そんなことはないぞ。ちゃんと見学していたし、施設を見て回ってもいたぞ」

僕は大きなため息をついて、鷹央と議論することをやめる。

大河内と鷹央のやり取りがあったあと、一気に愛想が悪くなったガイドに連れられ、僕はこの安いビジネスホテルのシングルルームのような部屋に通された。そして部屋に荷物を置き、ガイドから支給された体験生活参加者用の青色のジャージに着替えた僕たちは、ここでの体験生活をはじめた。つまりは農作業を。

結論から言うと、僕は農作業というものを舐《な》めていた。医師になってからは道場に行って稽古することはまれになったものの、大学六年間は毎日のように空手の稽古に明け暮れていた。最近も最低限の鍛錬はしている。だからこそ農作業など軽くこなせると思っていたが、それは大いなる勘違いにすぎなかった。

午前の二時間を、照りつける太陽のもと鍬《くわ》を振り下ろして畑を耕したところで、僕の体力はすでに空っぽになっていた。それにもかかわらず、午後も敷地内の掃除、農作物の収穫・箱詰め、ニワトリや馬などの家畜の世話までやらされた。この教団が大量に飼育している農耕馬の糞《ふん》を集めさせられた時などは、そのまま逃げ出してしまおうかという衝動に襲われさえもした。

そんな感じで僕が馬車馬のように働いている間、僕をこの苦行に引き込んだ鷹央がなにをしていたかというと、……なにもしていなかった。

参加者たちが農作業をはじめてすぐ、サングラスをかけた鷹央は農耕具に触れることもせず、「暑くて調子が悪いから休む」と言い出して、勝手にふらふらとどこかへ消えた。そしてその後は、ふらっと姿をあらわしてはまた消えてをくり返した。

作業を指導する立場のガイドは、そんな鷹央をにらみながら顔を真っ赤にしていたが、最後まで直接鷹央に文句を言うことはなかった。着いた時の騒動で鷹央と関わらない方がいいと考えたのだろう。賢明な判断だ。

「それで、なんでここにいるんですか？」

「ん？　食事まで自由にしていていいんじゃなかったか？」

食事は約一時間後の午後八時かららしい。それまでが自由時間になっていた。

「そういうことじゃなくて、なんで僕の部屋にいるんですか？」

鷹央は隣に一部屋割り振られている。

「しかたがないだろう。本もスマートフォンもポータブルＤＶＤも持ち込み禁止で、なにもすることがないんだから。なにもしていない時間なんて人生の無駄遣いだ」

鷹央は椅子の背もたれにあごを乗せたまま、不満げに体を揺らす。

「べつに僕と話していても、人生の有効活用かどうかは微妙なところですけどね」

この体験生活は替えの下着ぐらいしか持ち込みを許されていなかった。教団施設に入る時にわざわざ持ち物検査までするほどの念の入れようだ。表向きは一般信者と完全に同じ生活を体験させるためとうたってはいるが、どうも施設を撮影させないためや、外部との連絡を絶つためという裏の意味があるような気がする。

「ここの人たち、よくこんな娯楽の少ない生活にがまんできますよね」

「本も音楽も映画もなくなったら、私はたぶん退屈で死ぬ」

「はいはい。それより、そろそろ自分の部屋に戻って下さい。これから僕はシャワーを浴びるんで。食事前に汗を流してさっぱりしておきたいんです」

「べつに小鳥がシャワーを浴びても私は気にしないぞ。男の裸なんか興味ないから」

「僕が気にするんです！　先生も自分の部屋でシャワーを浴びてきて下さい。農作業していなくても、外にいたんだから少しはほこりっぽくなってるでしょ」

僕が出口を指さすと、鷹央は露骨に表情をゆがめる。

「あの、もしかして……シャワー嫌いだったりします？」

僕の質問に、鷹央はためらいがちにうなずいた。

「えっとですね。こういうこと女性に聞くのはどうかとは思うんですけど、この前、風呂に入ったのっていつ頃ですか？」

「……三日くらい前」

「すぐに自分の部屋でシャワー浴びてきなさい！」

僕はベッドから立ち上がると、鷹央が座っている椅子ごと出口の方に押していく。

「な、なんだよ。姉ちゃんみたいなこと言って。わっ、押すなって」

「真鶴さんにそんなこと言われてるんですか？」僕はあきれかえる。

「せっかく怖い姉ちゃんがいないから、羽を伸ばせると思ったのに……」

「真鶴さん、優しそうじゃないですか」

「……お前は姉ちゃんが本当にキレた所を見たことないから、そんなこと言えるんだ。一度怒らせたら鬼のように恐ろしいんだぞ」

「いったい何をやったら、そんなに真鶴さんを怒らせられるんですか？」

「一番最近は二ヶ月ぐらい前に、姉ちゃんが三十歳になった誕生日に『みっそじ、みっそじ』って歌いながらからかったら、めちゃくちゃキレられた……」

「……それは自業自得」

しかし、二ヶ月前に三十歳ということは、真鶴さんは僕より一歳年上ということか。思わぬ形で重要な情報を手に入れた僕は、ここ最近気になっていることを口にする。

「そう言えば、真鶴さんって忙しそうに働いていますけど、恋人とかいないんですか？」

「え？　姉ちゃんの恋人？　いまはいないぞ。半年ぐらい前まではいたけど」

「へー、そうなんですか」僕は内心でガッツポーズを作る。

「なんでそんなこと訊いたんだ？」

「いえいえ、気にしないで下さい。それより早くシャワー浴びてきて下さいよ、女の子なんだから」

僕は再び椅子を押しはじめる。

「女の子ってなんだ！　女の子っていうのは基本的に未成年の女に使う言葉だろ。私はれっきとしたレディだ」椅子の背もたれに抱きつきながら声を上げた。

「どこに異臭のするレディがいるんですか」

「失礼なことを言うな。私は異臭なんかしない。汗とかほとんどかかないから大丈夫なんだ。それに水浴びるのってなんか気持ち悪い」

「ネコですか、あなたは。今日はずっと暑い中を屋外にいたんだから汗もかいたでしょ。いいから自分の部屋行って、シャワー浴びてきて下さい」

「分かった。分かったから、押すのやめろ！」鷹央は椅子からあわてて飛び降りる。

「食事の時間に迎えに行きますから、ちゃんとシャワー浴びておいて下さいね」

鷹央は頬をふくらませると、無言のまま大股で出口まで行き扉を開く。

「ばーか、ばーか」

『レディ』とは思えない捨てゼリフを残し、鷹央は部屋から出ていった。

「うまかった」隣の席にすわる鷹央が満足げに腹をさする。

休憩を終え、二十時に宿泊施設の一階にある食堂に集合した僕たち参加者に出されたのはカレーライスだった。カレー好きの、というかカレー味以外のものをほとんど口にしようとしない鷹央は、満面の笑みでそのカレーをぱくついていた。

カレーの具は野菜と鶏肉で、野菜に関しては今日、僕たちが収穫したものを一般信者たちが調理してくれたらしい。なかなか粋な心づかいだ。

新鮮さが違うのか、それとも今日一日苦労して収穫した経験のせいなのか。ジャガイモ、ニンジン、ナス、キノコ、チキン、それらすべて普段食べているものより風味、甘みを強く感じ、鷹央の言うとおりとてもうまかった。

「いやー。けど、自分たちで収穫したものはやっぱり味がちがうもんだな」

「……鷹央先生はなにもしていないでしょ」

参加者たちの大半がカレーを胃袋の中におさめたのを見はからって、ガイドが席から立ち上がり、「皆さん食べ終わりましたかー?」と、過剰に陽気な声を張る。参加者たちの中から「はーい」という返事が上がり、数人が挙手をした。ここは林間学校かよ。この雰囲気がどうにも鼻について、自然に唇がへの字になってしまう。

「お腹《なか》がいっぱいで眠い人もいるかもしれませんが、我慢して下さいねー。これからが本日のメインイベントですからねー。そう、『彼ら』に会えるんです」

参加者たちの中から歓喜のざわめきが上がる。興奮で目を輝かせるまわりの参加者たちを見回しながら、僕はため息をつく。なにやら大仰なことを言っているが、どうせあのプラネタリウムの中でそれらしい映像を流しながら、トランスしやすい音楽でも聴かせて軽い催眠状態にしてお茶をにごすのだろう。宇宙人の存在を信じている、というより信じようとしているこの参加者たちなら、それでも自分は宇宙人とコンタクトできたと思い込んで、感激にむせび泣くのかもしれない。

ふと視線をすぐ隣に向けると、鷹央も目を輝かせながらガイドの話を聞いていた。僕は身を引いてしまう。鷹央の目に宿っていた光は、他の参加者たちとは明らかに異なっていた。それは獲物を狙う肉食獣の眼差《まなざ》しだった。

あの〝本の樹《き》〟が生い茂った部屋に棲《す》み、あらゆる知識をその小さな頭蓋の中につめこんできた鷹央。彼女はその知識をぶつける対象を常に欲しているのだろう。鷹央にとって、目の前にぶら下がった謎はまさに獲物そのものなのかもしれない。

「それでは皆さん、これから『彼ら』とのコンタクトのための施設へと移動します。迷子にならないように私にしっかりついてきて下さいねー」

鷹央は「はーい」と一際大きく返事をすると、下手くそなスキップをしながら手招きするガイドへと近づいて行く。天敵の接近にガイドの笑顔が引きつった。

宿泊する建物から出ると僕たちはガイドに連れられ別の施設へと移動した。十日ほど前、僕たちがのぞき込んだあのドーム状の建築物。

中に入ると天井の高い円形の空間が広がり、そこに二人の人物が立っていた。一人は大河内和之、そしてもう一人はほっそりとした体つきの女性だった。身長はかなり高く、百七十センチ以上あるかもしれない。

参加者たちの中から悲鳴とも歓声ともつかない声が上がる。

女の顔は京都の舞妓のように真っ白に塗られ、唇には妖しい朱色の紅がさされていた。二重の大きな目は強い意思で輝き、すっと通った鼻筋は涼しげな印象を与えている。あくまで、左の顔だけを見れば……。そう、目の前に立つ女性の顔の右半分は赤くただれ、歪《ゆが》んでいた。頬を中心に皮膚が引きつれ、唇を吊《つ》り上げている。大きく腫れたまぶたが眼球に覆いかぶさるように垂れ下がっていた。右側の前頭部には髪がなく、額のうえに赤黒い皮膚が波打っている。

「私が神羅だ」

女は良く通る声で言った。しかし、彼女に圧倒されている参加者たちは返事をすることができない。僕自身も彼女の右の顔面から視線を引きはがすことができなかった。左の顔がかなり整っていることが、その痛々しさをさらに際立たせている。

こんな反応には慣れているのか、神羅本人をはじめ、大河内とガイドも涼しい顔をしている。その時、参加者の中から小柄な人物がとことこと神羅に近づいて行った。

「あっ⁉」それまで得意げな顔をしていたガイドが唇を歪める。

「お前が『神羅』なんだな」神羅の前に立った鷹央は、無遠慮に神羅の顔を凝視する。

「ちょっとあなた！」

ガイドがあわてて鷹央を止めようとするが、神羅は手を軽く上げてガイドを制した。

「そうだ。私が神羅だ」

「ひどい火傷の痕だな」

あまりにもぶしつけな一言に、周囲の空気が硬直した。しかし、神羅はまったく動揺した様子を見せなかった。

「ああ、そうだな」神羅は左の顔に笑みを浮かべる。

「その色だと、皮膚の移植もやっていないな。なんでだ？」

「この火傷の痕は、多くの人の目には醜く映るかもしれない。けれどこれは私にとっては勲章だ」神羅は自分の右の顔にほっそりとした指を沿わせる。

「つまり、……その火傷のおかげで宇宙人とコンタクトができたから、その記念として傷をそのまま残しておきたいってことか？」

「そうだ。肉体はこの物質世界に精神を留《とど》めておくための容《い》れ物に過ぎない。容れ物をいかに美しくしようが、精神が醜くては意味がない。容れ物を美しくするよりも、精神を磨くことが肝要だ。『彼ら』がそのことを教えてくれた」

神羅は胸を張る。その声には自信が満ちあふれており、なぜか胸の中に直接響いてくるかのようだった。いつの間にか、醜く見えていた神羅の火傷の痕が神々しくさえ感じられてくる。この宗教にまったく興味のない僕でさえこんな調子なのだ。まわりの参加者にいたっては、いまにもひざまずいて涙を流しそうな者さえもいた。

「そろそろ時間です。皆さん、どうぞ礼拝堂へお入り下さい。みなさんと『彼ら』のコンタクトが素晴らしいものになりますように」

成り行きを見守っていた大河内が芝居じみたセリフを吐く。

「それでは皆さん、またすぐにお目にかかろう」

カーテンコールにこたえる女優のように優雅に一礼すると、神羅は大河内と連れだってわきにある小さな扉の奥に姿を消した。

わずか数分の接触であったが、神羅のカリスマ性は十分に感じられた。裸一貫からここまで教団を大きくできたわけだ。もちろん実務面では大河内の能力が大きかったのだろうが、この教団を成長させた一番の原動力は、神羅の持つ神々しいまでのカリスマ性であったにちがいない。

「小鳥、小鳥」なんとなしに神羅が消えた扉を眺めていると、ジャージのすそが引かれた。いつの間にかとなりに戻って来ていた鷹央によって。

「なんですか？」

「どうだった？」鷹央は僕の目をのぞき込んでくる。

「どうだったといいますと？」

「だから、お前から見てどうだったんだ、神羅は？」

「え、いや、想像していたよりもずっと魅力的な女性でしたね。もっと、なんというか、怪しくて異様な雰囲気の人物を予想していたんですけど」

「なんだお前、あの女に惚《ほ》れたのか？　まったく、こんなところで発情するなんて」

　鷹央は、軽蔑を含んだ視線を投げかけてくる。

「なに言っているんですか！　そんなわけないでしょ」

「ほら、そこのお二人、なにやってるんですか。さっさとついてきて下さいよ」

　ガイドの不機嫌な声に顔を上げると、いつの間にか参加者たちが移動していた。正面にある観音開きの扉が大きく開け放たれ、その中にぞろぞろと入っていっている。

「まったく、ちゃんと集団行動をとって下さいよ」

　僕たち、というか鷹央に対する敵対心をもはや隠そうともしないガイドから刺すような視線を浴びながら、僕は鷹央をうながし扉をくぐる。

　大河内が『礼拝堂』と呼んだその扇状の空間は、外からのぞいた時に感じた以上の広さがあった。奥に行くにつれ段々とせばまっていき、扇の要《かなめ》の位置は二メートルほどの高さがある壇場になっていた。奥行きは三十メートルはある。僕は視線を持ち上げる。ドーム状になっている天井は高く、軽く二十メートルはあるだろう。ドームの中心には直径五十センチほどの球状の投影機が置かれていた。

ドーム内に視線を這《は》わしていた僕の体に緊張が走る。中にはすでに数人の男たちがいた。どこか反社会的な雰囲気をまとい、焦げ茶色のジャージを着た見覚えのある男たち。十日ほど前に、この施設に侵入した僕と鷹央をとり囲んだ男たちだった。

「焦げ茶色のジャージを着ている人たちは、教団の幹部の方々でーす。今日、皆さんの儀式のサポートをさせて頂きます。見た目はあれですが、とても気さくな方々なので、皆さん緊張しないで下さいねー」

男たちの威圧感に参加者たちが少々萎縮したのを見て、絶妙のタイミングでガイドが底抜けに明るい声をあげる。それに合わせて男たちも人工的な笑みを浮かべた。

「はいはい、それじゃあ皆さん、奥まで進んで下さいねー」

ガイドにうながされ他の参加者とともにドームの中を進んでいった僕は、得もいわれぬ不快な刺激臭を感じ、鼻を押さえる。周りの人々も似たような反応を示していた。

「これは香草を焚《た》いた匂いです。心配しないで下さいねー」

「心配しないでって……」本能的に危険を感じる匂いに、僕は顔をしかめる。

「それで、どうだったんだよ?」

匂いに戸惑っている僕の脇腹を鷹央がつついて来る。

「さっきから、『どうだった』ってなんのことですか？」

「だから神羅だよ。お前から見て、神羅は精神疾患を持っていそうだったか？」

「ああ……」ようやく僕は質問の意味を悟る。「いえ、そうは見えませんでした」

少なくとも僕の見る限り、神羅には精神疾患特有の落ち着きのなさや、抑うつなどの雰囲気は感じられなかった。神羅に精神疾患をわずらっていたとしても、あの調子なら服薬でしっかりとコントロールできている状態のはずだ。

「そうか……」鷹央はうつむく。その顔には、心から楽しげな笑みが浮かんでいた。

鷹央は精神疾患による幻覚などという、ありきたりな解決は望んでいないのだろう。彼女の無限の好奇心はもっと複雑で難解な謎を欲しているに違いない。

「それでは皆さん、近くの椅子に座って下さい」

鼻が慣れてきたのか、いつの間にか周囲に漂う匂いも気にならなくなってきた。僕はガイドの指示通りに手近な椅子に腰掛けた。

臀部《でんぶ》がクッションに沈んでいく。高級なリクライニングチェアのように、座り心地の良い椅子だった。隣の席に鷹央も座る。小さい鷹央の体が椅子にめり込み足が天井を向いた。体勢を戻そうとしているのか、宙に浮いた足がバタバタと動いている。

「それではこれから皆さんに霊茶を配ります。ちょっと味は良くないですが、一気に飲んじゃって下さい。それと、一緒にカプセルも配ります。中にはアンデス山脈でとれた岩塩が入っています。それも飲んで下さい」

ガイドが壇の前に立ち、声を張り上げる。

「れいちゃ？　なんですかそれは？」気の弱そうな中年男が不安げに訊ねた。

「この施設で栽培したハーブを配合したものです。体をリラックスさせる効果があって、『彼ら』を受け入れやすい精神状態を作ります。大河内先生がお作りになっている特製のお茶です。岩塩はその効果を増強させると言われています」

怪しすぎる……。僕が顔をしかめると、後ろの方にいた焦げ茶色のジャージを着た男の一人が近づいてきて、盆に載った紙コップを「どうぞ」と差し出してくる。戸惑いながら、紙コップと小さなカプセルを受け取る。紙コップの中には薄茶色の液体が入っていた。鼻を近づけると、すえた刺激臭が鼻腔《びくう》に突き刺さった。

こんなものを飲めっていうのかよ。逡巡《しゅんじゅん》している僕を男が見下ろしてくる。しっかり飲むかどうか監視しているのだろう。早く飲めと僕をにらむ目が言っている。

僕は覚悟を決めると、カプセルを口に放り込み、すぐに薄茶色の液体をあおって喉の奥に流しこんだ。口腔内になんとも言えないべたついた苦みと甘みが広がっていく。煮詰めたコーヒーと水飴《みずあめ》を混ぜたような味。胸の奥がむかついてくる。

僕が飲み込んだのを見て、男は鼻を鳴らすと会場の後方に戻っていった。

「皆さん飲みましたねー。それじゃあ椅子の横にあるレバーを引いて背もたれを倒して下さい。今から天井に満天の星を映し出します。皆さん、星空の散歩を楽しみながらリラックスして下さい。もうこの空間にはすでに神羅様の力が満ちています。人によってはすぐに『彼ら』と接触できるでしょう」

ガイドの言葉とともに、ドーム内の照明が落とされ天井に美しい星々が輝き出す。同時にどこからかヒーリングミュージックの旋律が流れ出した。

これからあの子供だましの儀式がはじまるのか。僕はため息をつくとガイドの指示通りにリクライニングを倒す。これは仮眠をとるにはなかなか良い環境だ。今日は朝も早かったし、やりたくもない農作業で疲れた。疲労と満腹感で睡魔が襲ってきている。このくだらない儀式が終わるまで少し休ませてもらうとしよう。

僕はまぶたを落とし、睡魔に身を任せていく。

「う、あああ……」

まぶたを落としてから数分が過ぎ、意識がゆっくりと眠りの世界に落下しかけたころ、後方からうめくような声が上がる。不快な声に思わず目を開け、首を動かして後ろを見ると、この施設に到着した時、ガイドにしつこく質問していた若い男が、宙空に腕を伸ばし、口を半開きにして声を上げていた。

僕はため息を吐く。あれだけ宇宙人に対して憧れを示した男だ。この異様な環境に幻でも見はじめたのかもしれない。僕は体勢をもどし、再びまぶたを落とす。その時、違和感をおぼえた。まぶたの裏に光が見える。七色のまばゆい光が。

紅《あか》や蒼《あお》、原色の煌《きら》めきがまぶたの裏を覆いつくしていく。

いったいなにが……。戸惑っていると、唐突に津波のような嘔気《おうき》が襲いかかってきた。喉の奥から熱いものがせり上がってくる。僕はあわてて口を押さえ目を見開く。まぶたを持ち上げた瞬間、光の奔流が僕を包み込んだ。ドームの天井に映し出されていた星、その一つ一つが目がくらまんばかりに光を放っており、それらからこぼれ落ちた光の雨が降り注いで全身を貫いていく。

幻想的な光景。しかし、胸にわだかまる吐き気はもはや耐えられそうにない。

「ミナーサーン　キモチガー　ワルクー　ナッタヒートハ　イスノーヨコーニ　フクローガ　アリマスカラー　ソレーニ　ハクーヨウニ　シテークダーサイ　ネー」

異様に間延びし、甲高くなったガイドの声が頭蓋内に反響する。

僕はあわてて椅子の横に備えられた紙袋に手を伸ばそうとする。しかしなぜか自分の腕の位置がうまく把握できない。僕は必死に位置感覚の消えた手で紙袋に触れる。その瞬間、ぐるりと視界が回転した。

天地が逆さまになり、光の奔流が渦を巻く。視界が原色の輝きで満たされる。

いったいなにが起こっているんだ？　僕は叫ぼうとした。しかし、声帯が震えることはなかった。まるで金縛りにあっているかのように体が言うことをきかない。

まばゆい光の中で、うっすらとした影が形を作りはじめていた。天空から一本の黒い糸が僕の目の前まで垂れ下がる。そしてその糸の先には闇がわだかまっていた。

……暗く、どこまでも深い闇が。

僕の目の前でその闇は振り子のように揺れ出す。ゆっくりと、ゆっくりと……。

やがてぼやけていた闇と光の境界が輪郭を形作っていく。……人の形へと。

「うわああー！」極限の恐怖が体の自由を取り戻す。僕は悲鳴をあげ、頭を抱える。

なんなんだこれは？　いったいなにが起こっているんだ？　これは現実なのか？

「皆さん、落ち着いて」

混乱する僕の耳に女性の声が聞こえてくる。さっき聞いたガイドの声のように、いびつに歪んではいない涼やかな声。胸腔が腐ったかのような嘔気がわずかに和らぐ。

僕は緩慢に顔を上げる。光の中に女性が立っていた。ほっそりとした体を純白の衣装で包み、顔の前に黒いベールを垂らした女。

女は顔の前に垂れたベールを搔き上げる。彼女の右の顔面は赤黒くただれていた。

「しん……ら？」

口から無意識に彼女の名前がもれ出す。光の中に浮かぶ彼女は幻想的で、とても美しく見えた。いつの間にか、目の前に揺れていた闇は消えている。

「最初は混乱するかもしれない。強い不快感があるかもしれない。けれどそれは正常な反応だ。なにも心配いらない。あなたがたの精神が『彼ら』に近づいている証拠だ。心を開いて。どうか彼らを受け入れて。彼らはけっして皆さんに危害を加えない」

神羅の柔らかい声が脳に染み入っていく。吐き気はみるみると溶けていった。

「さあ、あなた自身を解き放って！　すべてを『彼ら』に委ねて！」

力の込められた神羅の声が、全身に叩きつけられる。その瞬間、僕の意識は肉体からはじき出された。椅子に座っている自分の体が上空から見える。

光が僕をとり囲む。『自分』と光の間の境界が薄くなっていく。『自分』が光の中に溶けていく。それがとても心地よかった。

『大丈夫だ。ぜんぶ大丈夫』

声が聞こえてくる。温かい声が。そう、その声は温度を持っていた。もはや方向感覚は消えていた。どちらが上でどちらが下なのかさえ分からない。

半年前のあの日からずっと胸に抱えていた恐怖が、不安が融《と》け去っていく。

『僕』は世界の一部になり、世界が『僕』の一部になった。

7

鳥のさえずりが耳をくすぐる。

「……うん？」重いまぶたをなんとか持ち上げると、起きぬけの目には強すぎる光が網膜を白く染め上げた。背中が痛い。

ここはどこだ？　目の前には椅子の脚らしきものがある。身を起こすと、六畳ほどの狭い部屋の中に僕はいた。床の上で寝てしまっていたようだ。

「……ああ」僕はようやく思い出す。そういえば、あの怪しい宗教施設に宿泊していたんだっけ。いつのまにか、あてがわれた自分の部屋で眠っていたらしい。けれど、なんで床で寝ているんだ？　それに、いつ部屋に戻ったんだっけか？

必死に記憶を探るが、どうやって部屋に戻ったのか思い出せない。かわりに昨夜の経験が脳裏に蘇《よみがえ》る。『自分』が光に溶けていったあの心地よい経験が。

「ううっ……」

回想にふけっていた僕は、背後から聞こえてきた声に身を固くする。

いまの声って、まさか……。おそるおそる背後を振り返ると、そこには予想通りの光景があった。部屋の奥に置かれたベッドの上で上司が、天久鷹央が寝息を立てている。寝ている途中ではね飛ばしたのか、掛け団布団はほとんど床に落ちている。着ているジャージははだけ、やけに白い腹が露《あら》わになっていた。体はベッドに対してほぼ垂直になっていて、片足がはみ出している。

どんな寝相をして……。いや、いまはそんな場合じゃない。

まさか……間違いおこしたりしてないよな？　必死に記憶をたどるが、昨夜あの光の渦に巻き込まれたあとになにがあったのか思い出せない。

上司に手を出したりはしないはず。そう、そのはず……。

自分に言い聞かせようとするが、まったく記憶がないだけに自信が持てない。

とりあえず……逃げよう！　僕は心を決める。それがなんら解決になっていないことは分かっているが、とりあえずこの場から逃げろと本能が命じていた。

抱えていた頭を上げた瞬間、僕は全身を硬直させた。ほんの数十秒前まで寝息を立てていた鷹央が、二重の目を見開き僕を凝視していた。

「えっと。……おはようございます」僕はもごもごと口の中であいさつを転がす。

「ん……」鷹央は返事なのか、うなっているだけなのかよく分からない声を上げる。

「あの……先生」

「……うるさい」

鷹央はナメクジのような緩慢な動きでベッドから這い出し、ふらふらと洗面所へと向かう。扉を開けたまま勢いよく蛇口から水を流すと、鷹央は顔を洗い始めた。

「あの……先生」タオルで顔を拭く鷹央に、僕はおずおずと話しかける。「ここ、僕の部屋……ですよね？　なんで先生がいるんですか？」

「お前、覚えていないのか？」鷹央は僕に湿った視線を投げかける。

覚えていない？　いったいなにを？　背中を冷たい汗がつたった。

「大変だったんだぞ。お前をここまで運ぶの」

「運ぶ？」

「あの儀式のあと、お前が一人で歩けなくなって、わざわざ私が支えて連れてきてやったんだぞ。この小さい私が、ばかでかいお前を」

「あ、そうなんですか。いや、あの、それはご迷惑おかけしました」僕は首をすくめる。「えっと、僕以外の人は普通に歩けたんですか？」

「いや、半分ぐらいの奴らは足腰立たなかったな。そいつらは教団の信者たちに支えられて自分の部屋に戻っていってた」

「それじゃあ、なんで僕は先生が連れて行くはめになったんですか？」

「なんか、あのガイドの女が『婚約者なんですから、あなたが連れていって下さいね』とか言い出してな。まあ、そういうものなのかなと思って」

露骨な嫌がらせだな……。

「あの、それで……」僕は唾をのむ。「なんで先生が僕の部屋で寝ているんです？」

「重かったから、部屋に入ってすぐお前を放り捨てたんだ。そしたら、お前が入り口の前で倒れていびきかきだしたんだよ。お前の体に引っかかってドアが開かなくなるし。いくら蹴っても踏んでも起きないから、そこのベッドで寝ることにした」

……もしかして、起きた時に体が痛かったのは固い床で寝ていたせいじゃなく、鷹央に蹴られたからなのだろうか？

「あ、そういうことですか。……良かった」僕は胸をなで下ろす。

「良かった？　なにが良かったんだ？」

「いえ……なんでもないです。それにしても、昨日のあれですけど、なんというか……すごかったですね」

「ああ、あれはすごかったな！」鷹央は急に上機嫌になる。

「え、ええ、そうですね。先生もなんというか……光の渦に巻き込まれたんですか」

「光の渦？　なんだそれ？」

「え、違うんですか？　なんというか、世界がきらきらした光で埋め尽くされて、自分がその一部になったって言うか……体から意識だけ抜けていったと言うか……」

「私はそうだな……音楽の海で泳いでいた感じだな」

「音楽の海？」

「そうだ。旋律が蒼く色づいて私を包み込んで。私はその中で浮かんでいた……」

鷹央はうっとりと天井を眺める。

「昨日のあれはなんだと思います？　精神疾患では説明つかないと思うんですけど」

「つかないな。精神疾患患者の妄想に周りの人間が巻き込まれる、感応精神病という症状もあるにはあるが、それはメインになる患者の妄想を周りの人間が信じるってだけだ。周りの人間にあんな派手な幻覚を見せることはできないはずだ」

鷹央は早口で楽しげに言う。よっぽどこの〝謎〟が気に入ったのだろう。

「まさか先生、本気で昨日のが『宇宙人とのコンタクト』だとか言いませんよね？」

「ん？　そうかもしれないじゃないか」

「いや、でも、常識的に……」

「どんなに常識離れしていても、他の可能性を全部除外して残ったものは真実だ。私は下らない常識なんかにしばられたりしないぞ」

「……そうですか」だからと言って、いくらなんでも宇宙人は……。

「ただ、まず宇宙人説の前に検討しないといけないことがあるけどな」

含みを持たせた鷹央の口調。僕は鷹央がなにを言おうとしているかに気づく。

「薬物……ですね」

鷹央は「そうだ」と唇の端を上げる。あの儀式がはじまる直前に怪しいお茶とカプセルを飲まされた。あの中に幻覚を引き起こす薬が入っていたのかもしれない。

「あんな幻覚をおこす薬物と言えば……」

「一番考えられるのはＬＳＤだな。感覚が鋭くなり、幻視を中心とした幻覚が生じてトランス状態になれる」

「あのお茶とカプセル、とっておけば良かったですね。そうすれば調べられたのに」

「なに言ってるんだ?」鷹央はジャージのポケットに手を突っ込み、中から手の親指ほどの小さなガラス瓶を取り出す。その瓶は薄茶色に色づいた液体で満たされていた。

「もしかしてそれって……」

「昨日飲まされたお茶とカプセルの中身に決まっているだろ。口の中でカプセル嚙み砕いてお茶と混ぜて、少しだけ飲み込まないでこの瓶の中に取っておいた」

「そんなもの用意していたんですか?」

「逆になんでお前は用意していないんだ? 馬鹿なのか、お前は」

「……すいませんね、馬鹿で」

『体験生活参加者の皆さん、おはよーございます。良い朝を迎えてますかー? 三十分後に食堂で朝食になりますので、おくれないように来て下さいねー』

天井に備えつけられたスピーカーから、寝起きの頭にはややテンションが高すぎる声が聞こえてくる。あのガイドの声だった。

「おお、飯だ飯だ」

鷹央は上機嫌にハミングを口にすると、「カレー粉をとってくる」と言い残して部屋から飛び出して行った。


「……腹減った」

朝食を終えてまだ三時間も経っていないというのに、鷹央が弱々しい声でつぶやく。

「腹減ったって、さっき食べたばっかりでしょ」

「あんなので足りるわけないだろ。お前は腹減ってないのか?」

鷹央は唇を尖らせる。朝食は目玉焼きと味噌汁《みそしる》、そして白飯に漬け物という質素なものだった。鷹央はその量の少なさにぶつぶつと文句を垂れながら、なんと味噌汁にまでカレー粉を大量に投入して食べていた。

「朝はあれくらいで十分ですよ。僕は朝飯食わないことも多いですから」

「そんなでかい体して、燃費のいい奴だな。変温動物かお前は」

あなたの燃費が悪すぎるだけなんじゃ……。

「ここが瞑想室になっております。信者たちが瞑想を行ってます。瞑想が上達していけば、神羅様の力を借りなくても『彼ら』との接触が可能になります」

天井の高い広いロビーにガイドの声が響く。朝食を終えた参加者たちは、昨日のように農作業に参加することはなく、ガイドの案内のもと教団の施設の見学をしていた。昨夜、儀式を行ったドームや、ドームの裏にある神羅が住んでいるという社のような建物、そしていま僕たちがいる、『彼ら』を祀《まつ》った小型の神殿のような施設。昨日に比べると、より宗教色の濃い施設を見学していた。

最初は受け入れやすいように宗教色を前面に押し出さず、昨夜の体験でショックを与えたところで、ようやく宗教的な勧誘に入っていく。なかなか上手いやり方だ。

ガイドに連れられて、僕たちは入り口前に数本の太い柱が立つ、ローマ神殿を小さくしたような建物の中にいた。

「この建物の中に神羅様はいらっしゃいませんが、瞑想室には昨夜礼拝堂で焚いていた香草や、飲んだお茶と岩塩は用意されています。信者は週に二、三回順番でこの部屋を使い、神羅様を介さない『彼ら』とのコンタクトの習得に励んでいます」

「あの、『彼ら』とのコンタクトは、礼拝堂以外でも可能なんですか？」

この体験生活の中で、もっとも積極的に質問している若い男が訊ねる。

「もちろんです。『彼ら』はどこにでもいて、どこにもいません。違う次元に存在している彼らに、私たちの『存在』という概念は通じないんです」

「じゃあ、あの礼拝堂は？」

「『彼ら』とのコンタクトは簡単なことではありません。少なくとも最初のうちは神羅様の媒介がなくてはまず不可能です。ですから、神羅様による『彼ら』との橋渡しを効率的に行えるようにしたのが、あの施設です」

「それじゃあ、それじゃあ……、信者になってここで生活すれば、毎日のように昨日みたいな体験ができるんですか?」

男は手を伸ばし、ガイドに向かってさらに一歩近づく。いまにもガイドにすがりつきそうだ。この男、間違いなく入信するな。

「いえ、神羅様が導かなくてはならない人々は本当にたくさんいるんです。ここで生活を送る信者だけでなく、その数十倍の在家信者にも神羅様は『彼ら』の言葉を伝えなければいけません。しかし、『彼ら』とのコンタクトを媒介することはかなり神羅様の心身に負担をかけ、礼拝は週に三回ほどが限界となっています。順番が回ってくるのはここの信者で月に一、二回。在家信者にいたっては年に一回程度となっています」

「そうなんですか……」男は露骨に肩を落とす。

「だからこそ私たちは自然と共に生き、瞑想を行い、神羅様の力を借りなくても『彼ら』の声が聞こえるよう努力しているんです。それに……」

ガイドは男に向かって満面の笑みを向ける。

「ここで生活すれば神羅様の、『彼ら』に選ばれた巫女のすぐそばにいられるんです。

素晴らしいと思いませんか?」

男は数回まばたきすると、目を輝かせて何度もうなずきだす。よくよく見ると男以外にも数人、今の話を聞いて目を輝かしている者たちがいる。彼らもかなりの高確率で在家信者ぐらいにはなりそうだ。こう見ると、この体験生活は信者の獲得にかなり貢献していそうだ。

しかし、よくこんな怪しげな宗教に入信しようなんて思うよなあ。僕は呆れながら参加者たちを見回した。宇宙人を信仰する宗教に入信したところで、きっと良いように利用されるのがおちだ。たとえ昨日のような体験ができたとしても……。

僕の脳裏で昨夜の体験がフラッシュバックする。

体から離れた『自分』が美しい光の渦に巻き込まれ、その中に溶けていく。

あの光に抱かれながら僕は赦《ゆる》された。『あのこと』さえも、すべてを赦された。もしまたあの体験ができるなら……。

そこで我に返った僕は、あわてて頭を振る。そうこうしているうちにガイドは参加者たちを引き連れ、革張りの扉の前まで移動した。

「それでは、瞑想室の中を少し覗いてみましょう。中の人たちの邪魔にならないように、くれぐれも静かにお願いします」

ガイドはじろりと鷹央に一瞥《いちべつ》をくれると、ゆっくりと横開きの戸を開く。中は薄暗かった。開いた戸から刺激臭が漂ってくる。昨日、あの礼拝堂で嗅いだ匂い。

参加者たちが足音を殺しながら中に入る。部屋は小学校の教室ほどの空間だった。吹き抜けになっていて天井はかなり高い。そして部屋の中では、十人ほどの紺色のジャージを着た信者たちが座禅を組んで瞑想を行っていた。それだけなら多くの宗教で見られる光景だが、異様だったのは数人の信者たちの頭にはめられている装置だった。

半球状のやけにメカニックなヘルメット。そこからは数十本の配線が伸び、信者たちのわきに置かれたノートパソコンのような機械につながっている。ヘルメットに取り付けられている無数のＬＥＤ電球が、一定の間隔で様々な色の光を発していた。

「なあ、あのヘルメットみたいなやつはなんなんだ？」

部屋に充満していた重々しい沈黙が、鷹央の無遠慮な質問によって破られる。

「静かにって言ってるでしょ！」

ヒステリックなガイドの声に、瞑想中の数人がびくりと体を震わせた。ガイドは「失礼しました」と首をすくめると、参加者たちに外に出るように手で合図する。

「なんで人の言うこときかないのよ！」

外に出て戸を閉めた瞬間、ガイドが鷹央に嚙みついた。

「ああ悪い、忘れていた。そんなことよりあのヘルメットはなんなんだ？」

「そんなことよりって……。脳波を計るヘルメットですよ」

一瞬なにか言おうとしたガイドだったが、すぐにため息まじりに説明をはじめる。いくら鷹央と口論をしようとしても無駄なことに、この二日間で気づいたのだろう。

「脳波にはいろいろ種類があるぞ。どんな仕組みで、どんな脳波を計るんだ？」

「私も詳しく知りませんよ。ただアルファー波を計るって聞いてます。アルファー波が出ている時は深い瞑想状態になっていて、『彼ら』と接触しやすいらしいから」

鷹央は「ふーん」とつぶやくと、礼も言わずガイドから離れていく。一瞬顔を引きつらせたガイドは、ふと自分の左手首の腕時計に視線を落とすと、参加者たちにむけて営業スマイルを浮かべた。

「それでは皆さん、名残惜しいですが、この一泊二日の体験生活も終わりの時間に近づいてきました。この二日間とても楽しかったです。最後に私たちの代表である大河内和之からご挨拶をさせて頂きます。どうぞうしろをご覧下さい」

振り返ると、いつの間にか僕たちの背後に大河内が立っていた。

「皆さん、二日間お疲れさまでした。慣れない生活にお疲れでしょう。本当なら神羅もこの場に参ってご挨拶したいのですが、昨夜皆様の『コンタクト』のお手伝いをしたことで疲労しておりますので、本日は休ませております。どうぞご了承下さい。さて、もしかしたら皆様の中には、これで私たち大宙神光教とは二度とかかわらない方もいるかもしれません。けれど、それでもかまいません。皆さんは昨夜間違いなく

『彼ら』と接触しました。その経験はきっと皆さんの人生になにか意味をもたらすでしょう。どうぞ昨夜の経験を心の片隅に残しておいて下さい。昨夜の体験が皆様の今後の人生を豊かにするお手伝いになれば、これ以上の喜びはありません」

流暢に大河内は語ると、深々と頭を下げる。参加者の多くはその言葉に胸を打たれたようで、大きくうなずいていた。大河内がゆっくりと頭を上げた。参加者たちの間から控えめな拍手が上がる。その拍手はすぐに大きな奔流へと成長し、空間を満たした。大河内は心から嬉しそうに笑みを見せると、再び頭を下げる。

感動的とも言えるシーン。しかし、その感動に水を差す者がいた。

「なあ、ちょっと聞きたいことがあるんだけどさ」

集団の中から大河内の目の前まで近づいた鷹央は、なんの前置きもなく言う。

「ああ、天久先生、二日間おつかれさまでした。楽しんでいただけましたか？」

大河内はまったく動じることなく、余裕に満ちた笑みを浮かべた。

「まあな。なかなか楽しかった」

「それで、神羅に会ってみて、そして『彼ら』とのコンタクトを体験してみてどうでしたか？　精神疾患による幻覚では説明つかないと思うんですが」

「そうだな。昨日の体験は素晴らしかった」

「そうですか。ご理解していただき嬉しいです」

「いま一番疑っているのは、幻覚剤の投与だな。どうだ、違うか？」

周囲の空気が凍りついた。鷹央はそのことに気づく素振りも見せず話を続ける。

「古代から、宗教儀式においていろいろな幻覚剤が使われてきた。精神科医のお前なら、それを上手く調節してトランス状態を作り出すことも可能だろ」

「あなた！　いい加減に……」

ガイドが声を荒らげ、鷹央を止めようとするが、大河内は視線でその動きを制した。

「なるほど……今度は幻覚剤ですか。どうしても『彼ら』を否定したいみたいだ」

「そういうわけじゃない。ただ、あらゆる可能性を検討するのが科学というものだろ」

「たしかにそうですね。どうぞお気のすむまで調べてみて下さい。そうすれば、あなたにも『彼ら』の存在を確信していただけるはずです」

「そうなるといいな。私もあれが本当に宇宙人との接触だったら嬉しい。もし本当にそうなら、この教団に入信してもいいぞ」

鷹央も大河内に負けず劣らず挑発的に笑う。二人の間の空気が張り詰めた。

「ああ、そうそう、もう一つ聞いておくことがあった」

鷹央は左手の人差し指をぴょこんと立てると、大河内の目をのぞき込む。

「お前、沖田絵美《えみ》って女、知ってるか？」

「……沖田絵美？　誰ですか、それは？」一瞬の沈黙の後、大河内は首をひねる。

「ここの信者だ。その女の父親が、娘を返すように何度もここに来ているはずだぞ。そういう家族が来た時は追い返しているのか？」

「そんなことはしませんよ。基本的にはこの施設を出ることは自由ですので。信者の中には週末には家に帰って家族と過ごす者もいます」

「それじゃあ、なんで沖田絵美だけ父親と会わせなかったんだ？　あいつは何度も門前払いをくらって、最終的にはお前たちを訴えようとしていたはずだぞ」

　大河内は胸の前で手をぽんと合わせる。

「……ああ、あの方ですか。誰のことだか分かりました。あの方には何度も説明したんですけどね。あの方の娘さんはたしかに一時、私たちと共同生活を送っておりましたが、いつの間にかいなくなってしまったんですよ」

「いなくなった。どういうことだ？　どうしていなくなった？」

「おそらく、ここの空気に合わなくなって出て行ったのかと。この施設から出るのは自由ですから、残念ながら一定数出て行かれる方もいます」

　大河内は額にしわを寄せると、悲しげに首を振る。

「つまり、沖田絵美はいつの間にか出て行って、もうここにいないと言うんだな？」

「はい、そういうことです。なるほど、あなたはあの男性のお知り合いで、あの方の娘さんを探しに来たっていうわけですね。申しわけないですがそういうことですので、あの方にお伝えいただけますか。まあ、多分納得していただけないとは思いますが」

苦笑しながら大仰に肩をすくめる大河内を、僕は目を細めながら見つめる。心なしか大河内の態度に焦りがにじんでいるような気がした。

「沖田なら死んだぞ」

鷹央の放った言葉に、大河内は「死んだ⁉」と目を剝く。

「ああ、そうだ。刺し殺されたんだ。『宇宙人に命令された』っていう男にな」

耳がおかしくなったのではないかと思うほどの沈黙が空間を支配する。

「い、いい加減にしなさいよ！」沈黙を破ったのはガイドの金切り声だった。「いったい何が言いたいのよ！　うちの信者がその男を殺したって言いたいわけ？」

「それを調べるためにここに来たんだ」

鷹央はまったく悪びれることなく言い放つ。ガイドの顔色が赤みを増していった。

これはやばいかな。大河内を揺さぶるのも悪くないと静観していたが、止めた方が良いかもしれない。僕が一歩足を踏み出した瞬間、大河内の背後、建物の出入り口あたりから、がやがやと言い争うような声が聞こえてきた。入り口の扉が勢いよく開き、十数人のスーツ姿の男たちが雪崩《なだ》れ込んでくる。その後ろからは、男たちを止めようとしたのか、焦げ茶色と紺色のジャージを着た信者十数人も建物内に入ってきた。

「教団代表者の大河内和之さんですね？」

グレーのスーツを着込んだ体格のよい男が大河内の前に立つ。大河内は男を真っ直ぐ見ながら軽くあごを引いた。

「なんの騒ぎですか？　ここは私有地です。勝手に入ってもらっては困ります」

「いえ、勝手にではないんですよ」男は大河内の目の前に一枚の紙を差し出す。

「捜索令状です。私は警視庁組織犯罪対策第五課の久保《くぼ》と申します。この施設に違法薬物が隠されている疑いがあるため、捜査をさせていただきます。この場にいる皆さんは動かないで下さい！」

男は恫喝するかのように声を張る。信者たちの間から悲鳴のような声が上がった。

「責任者のあなたには捜索に付き添って頂きます。どうぞ協力お願いいたします」

男が慇懃《いんぎん》に言うと、後ろに控えていたスーツ姿の男たちが一斉に動き出す。

予想外の事態に呆然としていた僕は、ふと男たちの中に見覚えのある顔を見つけ、さらにあっけにとられた。鳥の巣のようにもじゃもじゃの髪。顔を突き出しているかのような猫背。十数日前に、僕は病院でその男と顔を合わせていた。部屋の中を見回していたその男の目が、僕と鷹央をとらえて大きく見開かれる。

「あれ、あなた方は、えっと……天久先生に小鳥遊先生。こんな所でなにを……」

警視庁捜査一課の刑事、桜井公康は頭を掻く。白いふけがぱらぱらと宙に舞った。

8

どうにも居心地が悪い。僕は大きく息を吐きながら首筋を揉《も》む。

刑事たちが強制捜査に入ってから一時間ほどが経っていた。彼らが施設の捜索を行っている間、僕たち体験生活の参加者はこの施設に足止めされていた。

一時間前、僕たちを見つけてあきれ顔を浮かべた桜井は「落ち着いたらお話うかがいますね」と言って、どこかに姿を消している。

手持ちぶさたの僕は、隣で腕を組んでいる鷹央に「先生」と声をかけてみる。この一時間、鷹央はずっと同じ体勢でなにやら考え込んでいた。

「……なんだよ。考え事しているのに」鷹央は苛立たしげに言った。

「いえ、なにをそんなに考え込んでいるのかなぁ、とか思って」

「色々だよ。この教団のこと、沖田の娘のこと、沖田が殺された事件のこと」

「それで、どうですか。なにか分かりました？」

「お前さ、料理はするか？」鷹央はじろりと僕をにらんだ。

「はい？」いきなり脈絡のないことを言われ、僕は間の抜けた声を出す。

「だからさ、料理をして、それを知り合いに食わせたことはないのか？」

「いや、まあ、ないことはないですけど……」

「お前は、生焼けで味付けもしていない料理を皿に盛って、客に出したりするのか？」

「そんなことはしませんけど……」

「なら分かるだろ」鷹央は再び腕を組んで考え込む。

いや、よく分からないんだけど……。まだ完全に解決していない謎について説明するのは、調理中の料理を客に出すようなものだということを言いたいのだろうか？

なんにしろ鷹央に説明する気はないらしい。再び手持ちぶさたになった僕は室内を見渡す。それほど広くない空間に体験生活の参加者、刑事たちが踏み込んできた際に建物内にいた信者たち、そして刑事と、合わせて二十人ほどの人間が詰め込まれている。

「なあ」

声が聞こえてきたので、僕は鷹央に視線を向ける。しかし、鷹央は僕ではなくすぐそばにいた紺色のジャージを着た中年女性に声をかけていた。

「は、はい……」鷹央に声をかけられた人の良さそうなその女は戸惑いつつ、自分の顔をにらみつけるようにのぞき込んでくる鷹央から一歩距離をとる。

「お前さ、『沖田絵美』っていう女、知らないか？」

鷹央はなんの前置きもすることなく、女に対し質問を投げつけた。僕はあわてて周囲を見渡す。沖田の娘を探していることは、できるだけ隠しておきたかった。鷹央がさっき大河内に向かって言ってしまったので、今さらと言えば今さらだが、それでもできればあの焦げ茶色のジャージを着ている男たちには聞かれたくなかった。もし沖田絵美の失踪にこの教団が関わっていたのなら、警戒されることになる。

「あの……いまなんて？」

「沖田絵美、以前ここで信者として生活していた若い女だ。一年以上前に行方不明になっている。お前はその女のことを知らないか」

ずいっと近づいてくる鷹央の迫力に押されたのか、女はさらに一歩後ずさった。

鷹央は頭の中の料理を一時中断し、新しい食材の調達に走ったらしい。体験生活の中では一般信者と話をする機会はほとんどなかった。そして強制捜査というイレギュラーな出来事で教団が混乱しているいまこそ、一般信者たちに話を聞く絶好の機会だ。

ただ、とりあえず手近にいる者に直接的な質問をぶつけてみるというのはどうなのだろう？　これだけ大所帯の教団だ。この女性が沖田絵美のことを知っている可能性は低いはずだ。きっと「誰ですか、それ？」とか返されるだけ……。そこまで考えた僕は目を瞠《みは》る。予想に反し、みるみる女の顔から血の気が引いていく。

「あなた、なんでその名前を……」

「おお、知っているんだな」

鷹央は嬉々《きき》として大きな声を上げる。女性が唇の前で人差し指を立てた。

「一？　何が一つなんだ？　それで、お前は沖田え、ぎゅ……」

再び大きな声で『沖田絵美』の名前を出そうとした鷹央の口をあわてて手で押さえると、女は小声で「こっちに来てください」と言って、部屋の隅まで鷹央の手を引いていく。僕は二人のあとについて行った。

「やめて下さい！　他の人に聞こえたらどうするんですか？」

部屋の一番隅までくると、女は声をひそめつつも、怒りに満ちた声を上げる。

「他の人に聞こえたらどうなるんだ？」

「……どうにもなりません」女は露骨に鷹央から視線を外す。

「お前、沖田絵美のことを知っているんだな？」

鷹央は女が顔をそむけた方に体を移動させ、下方から睨《ね》め上げるように強引に視線を合わせようとする。女は「知りません！」と、離れていこうとした。

「待て。待たないと『沖田絵美！』ってここで叫ぶぞ」

鷹央の露骨な脅迫に、女は顔を引きつらせ足を止めた。

「いったいなにが聞きたいんですか⁉」

「すみません。すぐに終わらせますので。ちょっとだけお話を聞かせて下さい」

あまりにも女が不憫《ふびん》になり、僕は二人の間に割って入る。突然横から話に加わってきた僕に、女は不審げな視線を送ってきた。

「なんなんですか、あなた方は？」

「えっと、僕たち沖田絵美の友人で、以前彼女に誘われてこの教団に興味を持って、今回この体験生活に参加したんです。ただ、一年以上前から彼女と連絡が取れなくなっていて。もしかしたら、ここで彼女に会えるかなと思っていまして……」

僕は必死に話を作り上げていく。とたんに女の顔が哀しげに歪んだ。その表情で僕は悟る。沖田絵美の身になにかよからぬことが起こったことを。

「彼女を知っているんですね？」

「いえ……それは……」女は視線を泳がせる。

「お前は沖田絵美の知り合いなのか？　そうなら正直に言えよ」

「……違いますよ」

せっかくあと一息で女から話が聞けそうだったというのに、鷹央が横から口を挟んで女の態度を硬化させてしまう。

「あの、彼女についてなにか知りませんか？　彼女がいま、この教団にいるかどうかだけでも。大切な友人なので、ちょっと心配なんです」

僕は再び女性の同情心をくすぐろうと、できるだけ不安げな声で言う。おそらく情に厚い人なのだろう。女性は再び哀しげに表情を崩した。

「残念ですけど、多分お友達はもうここにはいないと思いますよ……」

「彼女のこと、ご存じなんですか？」

鷹央が余計なことを口にする隙をあたえないように、僕は質問を重ねていく。

「いえ、直接知っているわけじゃ……。ここに住んでいる人はけっこう多くて、同じ棟に住んでいる人たち以外とはあまり接触しませんから。それに、お友達がいなくなったのは一年以上前ですけど、私はここに来て半年ぐらいなんで……」

「それじゃあ、なんで彼女を知っているんですか？」

「それは噂で……。多分、ほとんどの信者が聞いたことあると思いますよ」

女は耳をすまさねば聞こえぬほど小さな声で言うと、神経質にあたりを見回した。

「なにをきょろきょろし、むぐっ……」

また余計なことを口走りかけた鷹央の口を、背後から僕の手のひらが塞ぐ。

「どんな噂ですか？　大丈夫です。あなたから聞いたなんて誰にも言いませんから」

「いえ、でも……」

「あの、少しだけでもいいんです。お願いしま、いてっ！」

再び同情を引こうと演技をはじめた瞬間、右手から激痛が走った。反射的に鷹央の口を押さえていた手を引っ込める。見ると、親指の付け根にくっきりとした歯形が刻まれていた。犬歯がくいこんだ部分はうすく血がにじんでさえいる。

手加減なしで噛みやがった。痛みで動揺する僕の隙をついて、鷹央が女を見る。その顔に、小悪魔的な、というか悪魔的な笑みが広がっていく。

「さっさとその噂について教えろ。そうじゃないと、あそこにいる刑事に『この女が教団の不正についてなにか伝えたいって言っているぞ』って大声で叫ぶぞ」

「やめて下さい。そんなことされたら、私はここにいられなくなります」

「いいじゃないか、別にここで生活しなくても。毎日農作業するなんて大変だろ」

「なに言ってるんですか！　もうすぐ『彼ら』が人類を滅ぼすんですよ。その時までここで生活していないと、私もその時に救われないんですよ」

青ざめた女は必死に訴える。鷹央の笑みに含まれる悪意がさらに濃度を増した。

しかしこの女性、本気でこの教団の教義を信じているのか……。

「じゃあ、『噂』について聞かせろ。そうすりゃ、面倒なことにならないだろ」

セリフが完全に脅迫犯だ。女は葛藤のためか、体をわなわなと震わせはじめた。

「ほら、お前が言ったなんて誰にも言わないからさ」

一転して、鷹央の口調が囁《ささや》くようなものに変化する。女はとうとう落ちた。

「あの……本当に誰にも言わないで下さいよ。あくまで噂なんですからね」

鷹央が「分かっている」と満面の笑みを浮かべると、女は小声で話しはじめた。

「沖田絵美さんっていう女の人は……急にいなくなったの」

「急にいなくなった？　この教団から出て行ったってことか？」

「違うの。教団をやめていなくなる人もいるけれど、そういう人は普通、前もって荷物とか整理してからいなくなる。ここは入るのも出るのも自由だから。けれど沖田絵美って子は、ある日突然にいなくなったらしいの。部屋に荷物も置いたままで」

「発作的にやめたくなって、着の身着のまま逃げ出したんじゃないか？」

「ええ、そういうことで処理されたらしい。実際、そんな感じで消える人もいるから。でもね、彼女が消えてから信者のみんなの間で『噂』が流れはじめたの」

もともと噂好きなのか、女の舌はどんどんと滑らかになっていく。この調子だと、こちらが促さなくても知っていることをすべて話してくれそうだ。

「その子が……『生《い》け贄《にえ》』にされたって」女がおどろおどろしく言う。

「生け贄⁉」

思わず声が高くなる。女性があわてて唇の前で人差し指を立てた。

「す、すみません。ちょっと驚いたもんで。けれどいくらなんでも生け贄って……」

僕は笑い飛ばそうとするが、できなかった。宇宙人に命令され人を殺した男、顔面が焼けただれた教祖、昨夜の体験。現実離れしたことが続きすぎている。

「どうして沖田絵美の失踪に限って、『生け贄』なんていう話が出てきたんだ？」

混乱している僕に代わって鷹央が疑問を口にする。

「それは……私はそのころは教団にいなかったんで、あまり詳しくは知らなかったんだけど。……神羅様がそうおっしゃったらしいの」

「神羅が?」鷹央は首をかしげる。

「そう。その頃、神羅様のお力が弱くなっていたらしくて、『彼ら』とのコンタクトもほとんど行えないような状態だったみたい。そして、神羅様が『「彼ら」に生け贄を捧《ささ》げないと!』って叫んでいらっしゃるのを目撃した人がいたらしいの」

あの神羅がそんなことを……。僕は唖然とする。

「神羅……様は、そんなことを言うような人なんですか?」

「最近はあまりなくなったみたいだけど、昔から教団にいる人の話だと、神羅様は普段は冷静な方だけど、時々、顔の火傷がひどく痛むらしいの。あまりの苦しさに一晩中叫んで、わけの分からないことを言うこともあったみたいで……」

神羅の火傷は植皮などの治療を施されていない。それならたしかに、何かの拍子で激しい痛みが生じてもおかしくない。疼痛《とうつう》がいとも簡単に人間の精神を腐らせてしまうことを、僕は医師としての経験の中で知っていた。

昨夜は神々しくさえ見えた神羅も、痛みによって定期的に正気を失うのかもしれない。そしてその時に、神羅が悪魔的なことを要求したとしたら……。ここの教団の信者たちは、その要求にどんなことをしてもこたえようとするのではないか?

「それだけで沖田絵美が生け贄にされたっていうのは、ちょっと話が飛びすぎじゃないのか？　なにか他に証拠でもあったのか？」鷹央の目がすっと細くなる。

「証拠なんてありませんよ。ただ、急に消えたその子はとても熱心な信者だったらしくて、自分から教団を辞めるなんて考えられなかったらしいんです。それにとてもきれいな子で、まさに生け贄のイメージにぴったりだったって……」

「それだけか？」鷹央は女にぐいっと迫る。

「いえ……あと、その子が消えたすぐ後に神羅様が力を取り戻して、また定期的に『彼ら』とのコンタクトができるようになったんです。それに顔の痛みも消えたみたいで、とても元気になられたって」

　沖田絵美が行方不明になったのは一年半ほど前。それはこの教団が急激に信者を獲得しだした時期と重なる。顔の痛みによって精神が不安定だった神羅がその痛みを鎮める方法を手に入れ、あのカリスマ性を持続することが可能になった。そしてその方法こそ生け贄を捧げること……。僕は自分の考えに背筋を凍らせる。

「あの……」僕はほとんど無意識のうちに女に話しかけていた。

「はい？」

「あなたはそんな恐ろしい噂を聞いているのに、なんで……なんでここで信者をやっているんですか？」

生け贄の噂などを聞いたなら、普通は教団への不信と恐怖が膨らみ、逃げ出すものではないか。それなのにこの女は教団にしっかりと帰依している。

「いえね、たしかに生け贄なんて怖いですけど、あくまで噂ですしね。それに本当だとしても、その子はきっと満足していると思うんですよ」

「満足？」僕は耳を疑う。

「だって神羅様のための生け贄になったなら、きっと『彼ら』もその功績を認めて、その子の『魂』を救ってくれますよ。そう、たしかに生け贄になる時は苦しかったかもしれないけれど、それはあくまで肉体の苦痛。肉体が滅びたあと、その子の『魂』は『彼ら』のもとに行ったはず。『彼ら』は次元を越える超越者なんですから」

熱にうかされたかのように女性はしゃべる。その口調と紅潮した頬が、女が本気であることを示していた。女の熱気に反比例するように、腹の底が冷えていく。

「おいっ、なにしてんだよ？」

興奮状態に入った女がさらになにか言おうとした時、背後から声がかけられた。女の体が露骨に硬直する。振り返ると、焦げ茶色のジャージを着た体格の良い若い男が、僕たちをにらみつけながら、つかつかと近づいてきていた。

「信者と体験生活の参加者は勝手に話さないように言われてんだろ」

男にドスの利いた声で問い詰められ、女は狼狽《ろうばい》して視線を泳がせる。

「なにを話していようが、お前には関係ないだろ」

鷹央は少しも怯むことなく、自分の倍は体重のあるであろう男をにらみ返した。

「ああっ、あんだと」男は分厚い唇を曲げながら、鷹央につめよる。

僕は鷹央と男の間に体をすべり込ませた。男が鼻のつけ根にしわを寄せる。

「あんだよ、てめえは」

男の口調は完全に繁華街にたむろしているチンピラのものだった。おそらく強制捜査という異常事態に余裕がなくなり、本性が出ているのだろう。気づくと、僕たちに話をしてくれた中年の女性信者は逃げるように離れていっていた。

「見れば分かるだろ、体験生活の参加者だよ。なんだよこの団体は。二十万円も金を払って参加したゲストをこんなふうに脅しつけるのか?」

僕は男の前に立ち塞がったまま、もし男が手を出してきたとしてもすぐに対応できるように軽く腰を落とす。男の身長は僕と同じぐらいだが、肩幅は僕よりも一回り大きい。体重はもしかしたら三桁に達しているかもしれない。ジャージの襟から髑髏《どくろ》のタトゥーがのぞいている。しかし、僕は男からそれほどの圧迫感は感じていなかった。膝が伸びきり、体重が浮き上がっている男の体勢が、男に武術の心得がないことを如実に物語っていた。それに……。

僕は視線を建物の入り口近くに立つスーツ姿の男たちに向ける。チンパンジー並みの知能があれば、警察に踏み込まれているような状況で暴力行為にはでないだろう。

男はちらりと十数メートル先にいる刑事たちをみると、大きく舌打ちを弾《はじ》かせた。

どうやらチンパンジーぐらいの知能はあったようだ。

「信者に勝手に話しかけんじゃねえぞ。あの刑事たちが消えるまでおとなしく……」

いまいましげに語っていた男は途中でセリフを止めると、まじまじと僕の顔を見る。

「お前どっかで……」

そうつぶやいた瞬間、男は目をみはり、「ああっ！」と声を上げる。

「お前、この前に忍び込んで捕まった奴じゃねえか」

ああ、なるほど。先日僕たちをとり囲んだ十数人のなかにこの男もいたのか。

「そうだよ。あの時、ここの代表に勧誘されたから、こうして今日参加させてもらっているんだ。ちゃんと金を払って正式にね。なんか問題でもあるかな？」

「……とくにねえよ」男は再び舌打ちすると声をひそめる。「お前さ、今度もう一度忍び込んでこいよ。そうしたら俺がぶっ殺してやるからよ」

「こんな怪しげで警察の強制捜査をくらうような教団に二度と近づく気はないよ」

答えた僕を一睨みすると、男は身をひるがえして離れていく。僕は戦闘態勢を解くと、首だけ回して後ろを見た。鷹央はいつの間にか腕を組み、考え込んでいた。

「なんかめんどくさい男でしたね」

「ん？　なんだよ」鷹央は顔をしかめて僕を見る。

「いえ……ですから、さっきの絡《から》んできた男……」

「男？」

「……いえ、なんでもないです」

「なんでもないなら話しかけるなよ。邪魔するな」

僕はあなたをかばったんですけど……。

「それで、なにか思いつきました？　さっきの女の人の話とかは……」

「お前、料理は……」

「はいはい、黙っています。すいませんでした」

僕はため息をつきながら両手を挙げるのだった。


「天久先生、小鳥遊先生」

鷹央が再び自分の殻の中に閉じこもりだしてから約三十分ほど、もはや手持ちぶさたの状態も限界に近づき、壁に体重を預けながらうつらうつらしはじめていた僕は名前を呼ばれ、まどろみの中から意識を掬《すく》い上げられる。目を開けると、よれよれの茶色いコートを腕にかけた中年刑事がすぐそばに立っていた。

「ああ、桜井さん……でしたよね」

「ええ、そうです。いやぁ、お疲れのようですね」

「そりゃ、こんなところに缶詰にされていれば、疲れもしますよ。もう捜査は終わったんですか？　できればさっさと帰りたいんですけど」

「すみません、もう少しかかりそうです。ご辛抱下さいな。まあ、その間おひまでしょうから、とりあえず先生方の話し相手でも買ってでようと思いまして」

「尋問……っていうわけですか」

「そんな、滅相もない。どうせお二人は潜入捜査の真似事《まねごと》でもするつもりで入り込んだんでしょう？　なんでしたっけ、生活体験でしたっけ？」

〝どうせ〟とか言うな。

「僕は鷹央先生につきあっただけですよ。別に捜査なんてするつもりはありません」

「そうですか。まあ、ここじゃなんですから、ちょっと外に出ませんか？」

桜井は外国人のように親指を立てて出口の方を指す。たしかにここでボーッとしているよりは、この馴《な》れ馴《な》れしい刑事と話でもした方が気が紛れる。

「先生、ちょっと気分転換に外に行きましょうよ」

僕は振り返り、腕を組んだままぶつぶつ口の中で何かつぶやき続けている鷹央に声をかける。しかし、自分の世界に入り込んでいる鷹央は反応しない。しかたないので肩をぽんぽんとたたくと、鷹央は体をびくりと震わせた。

「なんだなんだ⁉」

「いえ、ですから、刑事さんがちょっと外に行って情報交換でもしないかって」

僕が桜井を指差すと、鷹央は目をしばたたかせる。やっぱりこの刑事が話しかけてきたことにも気づいていなかったか。

「刑事が私たちになんの用だ？　尋問でもするつもりか？」

「そのやり取りはもう終わりました。ほら行きますよ」僕は鷹央の手を取る。

「うわ、なんだよ。外なんか行きたくない。はなせよ、この馬鹿力」

鷹央がギャーギャーと騒ぐのを無視して僕は出口へと向かった。さっき思いきり噛まれた仕返しに、これぐらいしても罰は当たらないはずだ。

「まぶしいぃー！　溶ける溶ける……」

外に出て真夏の日差しを浴びた瞬間、鷹央は弱々しい悲鳴を上げる。

「溶けませんよ。先生の体はアイスクリームでできているんですか」

「いや、アイスクリームじゃない。主に水分と蛋白質《たんぱくしつ》で……」

「分かってますよ」

「分かっているなら質問するな。まぶしい……目が……」

鷹央は手近の木陰へとふらふらと避難していった。

「いやー、すみません。私がちょっと外で話をしようって提案したんです。あんまり他の信者たちには話を聞かれたくないもので」桜井が間延びした口調で言う。

「話？　何を話すって言うんだ？」

苛立たしげに言う鷹央の前で、桜井がへらへらとした笑顔を浮かべる。

「お二人は昨夜やったんでしょう。なんでしたっけ……そうだ、『コンタクト』」

「……よく知ってるな」

「この前に言ったでしょう。私たちは前からこの教団のことをマークしていたって」

「この前は、『教団への強制捜査はできない』とも言っていたじゃないですか」

僕は先日の桜井との会話を思い出す。

「ああ、それはあくまであの段階での話です。あれから状況が変わったもので」

「どう変わったっていうんですか？」

「いやぁー。それは……」

桜井は鳥の巣のような後頭部を掻く。どうやら情報交換とか言いながら、こちらに情報を流すつもりはさらさらないらしい。

「それで、話を戻しますけど。『コンタクト』っていうのはどういう感じなんですか？お二方体験なさったんでしょう？　この教団が怪しげな儀式をして信者を増やしていることは調べが付いているんですが、その実態がいまいちつかめないんですよ」

「小鳥が話してやれよ」鷹央は投げやりにかぶりを振る。

「え、僕がですか？」

「私は他人に説明するのが苦手だ」鷹央はぼりぼりと首筋を掻く。

「それじゃあ小鳥遊先生、よろしくお願いいたします」

桜井は今にも揉み手でもしそうな感じで迫ってくる。一瞬、こちらが一方的に情報を渡すことに反感をおぼえるが、よく考えれば警察に情報を渡すことで殺人事件の真相や沖田絵美の行方が分かるなら、それに越したことはない。

「えっとですね。まずは夕食のあとに『礼拝堂』に連れて行かれて……」

心を決めた僕は、昨夜のことを思い出しながら話しはじめた。


「なるほどねえ。なんというか……えっと……まあ……不思議な体験ですねえ」

僕の話を聞き終えた桜井は、なんの捻《ひね》りもない感想を口にする。

「警察はその『コンタクト』についてどう思っているんだ？」

それまで黙っていた鷹央が、桜井に探りを入れた。

「さあ、私たちにはそういう超常的な現象はなんとも……。もしかしたら本当に宇宙人がいるのかもしれないですねぇ」

「なに言ってるんだ。目星をつけているんだろ。だから強制捜査に入ったんだ」

「なんのことでしょう」

「クスリだよ。お前らはあれが違法薬物による幻覚だとふんでいるんだろ？」

「違法薬物ですか。なるほど、そんなこととても私たちには思いつきませんでした。さすがは天久先生。私たちとは頭のできが違いますね」

どうやら桜井は徹底的に惚《とぼ》けきるつもりらしい。

「しらばっくれるなよ。さっき踏み込んだ時、先頭にいた刑事が『違法薬物が隠されている疑いがある』って言っていただろ」

鷹央は桜井の鼻先に指を突きつけた。しかし、桜井は「いやあ、そんなこと言いましたっけ？」と頭を掻き出す始末だ。ここまで白々しいと毒気を抜かれてしまう。

「まあいいや。それよりお前はひまなのか？　捜査の手伝いをしなくても良いのか？」

「今回の捜査のメインは組織犯罪対策課で、私たち捜査一課じゃないですからね。こう見えても、ちょっとぐらいサボってもいいぐらいには上の立場なんですよ、私は。代わりに相棒の成瀬《なるせ》君が頑張ってくれています。いやあ、若いって素晴らしいですね。私は最近どうにも腰が痛くて」桜井はわざとらしく腰をさする。

「腰が痛いならMRIを撮った方がいいぞ。椎間板《ついかんばん》ヘルニアとかが原因のこともあるからな。うちの病院で撮ってやろうか？　うちには姉ちゃんが最新機器を導入していて、単なるMRIじゃないぞ、ファンクショナルMRIって言って……」

「検討させて頂きます」説明が長くなることを察した桜井が、鷹央の言葉をさえぎる。

「ああ、検討しておけ。夜ならＭＲＩは使わないから、予約なしで撮ってやる。本当なら地下の最新機器が置かれた階は夜間閉鎖されているんだけど、部長以上はそこに入る鍵を支給されているからな。使い放題だ」

鷹央は自慢げに反り返ると、桜井は「どうも」と苦笑いを浮かべた。

「それでなんの話だったかな。……ああ、そうだ。暇ならちょっとつきあえ。調べたいことがあったんだ。せっかく外に出たんだから、あそこを調べようぜ」

「あそこ？」僕と桜井の声が重なる。

「前にここに来た時からちょっと気になっていたんだよ。さっきの女の話を聞いたら、とりあえずあそこを調べる必要があるって思うだろ」

さっきの女というのは、おそらく噂好きの中年女性信者のことだろう。ということは『生け贄』について調べるべき場所があるということなのだろうか？　僕にはそれがどこなのか見当もつかなかった。女性信者の話を聞いてもいない桜井にいたっては、はた目で見ても頭の中がクエスチョンマークで満たされているのが分かる。

「ほれ、なにぐずぐずしているんだよ、行くぞ」

なにやらテンションが高くなっている鷹央は、意気揚々と木陰から出る。

「まぶしいー！　日光が痛いー」

吸血鬼か……。悲鳴を上げる鷹央を見て、僕は小さくため息をついた。

「そこだ」鷹央の指の先には鬱蒼とした林が広がっていた。

「そこ?」なんの変哲もない林を眺めながら、僕は眉間にしわを寄せる。

僕たちはドーム状の『礼拝堂』の裏側に来ていた。最初にこの教団に忍び込んだ時、『コンタクト』をのぞき込んでいたあたりだ。数十メートル先には神羅が住んでいるという『社』も見える。本当にひまなのか、桜井もおとなしくついてきている。

「だからそこだって、見りゃ分かるだろ?」

鷹央は林を指した指をさかんに上下に振る。しかしいくら目をこらしても、そこは五十センチほどの背の高い雑草が生い茂っているだけだった。

「あのですね、天久先生。私には見てもなにも分からないんですが……」

桜井がためらいがちに、僕の内心を代弁してくれる。鷹央は顔をしかめた。

「お前達の目は硝子玉か? よく見ろよ、そこに生えている草を」

「草……?」僕は鬱葱《うっそう》と生える草に注意を向ける。「いや、たしかに草は生えていますけど。……それがどうしたんですか?」

僕が言うと、鷹央はまるで珍獣でも見るかのような視線を浴びせてきた。

「ここまで言っても本当に気づかないのか? よく見ろ、あそこに生えている草を。まずほとんどがイヌタデとイヌガラシだ。イヌガラシはこの季節、黄色い花をつける。

ほれ見ろ、小さい黄色の花が見えるだろ？」

言われてみると、林に生い茂った雑草の中にちらほらと黄色い花がみつかる。

「ええ、たしかにありますね。けれど、それがどうしたって言うんですか？」

「違和感をおぼえないのか？」

僕は「違和感？」と林を見るが、かけらも感じなかった。戸惑いながら隣の刑事を見るが、桜井は肩をすくめるだけだった。鷹央がじれたのか身をよじる。

「よく見ろよ、あそこだ。あそこだけ黄色い花が低い位置でしか咲いていない」

言われて見れば、鷹央の指の先の部分だけ黄色い花が低い位置で咲いている。

「あのー、天久先生。それってつまりどういうことになるんでしょうか？」

「少しは頭使えよ。イヌタデは一年生の植物だが、イヌガラシは多年生だ。一年で枯れることなく、複数年生え続ける。つまりあそこの部分のイヌガラシだけが背が低いということは、あの部分だけまだ若いということだ。そこから考えると……」

鷹央は人差し指を立てる。

「つまり一年以上前、あそこに生えていたイヌガラシを枯らした奴がいるんだ。おそらく踏みつぶすことでな。だから一年で成長するイヌタデは他の場所と同じように生えているのに対して、成長にもっと時間のかかるイヌガラシは成長が不十分なんだよ」

ようやく気づいた僕は「ああ」と声をあげる。つまり一年ほど前、そこに獣道があったということだ。

「やっと分かったか。それじゃあ宝探しといこうぜ」

鷹央は林に向かって歩き出す。僕と桜井はあわててその後を追う。

「ほれ」林のすぐ手前で足を止めると、鷹央は振り返って僕の方を見てきた。

「ほれ？」

「なんだよ、お前こんな背の高い雑草の中、私を先に歩かせるつもりか？」

たしかにこの林は最初に忍び込んだ時に通った林よりもはるかに雑草が多く、歩くのに苦労しそうだ。僕でもそう思うのだから、鷹央が歩くのはかなりきついだろう。

「……ちゃんとどっちに行けばいいか指示して下さいよ」

僕は雑草を踏み倒し、後ろの鷹央が歩きやすいようにしながら林へと入っていった。

「なに止まっているんだよ？」

林に入ってから約三十分後、息を乱して額の汗を拭う僕の背後から、非情な言葉が浴びせかけられる。僕は振り返って鷹央を見る。

「少しは休ませて下さいよ」

「もう疲れたのか？　でかい図体しているのに情けない奴だな。私はまだ歩けるぞ」

鷹央は得意げに胸を反らす。それはそうだ。鷹央は僕の後ろで歩きやすくした道をついてきているだけなのだから。

湿度の高い林の中は蒸し風呂のようだった。額からは滝のように汗が流れ、ジャージの下に着ているシャツが肌に貼り付き不快だった。

「いや天久先生、そうは言いますけど、もうかなり歩いてきましたよ。そろそろ戻った方がいいんじゃないですか？　これ以上行くと、下手すれば遭難しますよ」

しんがりにつけている桜井が、両手を膝に置きながら言う。

「ついてくるのが嫌なら、戻ってもいいぞ。私の想像通りのものがあった時に証人が増えるっていうだけで、お前が絶対に必要っていうわけじゃないから」

ぞんざいな扱いに、桜井は黄ばんだハンカチで額をぬぐいながら苦笑を浮かべる。

「いやぁ、ここまで来て手ぶらで帰るのもなんですからねぇ。ちょっとした土産ぐらい持って戻りたいもんです」

「ならついてこいよ。上手くいけばでかい土産を持って帰れるぞ」

「……分かりました。けどこの方角だと、このまま行くとキャンプ場に出ますよ」

「キャンプ場？」再び雑草を掻き分けながら進みはじめていた僕は振り返る。

「ご存じないんですか？　この近くにそれなりに大きなキャンプ場があるんですよ。キャンプにはいい季節だから、今日みたいな週末はかなり人がいると思いますよ」

「近くって、歩いて行ける範囲なんですか？」

「車だと道が蛇行しているんで結構離れていますけど、直線距離だと二、三キロぐらいじゃないですかね。もしかしたらこの獣道も、教団からそのキャンプ場に抜ける道だったのかもしれませんね」

それが正しかったら、この行軍は意味がなくなる……。そんなことを考えながら歩いていた僕は、足元に視線を落とし「うお⁉」と大声を上げる。

「どうした？」「どうかしましたか？」

背後から鷹央と桜井が声をかけてくるが、舌がこわばり即答はできなかった。背中を濡らしていた汗が一気に氷のように冷たくなる。

「……崖です」僕は胸を押さえながら答える。

目の前には深い崖が広がっていた。崖のふちまで背の高い雑草が生い茂っていたので、直前になるまで気づかなかった。あと一歩踏み出していたら転落していた。

僕はおそるおそる崖下をのぞき込む。十メートルほど下に、やはり雑草で覆われた地面が見えた。落ちれば良くて骨折、下手すれば致命傷を負っていたかもしれない。

「あれま、それじゃあここが終点ですかね」

桜井が僕の隣に来る。たしかにこの切り立った崖を下りるには、専門の道具と高度な技術が必要だろう。どうやらここで行き止まりのようだ。

「先生。ここから先は進めそうにないですよ。どうします？」

振り返ると、すぐ後ろにいたはずの鷹央がいなくなっていた。

「鷹央先生⁉」周囲を見回すが鷹央の姿は見えない。

「え、天久先生いなくなったんですか？」

桜井もあわてて周囲を見回すと、「天久せんせー！」と声を上げはじめる。僕と桜井が鷹央を呼ぶ声が周囲の樹木に跳ね返り、こだまとなる。

「騒ぐなよ、ここだ」

不意に少し離れた位置から声が聞こえてきた。そちらに視線を向けると、背の高い雑草の奥に、しゃがみ込んでいる鷹央の背中がのぞいていた。僕は胸をなで下ろす。

「無言でどっか行かないで下さいよ。小っちゃくて雑草の陰に隠れ……」

雑草を掻き分け鷹央のそばまで来た僕は、そこまで言ったところで言葉を失う。

しゃがみ込んだ鷹央の前に祭壇があった。

そう、それは『祭壇』だった。シングルベッドぐらいの面積の地面が、盛り土をしたのか長方形に数センチ盛り上がっていて、その部分だけ雑草も薄くしか生えていなかった。盛り上がった地面は形の崩れた蠟燭《ろうそく》で囲まれ、その空間には汚れた水晶玉や御札らしき物の破片、そして錆《さ》びたナイフなどが散乱している。

子供が造ったような陳腐な祭壇。その陳腐さが、逆に禍々《まがまが》しさをかもし出している。

鷹央が手を伸ばし『祭壇』の上を薄く覆っている落ち葉を掻き分けた。その下からやけに白い物体があらわれる。

「それって……」喉の奥が痙攣《けいれん》し、声がかすれた。

「骨だな」鷹央は平坦《へいたん》な口調でこたえた。たおやかな曲線を描く、ボールペンぐらいの長さの骨を手にしながら。

「骨って……人間のじゃないですよね」

「どこにこんな小さな人間がいるんだよ。たぶんウサギかなにかの肋骨《ろっこつ》だな」

鷹央は手にしていた骨を無造作に放り捨てると、再び落ち葉を掻き分けはじめる。その下から次々と骨があらわれてきた。一匹や二匹ではない。ぱっと見ただけでもおそらくは十匹を超える小動物の白骨死体がそこにはあった。背筋が凍りつく。

「いやー、これはなんとも……強烈ですね。なんですか、これ？」

背後から近づいてきた桜井が、僕の肩越しに『祭壇』を覗き込んでくる。

「祭壇と生け贄にされた小動物の骨なんだろうな」鷹央は立ち上がり髪をかき上げた。

「大宙神光教の信者がやったんですかねえ。それで、これが先生の言っていた『お土産』ですか？」桜井は祭壇に手を伸ばし、骨を一本拾いあげる。

「ああ、そんな感じだ」

「これはこれで気味が悪いし、捜査本部に報告ぐらいはできそうですけど……」

「なんだ。これだけじゃ不満なのか？」

「まあ、なんといいますか。大きな問題になるような感じではないですしね」

「小動物をむやみに殺すのは、動物愛護法で禁じられているぞ」

「たしかにそうですが、残念ながらたいした罪にはならないのが現実ですからねえ。それにそこに散らばっている骨が、殺されたものかどうかも分かりませんし。もしかしたらペットのお墓という可能性だってないわけじゃない」

「おお、『ペット・セメタリー』ってわけだな。あれは名作だよな。映画もいいけれど、やっぱり原作が最高だ。まずは原作を原語で読んでから映画を見るべきだ」

「あの、今は映画の話をしているわけでは……」桜井は苦笑する。

「なんだよ。あれは名作だぞ。見てないのか？」

「私、ホラーはどうも苦手で。海外の刑事ドラマぐらいしか見ないんですよ」

「好きな海外刑事ドラマを当ててやろうか。お前の格好見れば一発で分かるぞ」

「はて、なんのことでしょう？」

にやりと唇の両端を持ち上げる鷹央に、桜井は大仰に肩をすくめてみせた。

「まあいい、土産におまけがつけられるかもしれないから、ちょっと待ってろ」

鷹央は身をひるがえして歩きはじめる。崖の方へと。僕は慌ててその後を追った。

鷹央は崖のへりに立つと、身を乗り出して崖下を見下ろす。

「ちょっと、危ないですよ」僕は鷹央の肩に手を置き、落ちないように支えた。

「大丈夫だって。落ちたりしないよ」

鷹央は目を細めて崖下を覗き続ける。

「……あった」数分経って、鷹央が低い声でつぶやく。

「あった？　あったって何がですか？」

「見りゃ分かる……」

なにやらテンションが急に低くなった鷹央が崖下を指さす。僕は鷹央の指がさす場所を凝視した。ふと、雑草の深い緑に混じって白いものが目をかすめる。

「う⁉　……うああ！」それがなにか気づいた瞬間、喉の奥からうめき声がこぼれた。

「どうかしましたかー？」

背後から桜井が声をかけてくるが、それにこたえる余裕などなかった。金縛りにかかったかのように体の自由がきかない。

「ほ、骨……人の骨が……」

こわばった声帯を震わせて、なんとか声を絞り出す。その瞬間、桜井は表情を引き締め、僕の横に並んで崖下を覗き込む。

僕の視線は崖の下にある物体に吸いつけられていた。雑草に絡みつかれるようにして横たわる、人間の白骨死体に。

『生け贄』。その単語が頭蓋の中で響きわたる。
眼球を失い、空洞となった頭蓋骨の眼窩《がんか》が、恨めしげに僕たちを見ていた。

第三章　夢幻の果て

1

「小鳥遊《たかなし》先生、お電話ですよ。たぶん……」

救急室に置かれた椅子に腰かけて内科の医学参考書を読んでいた僕に、若い看護師が内線電話の受話器をどこかためらいがちに差し出してくる。

「えっと、誰から？　それに『たぶん』ってなに？」

「『小鳥《ことり》いるか？　小鳥を出してくれ』って言ってきて。たぶん『小鳥』って小鳥遊先生のことですよね？　知らない人が読んだら小鳥って読み間違うのかも……」

……いや、その電話の主は、おそらく僕の本名を知ったうえで言っている。

「誰からの電話か分かったよ。ありがと」

僕は手にしていた参考書をわきに置き、受話器を受け取る。

「小鳥か？　すぐうちまで来い」

受話器を耳に当てると鷹央《たかお》の声が鼓膜を揺らし、そしてすぐに回線が切られた。

「すぐ来いって言われてもなぁ……」

僕は壁時計を見上げる。午後四時五十三分。午後六時の勤務終了時間まで、あと一時間以上ある。あの大宙神光教《だいちゅうしんこうきょう》での体験生活を終えてから八日後の月曜日、僕は派遣先の救急部で勤務をしていた。僕は救急室の隅におかれたソファーに座ってスポーツ新聞を読んでいる救急部副部長の山田《やまだ》に近づいて行く。いかにも体育会系といった感じの固太りの体、顔全体を無精髭《ぶしょうひげ》が覆っている。部長だった沖田《おきた》が命を落としてから、この山田が救急部の部長業務を代行していた。

「すみません。ちょっと抜けても良いですか。うちの部長に呼び出されて」

幸いというか、今日はそれほど救急要請も多くはなく、いまは診るべき患者もいない。次の患者が搬送されてくるまで待機しているだけだ。少しぐらいなら抜けても問題ないだろう。山田は新聞から視線を上げると、眉根を寄せた。

「……まだ勤務時間中だろ」

「いまは患者もいませんし、急患がきたらすぐ戻ってきますから」

「お前さあ、所属は統括診断部かもしれねえけどよ、この時間はうちに来てんだろ。ちゃんと仕事やれよ」山田は吐き捨てるように言う。

「ですから患者が来たらすぐに戻って来ます。緊急の用事があるみたいで」

「緊急だぁ?」山田は分厚い唇をゆがめた。「あの科で緊急事態なんか起こるわけねえだろ。患者なんて診ねえんだからよ」

「いえ、診ないってわけじゃ……」

「他の科で面倒みきれなくなった変人の掃きだめだろ。しかも診てるのはお前で、あの女はなにもやっていないっていうじゃねえか。いいよな、理事長の娘はよ。頭おかしくても『副院長』なんて偉そうな役職もらえるんだからよ。知ってるか? あのガキ、採血もまともにできないんだってよ」

鼻をならしてわざとらしい笑い声をあげる山田を前にして、頬が引きつる。

この病院にはじめて来た時、真鶴《まづる》に言われた『鷹央には敵が多い』という言葉。その意味を目の前の男はまざまざと見せつけている。

僕も最初は、手技をほとんどできないという鷹央に同じような感情を抱いていた。いや、いまだってその思いは完全にぬぐい去れてはいないだろう。しかしなぜか、目の前でふんぞり返っている男の言葉が無性に腹立たしかった。僕は両手を握り込む。

「べつに採血できなくてもいいじゃないですか。鷹央先生はたしかにちょっと変わっていますけど、ずば抜けた診断能力があります」

ほとんど無意識に僕は鷹央をかばっていた。僕が鷹央に対するグチをこぼすとでも思っていたのか、山田の目が不愉快そうに細められる。

「お前も外科医なら分かんだろ。どんな知識があっても、手技ができなけりゃどうしようもねえ。なんにもできない頭でっかちなんてなんの役にも立たないんだよ」

そんなことはない。はじめて鷹央について外来をした日、「かかりつけ医を訴える！」と息巻いてやってきた女性の母親。もし鷹央が『リウマチ性多発筋痛症』という診断をつけていなければ、その母親はいまも全身を蝕む痛みに苦しんでいただろう。医療は一人でやるものじゃない。医者とコーメディカル全員が力を合わせ、その上で患者の希望を最大限にかなえるように努力していくものだ。

半年前のあの日、僕はそのことを一人の患者に思い知らされた。

取り返しのつかない形で……。

上手くシステムを作り上げさえすれば、鷹央のずば抜けた知性と膨大な知識は必ず多くの患者を救えるはずだ。鷹央との一ヶ月の付き合いで、そう確信していた。

「……僕はもう外科の医局を辞めました。いまは内科医のつもりです」

僕は固い口調で反論を重ねる。医師の、特に外科系の医師の世界には軍隊のごとき上下関係が存在する。十年以上も年長である山田に噛《か》みつくなど、これまでの僕では考えられなかったことだ。しかし、目の前の男が悪し様《あざま》に鷹央をけなす言葉を、なぜか聞き流すことはできなかった。

「……お前さ、さっきからなんなんだよ。感じ悪いな。いいか、お前はいま救急部に勤めているんだよ。そして救急部の責任者は俺だ。俺はお前の上司なんだよ。分かったら黙って、ここで患者が運ばれてくるのを待ってろ。いいな！」

　山田は僕をにらみつけながら、脅しつけるように言う。以前なら、この病院に来る前なら、この山田の恫喝《どうかつ》に反論することもできず、従っていただろう。しかし、僕は山田の目を真《ま》っ直《す》ぐに見た。山田は気圧《けお》されたように軽くのけぞる。

「いえ、僕の上司は山田先生ではなく鷹央先生です。お忘れですか、僕は沖田先生に頼まれて、鷹央先生の許可のもと、この救急部に出向しているんです」

「……なにが言いたいんだよ」

「沖田先生に対する義理でまだ救急部で仕事していますけど、僕にとっては救急部でこき使われているより、鷹央先生に指導してもらっている方が勉強になるんです」

　暗に『お前より、鷹央の方が指導者として優れている』と言われ、山田の浅黒い顔が紅潮した。僕はさらに言葉を重ねる。

「忘れないで下さい、僕は鷹央先生に頼んで救急部への出向を取り消せます」

　山田の唇が歯茎が見えそうなほどに歪《ゆが》んだ。救急部の大黒柱であった沖田が命を落とし、それを機に沖田に心酔していた若い救命救急医が一人退職したことで、救急部は現在深刻な人員不足におちいっている。そんな中、救急部に所属していないにもかかわらず週三回も勤務している僕は、きわめて使い勝手の良い人材のはずだ。部長代行の山田にとってこれ以上の脅し文句はないだろう。

「それじゃあ先生、僕は屋上に行きます。患者が搬送されてきたら院内携帯を鳴らして下さい。すぐに下りてきますから」

獣のようなうなり声を上げる山田に言い残すと、僕は出口に向かって歩きだした。

なぜか足がとても軽かった。

「おじゃまします」三度ノックをした後、扉を開けて鷹央の〝家〟へと入る。いつものように鷹央はソファーに横になり、一枚の写真を眺めていた。

「えっと、鷹央先生。なに見ているんですか？」

「沖田の娘、沖田絵美《えみ》の写真だ」

鷹央は写真を掲げる。そこにはセーラー服を着た少女が写っていた。黒髪をショートにした、快活そうな少女だった。たしかにどこか沖田の面影がある。

「それ、どこで見つけたんですか？」

「沖田の机の引き出しに入っていたんだよ」

「勝手に遺品を持ち出したんですか⁉」

「誰も引き取りにこないんだからべつに良いだろ。沖田の娘を探そうにも、顔を知らないと話にならないんだからさ」

「あの、それでなんの用ですか？」

「ちょっと待て。もう一人来るから」鷹央は再び写真を眺めながら言う。

「もう一人？」

「ああ、三分前に駐車場に着いたって連絡あったから、そろそろ上がってくるだろ」

鷹央のセリフを合図にしたかのように、ピンポーンとインターホンが鳴らされた。

「小鳥、開けろ」鷹央があごをしゃくる。

はいはい、分かりましたよ上司様。玄関の扉を開けると、そこにはしなびた雰囲気の警視庁捜査一課刑事が立っていた。桜井《さくらい》は「どうもどうも」と愛想よく言う。なんで桜井がここに？　また捜査で話を聞きにでも来たのだろうか？

「入って良いぞ」鷹央の声が背中にぶつかる。

「それじゃあお邪魔します。本日はお招きいただきありがとうございます」

桜井は僕のわきをすり抜けるように室内に入ってきた。

「鷹央先生が刑事さんを呼んだんですか？」僕は鷹央に近づき、小声で訊《たず》ねる。

「そうだ」

「なんでこの人を……」

「いやぁ、じつは私の方から持ち掛けさせていただきました。せっかくだから、私たちとそちらで情報を共有した方がよいのではないかと思いましてね」

桜井はいまにも揉《も》み手《で》をしそうな態度でしゃべり出した。

「共有？　あれだけ事件に首を突っ込まれるのを嫌がっていたじゃないですか」

「そう言われると返す言葉もないです。でも、天久《あめく》先生は信頼するに足る方だと、うちの課長からのお墨付きもありましたし、あの白骨死体を見つけた天久先生の素晴らしい着眼点と博識、とても感動しました。そして何より……」

桜井は思わせぶりに言葉を切ると、唇の片端をあげる。

「刑事っていうのは規則を守ることより、事件の解決を優先する生き物なんですよ」

「はあ、そうですか……」この調子のいい刑事、どうにも苦手だ。

「けれど、この部屋、少し暗くないですか？」

桜井は明かりのスイッチを探しているのか、きょろきょろと視線をさまよわせる。

「私にはこれぐらいが良いんだ。明るいのは苦手だ」

「はあ、そうなんですか。なんかドラキュラみたいですね」

「私は血なんか吸わないぞ」

「まあそうでしょうけど……。いや、しかしすごいですね、この本の量は。先生があれだけ博識な理由が分かりましたよ」

「ここにあるのは私の本の一部だ。残りは倉庫にしまってある。私は本を一日読まないと死ぬ病気なんだ」

「えっと……そんな病気あるんですか？」

「なに言ってるんだ。冗談に決まっているだろ」にこりともせずに鷹央は言う。

「はあ……」桜井は引きつった笑みを浮かべた。

「それで、これからなにをするつもりなんですか？」

僕の質問に鷹央は「答え合わせだ」と、どこか楽しげに言った。

「答え合わせ……ですか？」

「ああ、大宙神光教で手に入れたものの検査結果が、ある程度出たらしいからな。その結果を聞こうと思ったわけだ」

「なんで僕まで呼ばれたんですか？　救急部の勤務中だったんですけど」

「なんだ、興味なかったのか？　それなら救急部に戻ってもいいぞ」

「いえ、興味はありますよ。あるに決まっているじゃないですか」

あれだけ苦労したのだ、興味ないわけない。それに山田に啖呵《たんか》を切って飛び出してきた。呼び戻されるならともかく、自分からすぐに戻っては格好がつかない。

「なら文句ないだろ。それじゃあ、早速結果を教えてくれ」

鷹央は体を起こすと、ソファーに腰掛ける。

「簡単に言えば……完敗です」桜井は自虐的に肩をすくめた。

「完敗？」意味が分からず僕は聞き返した。

「ええ、教団から押収したものの中に、違法なものは見つかりませんでした」

「なにもですか？　なにか薬物とかは……」僕は目をしばたたく。

「ええ、私たちも違法な幻覚剤などが見つかるとふんで施設内を徹底的に調べました。けれど、押収したものは市販されているハーブや栄養食品ばかりでした」

「でも、僕たちは怪しいお茶と薬を飲まされて、おかしな幻覚を見たんですよ。どこかに変な薬があるはずです。もしかしたらあの日に強制捜査があることが知られていて、証拠を処分したのかも」

「いえ、そんなことあり得ません。強制捜査があることは参加する捜査員しか知らされていませんでした。外部にもれることなんてあり得ません」

「その捜査員の中に大宙神光教とつながっていた人がいたんじゃ……」

「私たちの中に情報を漏らした奴《やつ》がいると言うんですか？」

いつも飄々《ひょうひょう》としている桜井の表情が硬度を増す。しかし、僕も引くわけにはいかなかった。薬が盛られているのではなかったとしたら、あの体験は説明がつかない。

「おかしなものは何も検出されなかったぞ」

鷹央が独り言のようにつぶやく。僕は「はい？」と聞き返した。

「だから、『コンタクト』の前に飲まされたお茶とカプセルの中身を調べたんだよ。

大学の法医学教室にツテがあるから、そこに依頼した。結果、とくに精神に影響を及ぼすような薬物は検出されなかった」

「そんな……」

「中身は濃く入れたハーブティーと塩化ナトリウム、つまりは塩だな」

あのお茶とカプセルを渡された時、そう説明を受けた。あれは本当だったのか……。

「それで、なんで警察はあの教団で薬が使われていると思ったんだ？　強制捜査までしたとなると、それなりの確信があったんだろ」

鷹央の指摘に、桜井は無言のまま額にしわを寄せる。おそらく喋《しゃべ》っていいものかどうか考えているのだろう。

「……たれ込みがあったんですよ」

たっぷり一分以上考え込んだあと、桜井はためらいがちに口を開いた。

「あの教団から抜け出した信者の男です。一ヶ月ほど前、その男が情報を持ってきたんです。『大宙神光教が薬物を使って信者を洗脳している』って」

「それだけで、あんな大がかりな捜索をしたんですか？」僕は首をかしげる。

「いえ、それはあくまできっかけです。もともと組織犯罪対策課は大宙神光教に目をつけていました。この一年ほどで神光教は急激に勢力を伸ばし、信者を増やしていきます。それとともにトラブルも増えてきていました」

「どんなトラブルです？」

「主に金銭トラブルです。信者が大金を教団に寄付し、親戚がそれをとがめるといったパターンですね。大宙神光教の特徴として、信者に、とくに在家信者に富裕層が多いことがあげられます。この一年であの教団は大量の寄付金を受け取っています」

僕は先日ともに体験生活をした人々を思い起こす。やはり僕が感じていたとおり、大宙神光教は金を持っている人々を中心に勧誘を行っていたようだ。

「あとは沖田先生みたいに、教団施設で生活する家族と会えないってところですか？」

僕の質問に、桜井は両手を胸の前で大仰に振った。

「いえいえ、その手のトラブルはほとんどないんですよ」

「そうなんですか？」

「ええ、新興宗教にしては珍しく、出家信者の外出が自由になっています。それどころか、ある程度施設で生活したあとは、一般社会に戻ることを勧めてさえいます。社会に戻った信者が布教活動を行うというシステムですね。まあ、出家希望者が多すぎて、そういう方法をとらざるを得ないというのが本音のようですけどね」

「つまり、沖田先生の娘さんだけが会えない状態だったと？」

「少なくとも私たちが把握している限りでは、沖田先生の件だけですね。まあ、とはいえ金銭的なトラブルがそれなりに報告されているうえに、あの教団が薬物を使用しているのではないかという噂《うわさ》は、かなり前から聞かれていました。あの宗教は初期から宇宙人とコンタクトできるという神秘体験を売りにしているし、教団代表の大河内《おおこうち》には、過去に薬物を横流ししたという疑惑もありましたからね」

「かなり前から聞かれていたのに、いままで放っておいたんですか？」

早く対処しておけば、沖田は命を落とさなかったかもしれないのに……。

「なかなか難しいんですよ。宗教、特に新興宗教には神秘体験がつきものですからね。それが薬物によるものなのか、それとも思い込みや宣伝なのか判断が難しい」

「それじゃあ、なんで今回は強制捜査ができたんですか？」

「いやあ……もうここまできたら正直言っちゃいますけど、私たちは大宙神光教に強制捜査に入る機会をうかがっていました。きっかけの一つは、この病院の沖田先生が殺された事件です。大宙神光教を訴えようとしていた人が殺されて、その犯人が『宇宙人に命令された』と言い残して自殺した。どう考えても怪しいでしょ。そこに元信者が薬物についてたれ込みをしてきた。しかもその男は証拠を持っていた」

「証拠？」

「ええ、証拠です。その男は『教団で儀式の前に飲まされていた』といってカプセルを持ってきました。調べたところ、ＬＳＤが含まれていました。ＬＳＤなら、あの教団で行われている『コンタクト』も説明がつきます。情報提供者の元信者はそれだけでなく、ＬＳＤの隠し場所まで詳しく証言してくれました。けれど……」

「けれど、実際にＬＳＤはなかった」

僕が言葉を引き継ぐと、桜井は痛々しいまでに自虐的な笑みを浮かべる。

「ええ、ありませんでした。完全にやられました」

「やられたと言いますと？」

「大河内です。きっと全部あの男の計画だったんです。たれ込みをしてきた元信者は強制捜査に入ったあとすぐ、証言をひるがえしました。ＬＳＤは六本木のクラブで外国人から買ったってね。きっと大河内の指示で偽情報を持ち込んで、強制捜査をうながしたんです。しかも、捜査に入ってすぐにマスコミが強制捜査のことについて取材をはじめました。東京地検特捜部のがさ入れならともかく、普通の強制捜査にマスコミがあれほど敏感に反応することは通常ありません。教団がマスコミにおもしろおかしく情報を流したんでしょう。天下の警視庁がいいように操られたんですよ」

桜井は肩を落とし、大きくため息をつく。

「来週発売される週刊誌には、大宙神光教の本部に大がかりな強制捜査があったにもかかわらず、なにも違法な物は発見されなかったという記事が載るでしょう。世間にはそれで、教団の潔白と我々警察の無能が刷り込まれます。今後教団に手を出しにくくなりました。私たちが焦っていたところを上手く突かれました……」

「焦っていた？　なにを焦っていたんですか？」

「いや、それは……」

僕の質問に桜井は顔をしかめると、口の中でなにやらごにょごにょと言葉を転がす。また話して良いか迷っているのだろう。お役所仕事も大変だ。

「ここまで喋ったんだからもういいじゃないですか。鷹央先生の協力があった方がいいんでしょ？　大丈夫です。他言はしませんから」

僕がうながすと、桜井は数秒の躊躇《ちゅうちょ》のあと力ない声で話しはじめる。

「大河内はこの三ヶ月ほどで、教団資産の大部分を海外の銀行に移しているんです」

「海外へ？　それって、脱税とかそういうことですか？」

「大宙神光教は宗教法人ですから、納税は原則的に必要ありません。そうではなくて、私たちは大河内が海外逃亡することを警戒していました」

「海外逃亡……」

「ええ、自分たちの犯罪行為が明らかになる前に、日本と犯罪者引き渡しの条約を結んでいない外国に逃げ、身を隠す。犯罪者の常套《じょうとう》手段です。だからなんとしてもその前に強制捜査に入りたかった……」

桜井が前歯を唇に立てるのを見て、ふと頭に一つの疑問が浮かんだ。

「薬が発見されなかったことは分かりましたけど、白骨死体については……？」

もしあの死体が沖田絵美のものだとしたら、違法薬物など比較にならないほどの追及材料になるはずだ。しかし、桜井の反応は芳しいものではなかった。

「白骨死体？　ああ、それもありましたね。あれも違いました」

「違った？」

「ええ、違いました。沖田絵美さんが通っていた歯科医院の記録を照会したんですがね、……全然別人でした。あの死体は沖田絵美さんではありません」

膝が折れそうなほどの安堵《あんど》を覚える。てっきりあの白骨死体が沖田絵美だと思っていた。沖田の娘はすでに『生《い》け贄《にえ》』にされていたと。けど、それじゃあ……。

「それじゃあ……あれは誰なんですか？」

「分かりません。若い女性の骨であることだけは確かなようですけど、身元はまだ」

「沖田先生の娘さん以外で、あの教団で行方不明になっている人はいないんですか？」

死体が沖田絵美ではなかったからといって、大宙神光教が神羅のために生け贄を捧《ささ》げているという疑惑が消えたわけじゃない。

「少なくとも、警察にそういう届けは出ていませんねぇ。ちなみに司法解剖したところ、足首に骨折のあとが見つかりました。たぶん、あの崖を落ちた時に怪我《けが》したんだろうと考えています」

「殺されたわけじゃないっていうんですか？」

「いえ、事件性があるかどうかの判断がつかないというだけです。死後半年以上は経《た》っていて、ほとんど肉が残っていないんで、死因の解明は難しいとのことでした」

「大河内は死体についてはなんて言っているんですか？」

「それについては『知らない』の一点張りです。まあ、発見場所が敷地内でもないし、身元不明ときてはこちらもそれ以上は追及できません。迷い込んだキャンプ客が遭難したとも考えられますから」

「でも、あんな祭壇があるんですよ。あんな小動物の骨が大量に散乱していたようなやばいのが。どう考えたって、あの怪しい宗教が関わっているでしょう」

思わず声が大きくなってしまう。

「そんなことは分かっていますよ。けれど仕方がないんです。今回の強制捜査でなにも収穫がなかった以上、よほどはっきりした証拠でも出ない限り大宙神光教には手を出さない、それが上層部の決定なんです！」

僕の声に勝るとも劣らない声量で苦悩にまみれた言葉を吐き出した桜井は、すぐに我に返ったのか、今度は消え入りそうな声で「……失礼」とつぶやく。

部屋を鉛のように重い沈黙が満たしていく。

宇宙人にさらわれたという男。院内での殺人。宇宙人とのコンタクト。消えた沖田の娘。生け贄の祭壇。

いったい何が起こっているんだ？　息苦しさが襲いかかってくる。

「……なにか、あの教団で押収したもののなかで怪しいものはなかったんですか？」

沈黙に耐えきれなくなった僕は質問を口にする。

「そうですね……、しいて言えばガスマスクぐらいでしょうかねぇ」

「ガスマスク？」

「ええ、軍がつかうような本格的なガスマスクがいくつか見つかりました」

「なんでそんなもの……」

「さあ、見当もつきません。大河内は『政府に毒ガス攻撃をされる可能性があるから』とか言っていましたけどね」

大河内がそんな馬鹿げたことを考えているはずがない。きっとなにか他の理由でそのマスクを準備していたはずだ。しかし、いったいなんのために……。

「馬……」

この数分間、ソファーで腕を組んで目を閉じたまま無言で僕と桜井のやりとりを聞いていた鷹央が、ぼそりとつぶやいた。

「はい？　なにか言いました？」

「なんで馬なんだ？　牛じゃないんだ？」

鷹央は僕の問いに答えることなく、天井を眺めながらつぶやく。

「馬ですか？　たしかにあの教団の施設ではたくさん馬を飼っていましたけど……」

「……うるさいな」

鷹央は僕をにらみつける。その視線の圧力にたじろいでしまう。

「なんでお前たちここにいるんだよ？」

いや、あなたに呼ばれたんだけど……。

「もう話は終わったんだろ。私はこれから考え事があるから、もう帰っていいぞ」

鷹央は虫でも追い払うように手を振る。

「え、あの……」

桜井が振り向いて助けを求めるように僕を見るが、僕は肩をすくめることしかできなかった。鷹央がこうなったらもうどうしようもない。無理に話しかけようとしたらヒステリーを起こされ本を投げつけられかねない。

「桜井さん、行きましょう」

僕は玄関に近づき扉を開く。暗い室内に慣れた目に、開いた扉から差し込む陽光はまぶしかった。桜井は不満げな表情を浮かべながらも玄関から出た。〝家〟から出る寸前に振り返ると、鷹央はソファーに横になったまま、また目を閉じていた。気のせいか、その口元がかすかに緩んでいる気がする。

「考え事があるって、何か気づいたことがあるんですかねぇ」

屋上に出た桜井は、自分の肩を揉みながらつぶやく。

「さあ、どうなんでしょう。ただ、かなりわくわくしていたみたいですけどね」

「しかし、あなたも大変ですねえ、あんな方が恋人では。では失礼」

「は？　こい……？」

何を言われたかすぐには分からず、数秒固まったあと、僕は絶句する。

「ちょ、なに言って……」

あわてて勘違いを訂正しようとするが、すでに桜井は階段室に姿を消していた。

「なんなんだよ、みんなして……」

不満を込めた独白が屋上を走る風に流されていく。

「……もどるか」

西に傾きつつある太陽を目を細めて見ながら、僕は首を鳴らした。ついさっきやり合った山田と顔を合わせるのは気が進まないが、勤務時間は二十分ほど残っている。引き継ぎもあるし、救急部に戻らないわけにはいかない。

「おい、小鳥！」

「うおっ！」

すぐ背後からかけられた声に僕は思わず情けない声を上げてしまう。あわてて振り返ると、鷹央がのけぞっていた。

「なんだよ！　急に大きな声出すな、驚いただろ！」

「驚いたのはこっちです。無言で背後をとらないで下さいよ。それで、どうしたんですか。考え事していたんじゃないんですか？」

「もう終わった。全部分かったからな」

「全部分かった？」僕は目を見開く。

「ああ、だからあとは確認するだけだ。小鳥、来週の土曜あけておけ」

「来週の土曜日？　なんですか、またあの教団に潜入でもするつもりですか？」

「よく分かったな」

皮肉を込めた冗談を、鷹央はあっさりと肯定する。

「は？　え？　まさか、本気でまたあそこにいく気ですか？　なにをしに？」

混乱して早口になる僕に向かって、鷹央は唇を舐《な》めると、その童顔には似合わない妖艶な笑みをうかべた。

「あの詐欺師と決着をつけるためだ」

2

「……疲れた」

背後から聞こえてくる声を無視し、僕は歩き続ける。

「……疲れたぁ」

再び同じセリフが追いかけてきた。今度は露骨に恨めしげな口調で。僕は足を止めると振り返って、Tシャツに短パンという、なんとなく夏休みの小学生を彷彿《ほうふつ》させる格好の鷹央を見る。西に傾きはじめた太陽がその顔をオレンジ色に染めていた。

「歩くって言い出したの、先生じゃないですか。ぶつぶつ言ってないで足を動かして下さい」

桜井と情報交換した次の週の土曜日、僕は鷹央とともに山道を歩いていた。大宙神光教本部へと続く山道を。なぜか鷹央が本部施設前の駐車場でなく、山道の麓で車をおり、そこから歩くことを主張したのだ。

「だって本当に疲れたんだぞ」鷹央は今にも泣き出しそうな表情になる。

「いつも家に引きこもっているからです。運動不足ですよ。いい機会だから少しは歩いて足腰を鍛えて下さい」

正論を吐く僕を、鷹央は恨めしげに上目づかいで見てくる。

「……おんぶ」

「ふざけんな」

「おんぶぐらいしてくれてもいいだろ。この薄情者」

鷹央は唇を尖《とが》らせる。その背中には大きなナップザックが背負われていた。鷹央が〝家〟から持ち出したものだ。

僕が先に進もうとすると、鷹央は捨てられた子犬のような目で僕を見てくる。僕は「ああ、もう」とかぶりを振ると鷹央に近づき、ナップザックに手を伸ばす。

「この荷物だけは僕が持ちますよ。それでいいでしょ」

鷹央はぱあっと表情を明るくすると、ナップザックを肩から外し僕に渡してくる。受け取った腕に想像以上の重みが伝わってきた。

「なにが入っているんですか？」

「今夜必要なものだ」鷹央は満足げに解放された肩をぐるぐると回す。

今夜必要なもの？　鷹央とは対照的に僕の表情は固くなる。

今日鷹央が何をするつもりなのか、僕はまったく知らされていなかった。先週鷹央が大宙神光教本部に再び忍び込むと言い出してから今日までの間、僕はくり返し鷹央になにをするつもりなのか訊ねてきた。しかしそのたびにはぐらかされ、ついにはまったく説明を受けないままにここまで来てしまった。

「重いか？」鷹央の足取りは目に見えて軽くなる。

「これくらい大丈夫ですよ。それなりに鍛えているんですから」

「鍛えてるなら、私ごとおぶってもいいんじゃないか？　私は四十キロもないから、多分お前なら簡単に背負えるぞ」

「調子にのんな」

そんな会話を交わしながら十数分歩くと、正門と駐車場が視界に入ってきた。

「このあたりから林の中に入るぞ。見つかったら大変だからな」

ゴールが見えて元気が出たのか、鷹央は張りのある声で言うと、舗装された道からすたすたと林の中へと歩を進めていく。

「……やっぱり、見つかったら大変なようなことをするんですね」

僕は肩を落としながら鷹央のあとを追って林に入っていく。

まあ、こういう事態になることは予想していた。一番の問題は、予想していたにもかかわらず、のこのこと付いてきてしまったことだろう。本来なら先週鷹央に教団施設へ行こうと言われた時、きっぱりと断ればよかったのだ。しかし……。

僕は林の中をぴょこぴょこと進む鷹央の小さな背中を見つめる。

僕が連れて行くことを断ったとしても、鷹央は今日、どうにかしてこの場所へ来ただろう。普段は冬眠中のクマのように活動性に乏しい鷹央が、一度スイッチが入るととんでもない行動力を発揮するのを、この数週間で何度も目の当たりにしてきた。

そして、鷹央が一人で気づかれずに教団に乗り込もうとしても、どこかで大きな失敗をするのは目に見えていた。恐ろしいほどの知性をその小さな頭蓋の中におさめている鷹央だが、その一方で驚くほどに常識というものが抜け落ちている。その特異な言動は、彼女が集団の中に溶けこむことをゆるさない。メダカの群れの中に紛れ込んだ金魚のように目立ってしまう。僕は再び肺の奥底から大きく息を吐き出す。

結局、僕にこの世話の焼ける上司を放っておくことなどできるわけがないのだ。自分の人の好《よ》さに辟易《へきえき》しながら、僕は薄暗い林の中を奥へと進んでいった。

「ついたぞ」

二十分ほど林の中を歩いたあと、息を乱しながら鷹央はつぶやく。林の奥、立ち並ぶ太い樹木の幹のすき間に信者たちの宿舎が見えてきた。

「暗くなるまでここで待つぞ。荷物をくれ」

僕からナップザックを受けとった鷹央は、中をごそごそと探り出す。

「なにをしているんですか？」

「ほれ」鷹央は取り出した物を僕に向かって放る。

「これって……」

それは紺色のジャージの上着だった。その胸元には特徴的な星のマークが描かれている。大宙神光教の出家信者たちが普段身につけている作業着。

「大宙神光教公認のジャージだ。それを着ていれば目立たないだろ」

鷹央はリュックの中から、自分用の小さいサイズのジャージを引きずり出した。

「こんなものどうやって手に入れたんですか？」

「ネットで売ってたぞ。あの大河内って男、なかなか手広くやっているみたいだな」

宗教団体がネットで通信販売？　それはあまりにも軽すぎではないか？

「……なにしてるんだよ」

ジャージを眺める僕に、鷹央が冷たい声を浴びせかけてくる。

「はい？」

「今から着替えるんだから、お前どっか適当なところ行って着替えてこいよ」

「ああ、はいはい」僕はジャージをもって立ち上がる。

「……覗《のぞ》くなよ」

「覗きません！」一際《ひときわ》太い樹木の裏に回り込もうとしていた僕は声を張る。

「しないのか？」鷹央は心の底から意外そうに目をしばたたかせた。

「するわけないでしょう。どれだけ信頼ないんですか、僕は」

「だって、男はみんな女の着替えを覗こうとするって、この前読んだ本に……」

「変な本を読まないで下さい！」

手の甲にとまっていた藪蚊《やぶか》を叩《たた》きつぶす。手のひらに赤い血が付着した。

鷹央と林の中に潜んで三十分ほどが経っていた。日も沈み、しっとりと辺りに闇が降りてきている。もうすぐ農作業でへとへとになった体験生活参加者たちが、木の幹の間からのぞく建物に戻ってくるころだろう。

　この三十分、鷹央はほとんど動くことなく建物の方を見ている。なぜかその横顔には、深い葛藤と苦悩が浮かんでいる気がした。いったいどうしたのだろう？

　鷹央の様子をうかがいながら、僕はなにか声をかけようとする。しかし、かけるべき言葉が見つからなかった。その時、鷹央は正面を見たままゆっくりと唇を開いた。

「……小鳥、お前さ、……末期がんの告知はしたことがあるか？」

　鷹央の声はこれまで聞いたことがないほど弱々しかった。

「え？　なんですか、急に？」

「いいから答えろよ。末期がんの告知はしたことはあるのか？」

「ええ、そりゃあ外科にいましたからね。何度もありますよ」

　現代の外科学はがんとの戦いだ。僕も多くのがん患者を担当してきた。当然その中には、発見された時にすでに手遅れなほど進行していた症例もあった。

「そうか……私はな、ないんだよ」

「ないって、末期がんの告知がですか？」

「末期がんだけじゃない。あらゆる不治の病の宣告を私はしたことがないんだ。私の外来には時々ＡＬＳとか送られてくる。もちろん私の知能ならすぐに診断がつく。けれど私はそんな時、紹介状を書いて神経内科に回すだけだ。それがどんな疾患なのか、そのあと病状がどうすすむのか、私は患者には説明したことはない」

ＡＬＳ。筋《きん》萎縮《いしゅく》性《せい》側《そく》索《さく》硬化《こうか》症《しょう》。筋肉の萎縮を起こす重篤な神経変性疾患。その治療法はいまだに存在せず、患者は徐々に全身の筋力が低下していき、最後には自力で呼吸することすらできなくなる難病。

「どうしてですか？」理由を察しつつも僕はたずねる。なんとなく鷹央がそうして欲しがっているような気がした。

「分かるだろ。私が説明したら、患者は絶望する。私は疾患について誰よりも詳しく説明することはできる。ただそれは事実を垂れ流すだけだ。患者の気持ちを察して、ショックを可能な限り少なく説明するなんてことを私はしない。いや……できない」

淡々とつぶやく鷹央の横顔はどこまでもさびしげに見えた。

「たしかに先生は患者に説明するのは苦手かもしれませんけど、そのかわり、普通のドクターじゃ分からないような疾患の診断をつけられるじゃないですか」

僕は慌ててなぐさめの言葉をかける。正面に視線を向けていた鷹央は、眼球だけ動かして僕を見た。

「告知はした方がいいと思うか？」

「はい？」

「お前は告知は必要だと思うか？　今はがんの告知は当たり前になっているだろ。しっかりと告知をした方が、患者の生活の質が高くなると統計的に結果がでている。お前はそう思うか？　もし自分が末期がんになったら、告知して欲しいと思うか？」

かつては本人に対するがんの告知がタブーだった時代もあった。しかし現代では特殊な事情がない限り、本人に対する告知を行うようになってきている。

もし自分が末期がんになったら、自分に残された時間がわずかだとしたら、僕はそれを知りたいだろうか？

「……はい。僕は告知されたいです」

数秒考え込んだあと、僕ははっきりと答えた。告知を受ければ、最初は死の恐怖にさいなまれるだろう。もしかしたら告知などされたくなかったと思うかもしれない。しかしそれでも、なにも知らされないまま最期を迎えたくはなかった。残された時間でやるべきことをして、その時を待ちたいと思った。

「……そうか」

鷹央は視線を正面にもどすと、ゆっくりとうなずいた。僕は次の言葉を待つ。しかし、鷹央の真一文字に結ばれた唇が動くことはなかった。

「あの……、なんで急にそんな話を？」

沈黙のプレッシャーに耐えられなくなった僕は、ためらいがちに口を開く。

「いや、なんでもない。それより、……来たぞ」

鷹央があごをしゃくる。視線を上げると、木々の奥に見える施設に数十人の青色のジャージを着た人々がぞろぞろと入っていくところだった。体験生活の参加者たちだ。その表情はみな一様に疲れ果てているが、どこか満足げでもあった。

「よし、行くぞ」

参加者たちが建物の中に消えたのを見届けると、鷹央は立ち上がり、建物に向かって進んでいく。その表情からは数分前に見た暗い影は消えていた。

「行くってどこへ」

「あの宿泊所に決まってるだろ」

「いや、決まってるって……、あそこになにをしに行くんですか」

「うるさいな。黙ってついてこいよ」

鷹央は林を出ると、身を屈《かが》めることもせず、堂々と建物に向かっていった。

「ちょ、ちょっと先生。見つかりますよ」僕は慌てて鷹央のあとを追う。

「大丈夫だ。見つかっても、このジャージを着ていれば信者だと思われるはずだ」

自信満々に言い切った鷹央は、体験生活参加者たちが宿泊している三階建ての建物に近づくと、玄関のガラス扉を開き中へと入っていく。

本当に大丈夫なのかよ？　得も言われぬ不安を感じながら僕も建物へと侵入する。

入り口のすぐ脇には、体験生活参加者たちが宿泊している階上へと続く階段があるが、鷹央はそちらを見ることもせず、奥へと続く廊下を進んでいく。

鷹央は廊下の中央あたりにある扉の前でぴたりと足を止めると、わずかに扉を開いて中を覗き込んだ。扉の脇には『食堂』と表札がかかっている。

「よし、誰もいないな。そこで見張ってろ」鷹央は小声でつぶやいた。

「見張ってろって、何をするつもりですか？」

「いいからこの部屋に誰か入ってきそうになったら、扉を二回叩いて合図しろ」

その言葉を残して、鷹央は扉を開くとその奥へと消えていった。

「……なんなんだよ、いったい」

少しは説明をしてくれてもいいじゃないか。このまま鷹央を置いて逃げ出してしまおうかという考えさえ頭をかすめる。その時、廊下の一番奥の扉が開いた。扉の奥から出てきた人物を見た瞬間、頭が真っ白になる。

自分の肩を気怠《けだる》げに揉みながら廊下に出てきた三十前後の女性。その女には見覚えがあった。僕と鷹央が体験生活に参加した時、ガイドを務めていた女。

ガイドをしていた時の陽気な雰囲気とは対照的に、全身から疲労感をにじませながら女は近づいてくる。僕は顔を伏せ、なんとかこの場をやり過ごそうとする。

しかし、僕のように図体のでかい男が廊下で立ちつくしているのは、やはり不自然だった。女は何気なく顔を上げ、僕の顔に視線を送る。女の足が止まった。

「あれ？　あなた……」女の目がいぶかしげに細められる。

次の瞬間、女は大きく目を見開くと、「あー！」と大声を出して僕を指さした。

「なんであなたがこんな所にいるのよ⁉」

女はずんずんと近づいてくると、指を僕の鼻先に突きつける。

「いや、その……」

「なんなの？　もしかしてあの女もいるわけ？　それになによその服は。それって出家信者用の服じゃない！」

どうする？　どうやって誤魔化す？

「入信したんです！」なかばやけくそ気味に僕は声を張り上げた。

「……入信？」三角形に吊り上がっていた女の目が、かすかに丸みを取り戻した。

「はい、そうです。先日入信させていただきました。あの日の体験に感動して、どうしてももっと神羅様の教えを受けたくて！」

「それじゃあ、あの女……。あなたの婚約者は」

「彼女は……彼女とは別れました。この教団の、神羅様の素晴らしさを理解できないような人とは一緒になれないと思いまして」

僕の言葉を聞いた瞬間、女は顔をほころばせ、両手で僕の手を握った。

「素晴らしい！　目覚めたんですね。本当に素晴らしい！　あの女と別れたのは素晴らしい選択です。婚約者を捨て、神羅様に帰依する。素晴らしい信仰です！」

やたらと『素晴らしい』を連呼する女に圧倒され、思わずのけぞってしまう。

「それで、あなたはここでなにをしているんですか？」

ひととおり興奮し終えた女は、僕の手を取ったまま訊ねてくる。

「いえ、あの……体験生活の人たちの夕食の準備を手伝うように言われまして」

「ああ、そうなんだ。それじゃあお仕事頑張って。私は夕食まで自分の部屋で休憩してくるから。それじゃあこれからよろしく」

女は僕の肩をバンバンと叩くと、出口へと向かっていった。危ないところだった。

女の背中が出口の奥に消えるのを確認した僕は、膝に両手を置いて大きく息を吐く。

次の瞬間、勢いよく扉が開いた。よける余裕などなかった。開いてくる扉が僕の顔面を直撃し、目の前に火花が散る。

「どうした？」顔を押さえてうめいている僕に、扉からするりと小さい体を出してきた鷹央が声をかけてくる。

「扉の外に僕がいるの分かっているんだから、もっとそっと開けて下さい」

「おっ、悪い悪い。それよりここを出るぞ。もう終わった」

痛みをこらえている僕を置いて、鷹央は出口に向かって歩きだした。

「何していたんですか？」僕は顔を押さえたまま鷹央に並んで歩く。

「カレーだった」鷹央は横目で僕を見ながらつぶやいた。

「はい？」

「だから、今日も夕食はカレーだったんだ」

「あの？　それってどういう……？」

まさかこの人、カレーの匂いにつられてつまみ食いしていたわけじゃないよな？

「やっぱり夕食はカレーだよな」

鷹央はにやりと笑うと舌なめずりをした。


生温かい夜風が頬をかすめていく。湿気を多く含んだ夏の風は、こもった体温を下げてくれるどころか、不快指数を上げていくだけだった。

僕はちらりと横で地面に這《は》いつくばる鷹央へと視線を向ける。

「先生、そろそろ説明してくれてもいいんじゃないですか。いったいなにをするつもりなんですか？　さっき宿泊所でなにしていたんですか？」

僕はこの数十分、なんどもくり返した質問を口にする。しかし、それに対する鷹央の答えはやはり同じだった。黙殺。

僕はこれ見よがしに大きくため息をつくと、鷹央に並んで這いつくばり、目の前に垂れている暗幕をわずかに持ち上げて中を覗き込む。薄暗いドーム状の空間に青いジャージを着た人々が座っていた。焦げ茶色のジャージを着た男たちが、彼らに紙コップと小さなカプセルを配っている。

体験生活参加者の宿泊施設から抜け出した僕たちは、最初にこの教団施設に忍び込んだときと同様に、『礼拝堂』の裏側に潜んでいた。すでにここに二時間近くとどまっている。体験生活参加者たちは夕食を終え、この礼拝堂に集まっていた。

「先生、いい加減にして下さい。いつまでこんなことをしているんですか？　何も説明しないつもりなら、僕はもう帰りますよ」

声をひそめ、しかし苛立《いらだ》ちを隠すことなく僕は鷹央に言葉をぶつける。そろそろ我慢も限界だった。ようやく鷹央は顔を上げると、首をかしげて僕を見上げてくる。

「なんの説明が必要なんだよ？　この前からお前は『説明しろ、説明しろ』って言うけど、なんについて説明して欲しいのか言ってないだろ。だから無視してたんだ」

それなら無視しないで、そうと言ってくれ。

「すべてですよ。なんでここに連れてきたのか、さっきなにをやっていたのか、ここでなにを待っているのか」

「それを全部説明しろっていうのか？」鷹央は眉間に深いしわを刻む。

「当然でしょ、ここまで付き合わされたんだから」

「全部説明するとなるとすごく時間がかかるんだ。どうせもうすぐ分かるんだし。それに……説明するのはあまり得意じゃない」

「説明は得意じゃない？　それはあれですか？　頭のよくない僕にも分かるように説明するのが難しいってことですか」

「まあ、それもあるな」鷹央は平然と言う。

思わず顔が引きつってしまう。この人にはいやみが通じないことを忘れていた。

鷹央は唇を鳥のくちばしのように尖《とが》らせると、言葉を続ける。

「それに、私には他人がどこまで物事を理解しているか、よく分からないんだ。みんな、自分と同じくらい理解していると思ってしまうんだよ」

うつむいて上目遣いに見てくる鷹央に、僕は思わずひるんでしまう。もしかして、僕は鷹央に無理難題をふっかけているのではないか？　圧倒的な知性を持っている反面、他人の心情を想像する能力に欠けている鷹央。そんな彼女にとって、他人に説明をするということは、僕が思っている以上に困難なのかもしれない。

「……さっき『もうすぐ分かる』って言いましたよね」

「ん？　ああ、言ったぞ」

「それって、もうすぐなにかが起こるから、説明しなくてもそれを見れば、なんでここに来たか分かるって意味ですか？」

「ああ、そうだな。そういう意味で言った」

「それじゃあ待ちます。もうすぐなんでしょ?」

鷹央は二、三度まばたきをすると、悪戯《いたずら》が成功した小学生のような笑みを浮かべた。

「そうだ。もうすぐだ。よく見ていろよ」

鷹央は再び這いつくばると、暗幕をめくり中をのぞき込む。僕もそれにならって再びドーム内の様子をうかがった。

すでにドーム内の照明は落とされて、天井には満天の星が映し出されていた。ヒーリングミュージックのたおやかな旋律がかすかに聞こえてくる。参加者たちは大きな期待とかすかな不安をたたえた目で、天井に映る星空を見上げていた。

小鳥の囁《ささや》きのようだった音楽が徐々にボリュームを上げていく。会場の様々な場所に七色のレーザーが走り出した。場内の興奮がしだいに盛り上がっていくのが、外からのぞいている僕にも伝わってくる。

会場の前方にある壇上にスモークが焚《た》かれはじめた。神羅の登場だ。

そこで僕は異変に気づく。参加者たちが落ちつき過ぎている。三週間前はすでにこの時点で何人もの参加者たちが奇声を上げていたはずだ。しかしいま、会場の中にいる参加者たちはみんな落ちついて席についていた。

頭のなかの疑問を消化できないうちに音楽が一際大きくなる。壇上に顔の前に黒いベールをかけた女性が現れた。神羅の登場に会場の空気がざわつく。しかし参加者たちは興奮してはいるものの、やはり異常な行動をしているものはいなかった。

神羅がおもむろに顔にかかっていたベールをたくし上げ、その顔をさらす。

「大丈夫。落ち着くんだ。なにも恐れることはない。心を安らかにして『彼ら』を受け入れよ。『彼ら』はあなた方に決して危害を加えることはない。さあ、心を開いて」

僕が参加した時と同じように神羅は語りかける。しかし、参加者たちの反応は芳しいものではなかった。お互いが不思議そうに顔を見合わせたりしている。

異常に気づいたのか、後方に控えていた男たちが落ち着きをなくしはじめた。

「感じるだろう。そばに『彼ら』がいることを。『彼ら』は様々な姿で語りかけてくる。その姿は一人一人異なっている。それは『彼ら』が私たちをはるかに超越した次元に存在しているから。そう、『彼ら』は遠くにいて、そして近くにいる。心の目で『彼ら』を見て、心の耳を『彼ら』の声にかたむけて」

神羅の声に熱がこもる。しかし、それに反比例するように会場の熱は下がっていった。期待に目を輝かせていた参加者たちも、いぶかしげな表情をさらしはじめる。

「舞台袖を見ろよ」

隣から鷹央の声が聞こえてくる。舞台袖に視線を送ると、そこには大河内和之《かずゆき》の姿があった。その顔は遠目にもこわばっているのが分かる。この事態は、大河内にとっても予想外なことのようだ。

「よし小鳥、行くぞ」鷹央はわきに置いていたナップザックを手に取ると、飛び跳ねるように立ち上がり僕の手を引く。

「行くってどこに？」

「ついてくれば分かる。ほら、早く行くぞ」

やはり説明する気はないらしい。僕はしかたなく手を引かれるままに立ち上がり、大股で歩き出した鷹央についていく。鷹央は真っ直ぐに、前回侵入した時に警報を鳴らせてしまった牧場に向かった。

「先生、だめですよ。ここから先に行くと警報が」

牧場を囲う柵まで数メートルの所まで来たところで、僕は鷹央の肩に手をかける。

「分かってるよ、そんなこと」ナップザックを地面に置いて、ごそごそと中を探りだした鷹央は、無骨なゴーグルのような物体を取り出した。

「なんですか、それ？」

「見れば分かるだろ？　赤外線スコープだ。かっこ良いだろ。高かったんだぞ」

スコープを頭に装着した鷹央ははしゃいだ声を上げると、重かったのか二、三歩たたらを踏む。僕はあわててその体を支えた。

「高かったって、売ってたんですか、それ？」

「ネットで買えない物なんてないんだよ。米軍払い下げ専門店が売りに出していた」

「米軍……。それで、そんな物でなにを？」

「赤外線スコープだぞ。赤外線を見るに決まっているだろ。そこに張られている警報装置の赤外線が、これをつけていればはっきりと見えるんだよ」

　鷹央は柵の上の虚空を指さす。僕にはなにも見えないが、そこに赤外線が通っているのだろう。それをよけて、牧場に侵入するつもりなのだろうか？

「よし、腹ばいになれ」鷹央はおもむろに、その場に身を伏せて腹ばいになる。

「え、入らないんですか」

「入れるわけないだろ。赤外線が張り巡らされているのに。見えないのかよ」

「……見えるわけないでしょ」

「ああ、そうか。いいからそのでかい体を伏せろ。目立つだろ」

　僕はしかたなく鷹央の隣に伏せる。濃厚な土の匂いが鼻腔《びくう》に入りこんでくる。

「ここで待つぞ」スコープを装着したまま鷹央はつぶやく。

「待つって、なにをですか？」

「いいから黙ってろ。すぐに分かるから」

　有無を言わせぬ口調に、僕は黙るしかなかった。

　無骨なスコープをつけ、普段以上に表情を読みづらくなっている鷹央の横で腹ばいになりながら、粘度の高い時間が流れていくのを耐え続ける。

「……あの、先生」僕は小声で話しかける。

「なんだよ、説明はしなくて良いって言っただろ」

「いえ、説明とかじゃなくて、これだけ教えて下さい。さっき、あの儀式、『コンタクト』が上手くいかなかったのって、先生がなにかやったからですか？」

「ああ、私がやった」

「どうやったんですか？　あの儀式は宇宙人なんて関係なかったんですよね？」

「宇宙人？　なに馬鹿なこと言ってるんだ、お前は。あんなの信者から金を巻き上げるためのパフォーマンスだよ」

「それじゃあ、あれは、あの儀式で僕たちが見たものはなんだったんですか？」

「クスリだよ、私たちは幻覚剤を飲まされていたんだ」

鷹央は面倒そうに答える。考えられる限りもっとも単純でありがちな回答を。

「え、クスリを盛られただけ？　いや、けど、警察が捜査したのになにも見つからなかったんですよ。やっぱりどこかに隠していたってことですか？」

「そうだ。見つからない所に隠していたんだよ。というか、見つかっても良い所か。あの男、なかなか面白いことを思いついたよな」

鷹央は楽しげに鼻を鳴らす。

「違法な薬が見つかっても大丈夫なところ？　そんなところあるわけないじゃないですか。それにあのお茶にもカプセルにも変な薬は入っていなかったんでしょ？」

「うるさいなあ。なんだよ、結局説明させようとするんじゃないか。まったく、よく考えれば分かるだろ。馬だぞ馬。普通は牛だろ。そこを馬なんだぞ」

鷹央は僕の顔の前で、ハエでも追い払うように手を振る。

牛じゃなくて馬？　たしかにこの教団はたくさんの馬を飼育しているが、それが薬物となんの関係があるというのだろう？

「……行くぞ」唐突に鷹央はスコープで重くなった頭を支えながら起き上がると、牧場の方に頭部を揺らしながら歩きはじめる。

「あ、先生、それ以上行ったら警報が……」。

「もう大丈夫だよ、あいつがセンサーを解除したから」

鷹央はスコープを外すとあごをしゃくる。目を凝らすと、牧場を奥に走っている人影が見える。その手になにかぶらぶらと揺れるものが摑《つか》まれている。男がどこに向かっているかに気づき、僕は思わず顔をしかめた。

牧場の一番奥まったところに立っている建物。あそこはたしか……。

「さて、クライマックスだ」

鷹央は手に持っていたスコープを無造作に放り捨て、牧場を囲む柵に手をかけた。

「行くぞって、あそこに行くんですか？」

自然と声が大きくなってしまう。できるならあそこには近づきたくなかった。

「べつに真相が知りたくないなら、ここで待っていていいぞ。私が一人で行ってくる」

鷹央は僕に一瞥《いちべつ》をくれると、両手を真横に水平に伸ばす。

「一緒に行きますよ、行けばいいんでしょ」

僕は鷹央の体を持ち上げ、柵の奥へと移動させると、自分も柵を飛び越える。

僕は鷹央とともに牧場を進みながら、建物の中に入っていった人影を思い起こす。細身のシルエット、そして身に纏《まと》っていた服。あの男に間違いない。

なんであの男がよりによってあんな所に？　まさかあそこに違法薬物を隠していたのだろうか？　たしかに捜査員もあそこを探すのは少し躊躇するかもしれない。けれどプロの捜査員たちだ、あそこを調べる可能性も十分にあったはずだ。

膨らみ続ける疑問を胸に抱えながら、僕は鷹央とともに牧草地を横切り、人影が消えた建物へと近づいていく。その建物まであと二十メートルほどに近づいたところで、鼻腔に侵入してくる悪臭を感じ、僕は反射的に鼻を押さえる。鼻の奥が痺《しび》れるようなその匂いは、建物に近づいて行くにつれ濃度を増していった。それはそうだ、僕たちが近づいている建物は『あれ』を溜めておくためのものなのだから。鷹央に続いて建物の目の前まで来た僕は、鼻を押さえたまま顔を上げる。

『堆肥舎《たいひしゃ》』。建物の入り口には大きくそう記されていた。馬糞《ばふん》を堆肥として使用するまでの間、溜めておくための建物。大量の馬を飼育しているためか、コンクリートで作られたその直方体の貯蔵庫は、小さな体育館ほどの大きさがあった。

さっき中に入った者がしっかり閉めていなかったのか、重々しい鉄製の扉はわずかに開いていた。そのすき間から蛍光灯の明かりと濃密な便臭がもれ出している。あまりの悪臭に涙があふれ、視界が滲《にじ》んできた。

「これでよしっと」鷹央はごそごそとジャージのポケットをまさぐりながらつぶやくと、堆肥舎に近づきその入り口の扉に手をかけた。

「ちょ、ちょっと待って下さい」僕は思わず制止の声をあげる。

「今度はなんだよ」扉に触れたまま、鷹央は僕をにらんできた。

「あの……、中に入るんですか？」

「当たり前だろ。なんのためにここに来たんだよ」

「いや、なんのために来たか、いまだに分からないんですけど。それより先生、臭くないんですか？」

「臭い？」鷹央は低い鼻をくんくんと動かす。「ああ、少し変な匂いがするな」

「少し？」

前々から思っていたのだが、この人、視覚とか聴覚が異常に鋭いのに反して、嗅覚が明らかに鈍い。どうりで何日も風呂に入らなくても平気なはずだ。

「いいから入るぞ」

鷹央は重そうな鉄扉の取っ手に手をかけると、綱引きでもするように後ろに体重をかけて引く。扉はゆっくりと開いていった。それとともに、それまでとは比較にならないほど濃縮された刺激臭が僕の全身にぶつかってくる。卒倒してしまいそうになるのを歯を食いしばって耐えると、涙が止《と》め処《ど》なく流れる目で堆肥舎の中を見る。

蛍光灯の漂白された光に、細身の体を茶色いスーツで包んだ男の姿が映し出される。男の口元は無骨な黒いマスクに覆われていた。

ガスマスク。さっき遠目で見た時に手にしていたのはこれだったのか。そう言えば、桜井がこの教団でガスマスクを押収したと言っていた。まさか毒ガスから身を守るためではなく、悪臭を防ぐためのものだったとは。

男はその長身を硬直させると、頸椎《けいつい》が錆《さ》び付いたかのようなぎこちない動きで僕たちの方を向く。次の瞬間、まばゆい閃光《せんこう》があたりを照らした。

「ゲームオーバーだ」

デジタルカメラを持った鷹央は、立ちすくむ大河内和之に向かって言った。

3

堆肥舎の内部はコンクリートブロックで仕切られた太い通路が奥まで走り、枝分かれするように左右に細い通路が通っていた。コンクリートブロックで囲まれた空間には大量の堆肥がうずたかく積まれている。

「お前……」

大河内はマスクの下から呆然《ぼうぜん》とつぶやく。そんな大河内に向けて鷹央はからかうように何度もシャッターをきった。フラッシュの閃光が堆肥舎の中を照らし出す。

「やめろ！　撮るな！　なんでお前がここにいるんだ⁉」

大河内はくぐもった声をあげながら、両手を顔の前にかざす。ようやく嗅覚が麻痺《まひ》してきた僕は、大河内が手になにか白い物を握っていることに気づいた。

「この前言っただろ、トリックだったら解き明かすって」

反り返るほどに胸を反らす鷹央を睨《にら》みながら、大河内が低い声を絞り出す。

「……なんのことか分かりませんね」

「分からない？　なにが分からないって言うんだ？　なんでさっきの儀式が失敗したかも分からないのか？」

からかうような鷹央のセリフに、大河内は無言で表情をゆがめる。

「どうした、黙りこんで？　そうだ、私がやったんだ。私があの馬鹿げた儀式をめちゃくちゃにしてやったんだよ。しかしお前も上手いこと思いついたよな。よく練り上げられたシステムだ。けれど、それもすべて終わりだ。この教団は今日で崩壊する。馬鹿だよな、あわてて確認に来たりしなければ、ごまかせたかもしれないのに」

忍び笑いを漏らす鷹央をにらみつけながら、大河内はくぐもった声で話しはじめる。

「あなたがたは許可なく教団の敷地に入っています。早く出て行って下さい。さもないと……」

「さもないとどうする？　警察を呼ぶか。いいぞ、早く呼べよ。呼べるもんならな」

鷹央は歌うかのごとく楽しげに言う。大河内のマスクの下から唸《うな》り声が漏れた。

「あの……先生」僕は鷹央におずおずと声をかける。

「なんだよ、いいところなのに」

それは重々感じているのだが、まったく状況の分からないまま、ここで空気になっているのはさすがに耐えられなかった。

「いや、あのですね……いったいどういうことなんですか？」

声をひそめてたずねると、鷹央はもともと大きな目を見開いた。

「まだ分からないのか⁉　馬の糞だぞ？　どう考えてもすぐ分かるだろ」

「えっと、……どう考えても意味不明なんですけど」

「頭の回転の悪い男だな。あの男がいま持っているのが、幻を見せる薬物だよ」

「え？」僕は反射的に大河内の手元を見る。

大河内は居心地悪そうに、右手を自分の体の後ろに持っていった。

「けど、あのお茶とカプセルにはなにも怪しいものは入っていなかったんでしょ？　どうやって薬が投与されたって言うんですか？　もしかして、儀式の時に焚いていたお香になにか入っていて、だからこそガスマスクが必要だったとか……」

「馬鹿かお前は。そんなことしたら、まわりで儀式の管理をしていた男たちもおかしくなるはずだ。あの儀式の時、ガスマスクをつけていた奴なんていなかっただろ」

お茶、カプセル、お香。それらに問題がないとしたら、いったいなにに薬物が含まれていたというのだろう？　それ以外に怪しい物を摂取した覚えなど……。僕が考え込むと、鷹央は左手の人差し指を一本ぴょこっと立てた。

「カレーだよ」

「は？　カレー？」

「そうだ。夕食で食べたカレー、それにクスリが入っていたんだ。あのあからさまに怪しいお茶とカプセル、それとお香は、全部カレーから目をそらすためのダミーだよ」

鷹央は立てた人差し指を、円を描くようにゆっくりと回す。

僕は「あ……」と呆《ほう》けた声をこぼす。たしかに儀式の前に口にしたものはお茶とカプセルだけではなかった。夕食に僕たちは腹一杯にカレーライスを食べていた。

「体験生活に参加するためのアンケート。あれには献金を多くしてくれる奴らや、教団に入信する可能性が高そうな奴らを見つけるって意味もあったんだろうな。けれど、一番の目的はちゃんと薬を投与できるか、つまりカレーが好きか、カレーを出されたら嫌がらず食べるかどうかを確認するためのものだったんだ。そうだろ？」

鷹央は大河内に向き直る。大河内の目が泳いだ。言われてみればたしかに、無数の質問の中に混じって、『カレーは好きですか？』という質問があったような気がする。

「昼間に農作業やらせたのも、食べ物の持ち込みを禁止したのもそうだ。確実に腹を減らさせて、夕食のカレーを食べるようにするためだ」

鷹央は黙りこむ大河内を追い込んでいく。

「……か、カレーに薬が入っていた？　いったいなにが入っていたって言うんですか？　警察が証明してくれたんですよ、うちの教団には違法な薬物なんてないって」

うわずった声で大河内は言う。その態度からはこれまでの余裕が消え失せていた。

「警察が捜していたのはＬＳＤだったからな。しかも、お前の指示で信者の一人が、偽の薬の保管場所を警察に伝えていたから、ここまで調べようとしなかった」

「警察がこの堆肥舎を調べないのを予測して、ここに違法な物を隠していたって言うんですか？　ここが調べられない保証なんてないでしょう」

「なあ、なんで馬を飼っているんだ？」

「なにが……言いたいんです？」大河内は硬い声でつぶやく。

「お前は別にここが調べられてもかまわなかったんだよ。最初から疑問だったんだ、なんでこの教団がこんなに大量の馬を飼育しているのか。馬はデリケートな動物だ。牛に比べ飼育が難しい。本当なら牛を飼った方がずっと効率的だ」

「それは……『彼ら』からの指示なんですよ。馬は高貴な生物だから……」

「戯《ざ》れ言《ごと》吐くなよ、この詐欺師が。お前が本当に必要だったのは馬じゃない、そこに貯蔵されている馬糞だよ」

　鷹央は大河内の背後に盛られた堆肥の山を指さす。大河内の表情がこわばった。

　僕が「馬糞⁉」と甲高い声をあげると、鷹央は「お前、まだ気づいていなかったのかよ？」とため息をつき、つかつかと堆肥舎の中へと入っていった。

　中に入るの⁉　一瞬迷うが、中には大河内がいる。ついていかないわけにはいかない。僕は覚悟を決め、堆肥舎に踏み込んだ。鷹央は通路の脇にある自分の首ぐらいの高さのコンクリートブロックに手をかけると、身を乗り出して中をのぞき込む。

「何やってるんですか⁉　汚いじゃないですか」

「おお。あったあった」

　手を伸ばし堆肥の山の中からなにかを摑み取った鷹央は、その手を僕の鼻先に突きつけてきた。思わずのけぞってしまう。

「……キノコ……シメジ？　そこに生えていたんですか？」

　鷹央の手には、柄が細く傘の大きさが二、三センチの白いキノコが握られていた。

「ああ、キノコだ。奥に大量に生えているぞ。ただ、これはシメジじゃない」

　鷹央はもったいつけるように一呼吸置くと、唇の両端を吊《つ》り上げながら言った。

「これはヒカゲシビレタケだ！」

「……ひかげ？」聞きなれない単語に、僕は首をひねる。

「おい、ヒカゲシビレタケだよ、知ってるだろ。昔からマジックマッシュルームとか呼ばれているキノコだ」

「マジックマッシュルーム⁉」

「マジックマッシュルームなら知っているのか。正式名称まで知っておけよな。これはヒカゲシビレタケ。ハラタケ目モエギタケ科シビレタケ属のキノコだ。このキノコはシロシビンという幻覚物質を多く含み、摂取すると三十分から一時間で吐き気をともなう不快感、めまいやしびれなどが現れる。その後、幻視、幻聴、四肢の脱力、時間・空間認識の鈍麻など、ＬＳＤを摂取した時と同じような症状を引き起こす」

いつものように、事典を読み上げるかのように知識の羅列をはじめた鷹央は、手にしていたキノコをコンクリートブロックの奥に放り捨てると笑みを浮かべる。

「この前、私たちが食べたカレー。なかなか具だくさんだったよな」

鷹央の言葉で三週間前に夕食に出されたカレーを思い出す。たしかに具だくさんだった。ジャガイモ、ニンジン、ナス、鶏肉、そして……キノコ。

「もしかして、あのカレーの中に入っていたキノコって……」

「ああ、そうだ。ここで採れたヒカゲシビレタケだよ。どうした？　変な顔して」

「だって、馬糞で育てたキノコですよ。そんなものを……」

「普通のマッシュルームの中にも、馬糞で栽培しているものはあるはずだぞ」

鷹央は必要ない豆知識を教えてくる。

「けれどなんで、わざわざ馬糞なんかで？」

「ヒカゲシビレタケは糞生菌《ふんせいきん》に分類されるキノコだ。つまり、糞を分解して成長していく。そして馬糞はヒカゲシビレタケにとってもっとも適した培地《ばいち》だ」

鷹央は無言で立ちつくしている大河内に視線を送った。

「古代からシビレタケ類は宗教儀式に使用されて、様々な宗教体験を引き起こしてきた。しかも、ヒカゲシビレタケは麻薬として規制されているが、本州には普通に自生しているキノコでもある。もし警察の捜査で発見されても、自生したと言い張ればそう簡単に立件はできない。つまり、使用する直前にここで収穫して信者や体験生活の参加者たちに食べさせれば、罪に問われることはないってことだ。しかも、警察の強制捜査は基本的に夜明けから日没までの間に行われる。日没頃に収穫して、夜の内に全部食べさせればいい。いや、本当によく考えこまれたシステムだよ」

鷹央は朗々と話し続ける。

「あの儀式で見た幻覚、大量に飼育している馬、警察の捜査で見つからない薬物、厳重に警備された牧場。そこから私は、お前がここでシビレタケを作っていると疑った。けれど、赤外線センサーが張り巡らされたこの堆肥舎に気づかれずに忍び込むことは難しかった。だから、今日のカレーに細工をしたんだ。そうしたら案の定、お前はキノコが心配になってここにやってきた。てっきり部下を使うと思っていたんだけど、お前本人が駆けつけたってことはよっぽど焦っていたんだな。そこは嬉《うれ》しい誤算だったよ。おかげで最高の証拠写真を撮ることができた」

「あの、細工って、なにをしたんですか？」

僕はおずおずと横から口を挟む。ついさっき体験生活参加者の宿舎に忍び込んだ時、鷹央は幻覚キノコ入りのカレーを探し、それを見つけたのだろう。しかし、どうやって幻覚キノコ入りのカレーを無毒化したのだろうか。

「ＭＡＯだ」鷹央は得意げに言った。

「マオ？」

「お前、まさかＭＡＯまで知らないって言うんじゃないだろうな？　それでも医者か？　モノアミン酸化酵素だよ。脳の中でセロトニンとかを分解する酵素だ。うつ病の薬でＭＡＯ阻害薬ってあるだろ」

ああ、言われてみれば……。外科ではまず使わない薬なので記憶は曖昧だった。

「シビレタケの幻覚成分のシロシビンは、セロトニンに極めて似た物質だ。ＭＡＯによってその毒性を中和させることができる。先週、帝都の生理学教室にいる友達に頼んで大量につくってもらった。それをカレーの中に混ぜこんだんだよ」

「あの、そんなもの混ぜて大丈夫なんですか？　なんか、脳内のホルモンバランスが崩れたりは……」

「大丈夫に決まっているだろ。酵素は蛋白質《たんぱくしつ》だぞ。消化器でアミノ酸に分解される。活性を持ったまま体に吸収されるわけじゃない。生理学の授業でなにを習ってきたんだよ？　まあ、直接血管に注射すれば変な作用を起こすかもしれないけどな。ちゃんと滅菌しているから今度お前に試してやろうか？」

僕を見る鷹央の目に妖しい光が宿ったのを見て、頰が引きつる。この人なら本気で僕で人体実験をしかねない。

「証拠……」

それまで黙っていた大河内が、弱々しい声でつぶやいた。

「ん、何か言ったか？」鷹央は唇の両端を吊り上げ、挑発するように笑う。

「いま言ったことに、なにか証拠があるんですか？　私はただ、夜の見回りでここに来ただけです。それに、たしかにここに生えているキノコは法律で禁止されているのかもしれませんけど、あなたも言っていたでしょ、勝手に自生するような種類だって。私は偶然おかしなキノコが生えているのを見つけて手にとっただけです」

大河内は震える声でまくし立てる。

「その言い訳は苦しいだろ。儀式で異常が出てから、お前はスーツ姿のまま真っ直ぐにここに向かった。普通こんな馬糞であふれた場所にスーツでは来ないだろ。それに、いくら自生するって言っても、ここはあまりにもキノコが多すぎる。さすがに人工的に栽培しないとここまでの数が生えるはずがない。あと……」

鷹央はごそごそとジャージのポケットを探り、中から小さなガラス瓶を取り出した。

「さっき厨房《ちゅうぼう》でＭＡＯを投与する前にカレーを採取しておいた。しっかりキノコも入っている。これを警察に渡したらどうなるかな？」

鷹央は瓶を振り子のように振る。

「……それがうちで作っていたカレーだって、どうやって証明するんですか。それにあなたはここに違法に忍び込んでいるんですよ。そんなもの証拠になりません」

「ああ、もちろん法律的にはそうだろうな。けれど警察は興味を持つんじゃないか？　たとえ告発できなくとも、少なくとも『自生』しているとお前が主張するキノコは全部処分しないといけなくなるだろ。そうなった後、『コンタクト』は可能かな？　この教団は崩壊せずにやっていけるのか？」

楽しげに言う鷹央の言葉を聞いて、大河内の表情筋が細かく痙攣《けいれん》しだす。

「本気で……それを警察に持っていくつもりですか？　そんなことすれば、住居侵入であなたを告発しますよ。へたをすれば医業停止ですよ」

「うん？」鷹央は笑みを引っ込めると、小首を傾《かし》げた。「それがどうかしたのか？」

「どうかしたのかって……」

鷹央の返答に大河内だけではなく僕まで絶句する。

「言っただろ。もしお前のやっていることが詐欺だったら、どんなことをしてもそれをあばくって。私は約束を守る女だ」

いまだに言葉を失っている大河内に向かって、鷹央は凜《りん》と声を張った。

呆《ほう》けて鷹央の宣言を聞いた大河内は、数秒呆然《ぼうぜん》と鷹央を見つめた後、マスクの下で深く息を吐いた。深く、深く、その顔から潮が引くように表情が消えていく。

「……あなたが、いけないんですよ」

平板な口調でつぶやくと、大河内はすぐわきのコンクリートブロックに取り付けられた赤い機器に手を伸ばした。次の瞬間、けたたましいアラーム音が鳴り響く。三週間前、鷹央が鳴らしたものと同じアラーム音。これが鳴らされたということは……。

「先生、逃げましょう」

僕は鷹央の手を取る。しかし鷹央は動かなかった。

「そんなに焦るなよ。まだこいつと話したいことがあるんだ」

「なに言ってるんですか⁉ 早く逃げないと！」

「またあの男たちを呼んだんだな」

焦る僕を尻目に、鷹央は動揺するそぶりも見せずつぶやく。

「焦げ茶ジャージの男たちは、他の信者とは明らかに毛並みが違ったな。これほどの規模でヒカゲシビレタケを栽培するのは、さすがに一人じゃ無理だ。あの男たちが共犯者なんだろ？ 信者から吸い取った金をみんなで山分けっていうわけか。お前がメチルフェニデートを横流ししていたころに知り合ったチンピラといったところか？」

「敬虔《けいけん》な信者ですよ。私の命令にはなんでも従ってくれる」

表情が消えていた大河内の顔に、酷薄な笑みが刻まれる。

「敬虔なんだろうな。金を渡している限りはな。それで、あいつらになにをさせるんだ？ 私たちを殺すつもりか？ それとも監禁して、……洗脳でもするのか？」

「……あなたが悪いんです」大河内は鷹央の言葉を否定しなかった。

洗脳。脳裏に一人の男の姿が映ると同時に、背筋が凍りつく。

『宇宙人の命令だ』とつぶやきながら躊躇することなく沖田を殺害したあの男。大河内は僕たちをあの男のようにするつもりなのか？

「先生、いいから逃げますよ！」

僕は鷹央の手を再び取ると、さっきよりも力を入れて引き、鷹央を堆肥舎の外へと引きずっていく。外へ出た瞬間、僕は顔を引きつらせた。牧場内を十数人の人影がこちらに走ってきているのが見えた。このままでは一分もしないうちに囲まれる。

逡巡《しゅんじゅん》が僕を責め立てる。僕一人なら逃げられるかもしれない。けれど、鷹央を連れて逃げ切ることはまず無理だ。

とりあえずここは一人で逃げて、すぐに助けを呼んで戻ってくる。それがベストな選択か？　僕はちらりと隣に立つ鷹央に視線を向けた。

男たちを無表情に眺める童顔。栄養失調を疑ってしまうような細い四肢。

何を考えているんだ！　僕は自分の頬を平手で軽く張って、脳の中に湧いたアイデアを頭蓋骨の外にはね飛ばした。この頼りない上司の保護者のつもりで、僕はここにやってきたのだ。保護すべき対象を置いていってどうする。

男たちは顔が識別できるほどに近づいてきている。覚悟を決めた僕は重心を落とす。大学時代の六年間、空手部での稽古に明け暮れた。いまもトレーニングは続けている。そう簡単にやられたりしない。アドレナリンが血液に溶け出し、全身を駆け巡る。心拍数が心地よく上がっていくのを感じながら、僕は男たちを待つ。

男たちが無言で僕たちのまわりをとり囲んでいく。その視線は三週間前、同様の状況になった時よりはるかに鋭く全身に突き刺さった。男たちも気づいているのだろう。この場所に僕たちがいることがなにを意味するのか。

集団の一人、首筋に髑髏《どくろ》の刺青が彫られた男が「てめえか……」と、獣のように唸《うな》る。見覚えがある男だった。体験生活の二日目に絡んできた男。

「……ばれたんスか？」

刺青の男は、僕たちの背後で堆肥舎から出てきた大河内に向けて言う。大河内は口元から乱暴にマスクを外すと重々しくうなずいた。男たちの間をざわめきが走る。

「どうするんスか？」刺青の男が押し殺した声で訊ねる。

「……さらえ」

大河内は整髪料で整った髪をがりがりと掻きながら答える。刺青の男の顔がゆがんだ。おそらくは暴力への期待によって。

集団の中から一人出てきた刺青の男は、ゆっくりと僕の目の前まで近づいてきた。

「本当にもう一回忍び込んでくるなんてな。そんなに俺と遊びたかったのかよ」

両手をジャージのポケットに入れたまま腰を曲げると、刺青の男は下から僕を睨め上げてきた。

「おい、なんとか言えよ。びびっちまって声もでねえのかよ？」

僕が黙っていることで調子に乗ったのか、男はくぐもった笑い声をあげる。

「……くさい」

「あ？」

「口開くなよ。臭くてたまらないから」

「あ……？　あんだと、てめえ！」刺青の男はめくれあがるほど唇をゆがめると、僕の襟をつかもうと無造作に右腕を伸ばしてくる。

臨戦態勢に入っている相手に、なんの警戒もなく摑みかかるとはね。

僕は細く短く息を吐くと、左脇を締め、左の前腕を内側から回しこんで、男の手を流す。内回し受け、何万回とくり返してきた動作。意識するまでもなく体が動いた。

肩を摑む寸前ですかされ、男は僕とすれ違うようにたたらをふむ。そのみぞおち、水月《すいげつ》と呼ばれる急所に、僕は体重を乗せた中段突きをたたき込んだ。

胃、そして横隔膜に拳がくいこんでいく。

ごふぁあという声とともに、少量の胃液を嘔吐《おうと》しながら男はその場に崩れ落ちる。ひざまずいた男の顔面を、僕はサッカーボールでも蹴るかのように蹴り上げた。足の甲に、スニーカーを通して鼻の骨が折れる感覚が伝わってきた。

仰向《あおむ》けに倒れ、ピクピクと細かく痙攣する男を見下ろしながら、僕は体勢を整える。

まわりの男たちは息を呑むと、慌てて身構えた。しかし、襲ってくる気配はない。あまりにもあっさりと仲間がやられたことで混乱しているのだろう。

僕は両拳を胸の前で構えたまま、鷹央に小声で話しかける。

「先生、逃げて下さい。あいつらはなんとかしますから。外に出たらできるだけ早く民家に駆け込んで、警察に……」

「心配するな」鷹央は楽しげに僕の言葉をさえぎった。

「え？」

「お前、本当に強かったんだな。けれど大丈夫だ。得意の空手は後にとっておけ」

「後って……？」いったい何を言っているのか分からない。

「大河内さん……、男だけでもここで殺《や》っちゃってかまいませんか？」

僕がどうするべきか迷っていると、男の一人が物騒なことを口にした。

ジのポケットから小振りなナイフを取り出した。それにならうように、数人がナイフを手にする。大河内は答えない。その沈黙が肯定を意味することは明らかだった。

僕はうめき声をあげながら唇をゆがめた。さすがに刃物を持った相手とことを構えた経験はない。身を焦がすような緊張感が僕を責め立てる。

「いやいや、まさか幹部信者がナイフを持って襲ってくるなんてな。これがお前が必死につくった団体か？　お前が目指した宗教はこんなものだったのか？」

　鷹央はその場でまわれ右するように百八十度回転すると、唐突に背後に立つ大河内に向かって話しかけはじめた。僕もつられてちらりと大河内に視線を向ける。

「……なにが言いたいんですか？」大河内の顔に戸惑いが浮かぶ。

「お前だって、金儲《かねもう》けのためだけにこの教団をつくったんじゃないだろ？　人生に悩んでいる奴らを助けたかったんだろ。たしかに方法は間違っていたけれど、その思想自体は素晴らしいものだったはずだ」

　一瞬の沈黙。大河内はメガネの奥の目を二度三度しばたたかせると、ぷっと吹き出した。それにつられるように、周りの男たちの間からも嘲笑が湧きあがる。

「あなたは、本気でそんなこと思っているんですか？」

　侮蔑を濃く含んだ口調で大河内は言う。

「ごまかさなくたっていい。私には分かっているんだ。お前が本当は信者たちを助けようとしていたことを」

　鷹央は大河内の目を真っ直ぐに見ながら言った。大河内の顔がこわばっていく。

「馬鹿かてめえは！」

　大河内は怒声をあげた。これまでかぶっていた慇懃《いんぎん》な仮面がその顔から、その全身から剝がれ落ちる。

「信者のため？　そんなわけねえだろ。全部金のためだよ。当たり前じゃねえか。なんで俺が本気で宇宙人なんて信じてる馬鹿《ばか》どものことを考えなくちゃいけねえんだよ。あいつらなんて単なる金づるに決まってんだろ」

「お前……本当にそう思っているのか⁉」

鷹央は目を見開いた。

「じゃあ、神羅は。お前にとって神羅はなんなんだ？　神羅は本気で宇宙人を信じて、人々を救おうとしているんだぞ。お前にとって神羅は大切な存在じゃないのか？」

すがりつくように悲痛な声で鷹央は叫ぶ。僕の胸に一瞬痛みが走った。鷹央は以前、自分は人の気持ちを読み取れないと自虐的に言っていた。普通に見れば、大河内が信者や神羅など金儲けの道具としか見ていないことは明らかだ。しかし鷹央には、大河内が本気で人々を救済しようとしていると見えていたのかもしれない。

大河内は小馬鹿にするように鼻を鳴らした。

「神羅？　ああ、大切な存在だよ、馬鹿な信者たちを信じさせる馬鹿な教祖としてな。信じられるか、あの馬鹿女、本気で自分の力で宇宙人と交信していると思っているんだぞ。どこまでおめでたいんだよ。全部俺がお膳立てしてやっているっていうのによ。あいつが得意げに『宇宙人』の話をするたびにな、虫酸《むしず》が走るんだよ」

大河内の言葉を聞いて、鷹央は静かにうつむくと肩を震わせはじめる。そんな鷹央に僕はかけるべき言葉を見つけられなかった。

「ぐずぐずするなよ。さっさと終わらせろ」

大河内の合図で、男たちが再び身構え、じりっとにじり寄ってくる。僕は腰を落とし、迎撃態勢を整える。次の瞬間、男たちの後方から怒号が聞こえてきた。

大河内の仲間がさらに駆け付けたのか？　ただでさえ絶望的な状況だというのに、これ以上相手が増えたらどうしようもない。崩れ落ちそうなほどの絶望感が胸に湧く。

「やっとかよ」鷹央のつぶやきが僕の鼓膜を揺らした。

「……え？」

見ると、鷹央が顔を上げていた。なぜか楽しげな笑みがその顔に浮かんでいた。

この人、泣いていたんじゃなくて、笑いをこらえていた？

「ほれ、ちゃんと見ろよ、見物だぞ」

混乱する僕に向かって鷹央はあごをしゃくる。顔を上げると、目の前にいた男たちが動揺して背後を振り返り、なにか叫んでいた。僕は近づいてくる人影が信者のものではないことに気づく。走って来る二十人ほどの男たち、彼らはジャージではなく、サラリーマンの着るようなスーツに身を包んでいる。しかし、その誰もが一般人とは明らかに異なったオーラを纏《まと》っている。どこか堅気《かたぎ》の者とは思えないオーラを。

スーツの集団の一人が、ナイフ片手に立ちつくしているジャージ姿の男の襟を摑むと、一瞬で腰に乗せ投げ捨てた。続くスーツ姿の男たちも同様に、次々とジャージの男たちを投げ、引きずり倒し、押さえ込むと、その手に手錠をかけていく。

「なに……これ？」目の前で繰り広げられている光景を、僕は唖然《あぜん》として眺める。

「ああ、おつかれさまです」

間延びした声が響く。見ると、見覚えのある中年男が近づいてきていた。

「刑事さん？」

コートを片手に持った刑事、桜井を見ながら、僕は呆けた声をあげる。

「遅かったな」

「これでも急いで来たんですよ。この施設はなかなか広いですからね。四十代の体にはちょっときつかったです」

「刑事だろ。もっと体を鍛えておけよ」

「鍛える暇もないんですよ。刑事を便利屋みたいに使う一般人もいるものでね」

鷹央と桜井の会話を聞いた僕はようやく理解する。この二人が組んでいたことを。

「グルだったんですか⁉」

僕が大声を上げると、桜井は『心外だ』とでもいうように大仰になで肩をすくめた。

「人聞きの悪いことを言わないでください。私たちは近くで教団の監視をしていただけです。そうしたら急に、天久先生から教団施設の中で監禁されかけていると連絡が入ったので、あわてて駆け付けたんですよ。一般市民を犯罪から守るためにね」

僕は棒読みのセリフを吐く桜井をにらむ。明らかにそういう建前で、もともと綿密に計画を立てていたに決まっている。そうでなくてはこの絶妙のタイミングで、しかもこれほど大量の捜査員が乗り込んでくることなどあり得ない。

鷹央が侵入して、この教団の詐欺の証拠を見つけ、そのうえでわざと大河内たちに襲われる。そうすれば、前回の強制捜査の失敗でこの教団に手を出しにくくなっている警察も、一般人を助けるという大義名分を得て教団に乗り込むことができる。

こんな大それた計画、警察から提案するわけがない。こんな非常識なことを思いつくのは……。僕はじっとりとした視線を鷹央に注いだ。

「なんで前もって教えておいてくれなかったんですか？」

教えておいてくれれば焦る必要もなかったし、ヒーローの真似事《まねごと》をすることもなかった。鷹央に向かって言った臭いセリフを思い出し、顔から火が噴き出しそうだ。

「だって、聞いてこなかったじゃないか」さも当然といった感じで鷹央は答える。

「なんなんだこれは⁉」

教団側のほとんどの者に手錠がかけられ、一通り騒ぎが収まりつつある中、甲高い声が上がった。見ると、後ろ手に手錠をかけられた大河内が身を捩《よじ》っている。

「なんで私が逮捕されるんだ！　逮捕状をだせ、逮捕状を。そうでなきゃ、お前ら全員訴えてやるし、マスコミにも連絡してやるからな」

刑事に引き倒された時についたのか、泥で汚れた顔をゆがめながら叫ぶ大河内には、この教団の最高権力者としての威厳は微塵《みじん》も残っていなかった。

「逮捕状？　なんのことです？　あなた方は天久先生と小鳥遊先生に対する逮捕監禁未遂の現行犯で逮捕されたんです。現行犯ですから逮捕状なんていりません」

桜井は薄ら笑いを浮かべる。

「ふざけるな。私たちは侵入してきたその二人に、紳士的にお引き取りを願っていただけだ。逮捕するなら、勝手に侵入してきたそっちの二人だろ」

大河内は唾を飛ばしながら叫び続ける。鷹央はごそごそとジャージのポケットを探ると、その中から小さな機器を取り出した。

「これはスマートフォンという便利な道具だ。堆肥舎に入る前にそこの刑事の携帯にかけて、繋《つな》ぎっぱなしにしていた。私たちの会話は警察に聞かれていたんだよ」

自分が罠《わな》にはめられていたことを悟り、大河内は歯茎が見えるほどに唇をゆがめる。

「そういうことです。大河内和之さん。先ほど偶然この近くに待機していた私に天久先生から助けを求める連絡が入り、それからずっと回線はつながっていました。あなたが先生方を脅す声もしっかり聞こえていましたよ。もちろん録音もしています」

桜井が追いうちをかけていく。大河内は押さえこまれたまま桜井をにらみつける。

「は、これで訴えられるとでも思っているのか。その女が持ってる証拠は全部違法な手段で手に入れたものだ。証拠も証言も裁判じゃ無効だ!」

「たしかに、これだけでは裁判で確実に有罪にはできないかもしれません」

大河内の反論を桜井はあっさりと認める。大河内の表情がわずかに緩んだ。しかし次の瞬間、桜井は意地の悪そうな笑みを浮かべる。

「ですから、送検するまでにあなたのお仲間全員を、しっかり取り調べさせていただきますよ。見たところ二十人近くいらっしゃるようですが、全員がしっかりと否認しますかねえ。自分だけ少しでも心証をよくして罪を軽くしようと、この教団でしていたことを全部吐く人がいるんじゃないですかねえ」

桜井の言葉を聞いた大河内はぎこちない動きで背後を振り向き、手錠をかけられた仲間たちを見る。次の瞬間、大河内の肩ががくりと落ちた。

「おお、リアル『囚人のジレンマ』だな」

はしゃいだ声を上げる鷹央を横目に見ながら、僕は大きく安堵《あんど》の息を吐く。なんとか助かったらしい。その時、どこか遠くからざわめきが聞こえて来た。へらへらとしていた桜井の表情がこわばる。僕は桜井の視線の先、刑事と逮捕された男たちのさらに奥に目を向けた。喉の奥からうめき声が漏れる。

無数の人影が牧場の中をこちらに向かってゆっくりと近づいてきていた。紺色のジャージを着ている人々、一般信者たちだ。近くの宿舎に住む信者たちが騒ぎを聞きつけ、様子を見に来たのだろう。その数は一見しただけで百人近くいそうだ。

信者たちは刑事と逮捕された男たちの外側に、厚い人垣をつくりあげていく。

「皆さん、下がって下さい！　私たちは警察です。どうぞ落ち着いて下さい！」

刑事の一人がスーツの懐から警察手帳を取りだし、とり囲む信者たちに見せる。しかし、それは信者を落ち着かせるどころか、さらなる動揺を生み出しただけだった。

それはそうだ。目の前で教団の代表者たちが警察に組み伏せられているのだから。

「これは……まずいですねぇ」緊張をはらんだ口調で桜井はつぶやく。

「下がってください！　下がって！」

刑事の一人が声を張り上げるが、人垣が後退する気配はなかった。刑事たちと信者たちの間の数メートルの空間に、危険な空気が充満しはじめる。

「説明して下さい！」

信者の一人が意を決したように声を上げる。すぐにその周囲が「そうだ。そうだ」と同調しはじめた。

「政府による弾圧です！」

唐突に、張りのある声が上がる。組み伏せられた大河内の口から。大河内のすぐそばにいた若い刑事があわてて黙らせようとするが、もはや遅かった。

「汚れた近代文明に『彼ら』が罰を与えようとしていることを知った政府が、『彼ら』との窓口である私たちを排除しようとしているんです！」

あまりにも馬鹿げた主張、しかし一瞬にして信者たちの間に怒気がみなぎりはじめた。それはそうだ。いまの主張が馬鹿らしいと思うような者なら、この施設で集団生活など送りはしない。ここにいる信者たちは『コンタクト』というあの奇跡体験を繰り返し、宇宙人の、『彼ら』の存在を完全に信じ切っているのだ。あの儀式が幻覚キノコによって生み出されたまやかしであるとも知らず。

「大河内先生を……みんなを放して下さい」信者の中から初老の男が一歩前に出る。

「そういうわけにはいきません！　下がってください！」

刑事の一人が声を張るが、信者たちは下がるどころか、じわりととり囲む輪を小さくした。刑事の大部分が体格の良い中年男性であるのに比べると、信者たちはかなり華奢《きゃしゃ》だが、如何《いかん》せん人数が違いすぎる。集まってきている信者の数はさらに増えてきていた。この全員に襲いかかられたら、刑事たちもどうすることもできないだろう。

僕は横目で大河内の様子をうかがう。刑事に腕を掴まれて立つ大河内の唇は、妖しい角度に吊り上がっていた。

なにを考えているんだ、この男は？　僕と鷹央だけならともかく、刑事まで襲ったりすればもはや言い逃れできない。この教団はおしまいだ。

「……海外に逃げるつもりか？　もう金は十分稼いだもんな」

鷹央が大河内を見下ろしながらつぶやく。大河内は唇の角度をさらに深くした。

ああ、そうか。僕はようやく気づく。ここで刑事を全員殺したとしても、時間さえ稼げれば良いのだ。それがあかるみに出る前に海外逃亡をすればいいのだから。

何重にも策を張っていた男。その最後の罠に僕らは搦《から》め捕られつつあった。

信者がさらに輪を縮める。信者と刑事の集団の距離はすでに三メートルほどまでちかづいていた。刑事たちは逮捕した男たちの腕を放し、身構えはじめる。

三メートルの空間に緊張が満ちていく。それは限界まで張り詰めた風船のようで、小さなきっかけで今にも破裂してしまいそうだった。その時、信者たちの中からざわめきが湧きあがった。

人垣がゆっくりと左右に分かれていった。そうしてできた道を、割った紅海を進むモーゼのごとく一人の女性が歩いてくる。

ウェディングドレスを彷彿とさせる純白の衣装に包まれた細いシルエット。深紅に彩られた涼やかな薄い唇。純白に塗られた絹のような質感の頬。そしてこちらに向けられた強い意思の光をたたえた目。しかし、それはあくまで左の顔だけで、右の顔面は遠目でも見てとれるほどに赤黒くただれていた。

神羅。教団の絶対的な指導者。

水を打ったかのようにあたりは静まりかえった。ゆっくりと、じらすかのようにゆっくりと進む神羅に、誰もが視線を奪われてしまう。神羅が刑事たちの前に立った。

「これはどういうことだ？」神羅は低いハスキーな声で訊ねる。

刑事たちはお互いに顔を見合わせるだけで、なにも答えられなかった。

「彼らを離せ」神羅は再び口を開く。右半分の唇が醜くめくれ上がった口を。

「……それは、出来ません」それまで黙りこんでいた刑事の一人がおずおずと言う。

「なぜ私の仲間を逮捕している？　私たちがなにをした？」

神羅の口調に怒気が混ざる。信者たちの目にも再び怒りの炎が燃えはじめる。

「それは……」さっきこたえていた刑事が口を濁す。

刑事たちは知っているのだろう。この教団における神羅という存在の大きさを。その影響力は大河内を遥《はる》かにしのぐ。もし神羅が「侵入者たちを殺せ！」と叫べば、信者たちは命令を実行するだろう。

周囲の空気が触れれば切れそうなほどに張り詰める。刑事側、信者側、どちらも動くことができず、事態は硬直していく。

終着点の見えないにらみ合いは不意に終わった。一人の女性によって。

天久鷹央。この状況を作り出した張本人。

刑事たちを掻き分けるようにしてすすんだ鷹央は、神羅の目の前に立つと、その鼻先に指を突きつける。神羅の両目を見つめながら、鷹央はゆっくりと口を開いた。

「お前は神羅じゃない」

一瞬、辺りに耳がおかしくなったかと疑うほどの沈黙がおりた。僕を含むほとんどの者が、そのあまりにも衝撃的な告発の意味をすぐには理解できなかった。数秒のタイムラグを置いて、信者たちの間に地鳴りのようなざわめきが生じる。

「……私は神羅だ」

神羅は穏やかな声で言った。鷹央はずいっと神羅に近づき、睨め上げる。

「そうか、じゃあ質問を変えよう。お前はいつから『神羅』なんだ?」

神羅は答えなかった。その左顔面にかすかに動揺が走ったような気がした。

「なんだ、答えないのか? しかたないな、代わりに私が言ってやろう。お前が『神羅』になったのは、いまから一年半ぐらい前だ」

「な、何を言っているんだ! 全部でたらめだ!」唐突に大河内が震える声で叫ぶ。

「うるさい! 私はこの女と話しているんだ。お前は黙っていろ!」

鷹央は大河内を一喝すると、神羅に向き直る。

「一年半前から、それまであまり人前に出なかった『神羅』が頻繁に目撃されるようになった。それにともない、不定期にしか開けていなかった『コンタクト』が定期的に行われるようになり、この教団は信者を爆発的に増やした。なんでそれほど『神羅』の行動に変化が現れたのか。答えは簡単、『神羅』が別人に入れ替わったからだ」

鷹央の声はそれほど大きくはないが、不思議なほどよく通った。誰もが口をつぐみその言葉に耳をかたむける。いつの間にか、あたりは鷹央の独演会となっていた。

「そうなると、問題は現在の『神羅』であるお前が誰かだ。それはすぐに分かった。この教団で行方不明になっている奴は、把握されている範囲では一人しかいない」

鷹央は神羅を見つめたまま、ゆっくりとそのピンク色の唇を開く。

「お前は沖田絵美。一年半前まではこの教団の出家信者の一人でしかなかった女だ」

神羅の体がびくりと震えるのを、僕は呆然と眺めた。たしかに言われてみれば目の前に立つ神羅には、写真で見た沖田絵美の面影がある気がしないでもない。しかし、同一人物かと言われると自信が持てなかった。神羅は儀式用の化粧をしているし、そしてなによりも右の顔が……。

「お前は一年半前から『神羅』となった。だからこそ沖田だけは娘と会えなくなったんだ。『神羅』が入れ替わっていることに気づかれないために」

鷹央は滔々《とうとう》と語り続ける。

「けれど……顔は？」僕は無意識のうちに、震える声で疑問を口にする。

「顔？　ああ、顔の火傷《やけど》のことか。なに言ってるんだ。火傷した顔を元に戻すのは大変だけど、普通の顔に火傷を作るのは簡単だろ」

鷹央は神羅から大河内へと視線を移動させると、淡々とした口調で言った。

「火で炙《あぶ》ればいいんだ。なあ、そうだろ？」

僕の口からうめき声がもれる。

「そこにいる大河内和之は医者だ。麻酔をかけながら顔面を焼くこともできただろ。まあ、それでも火傷の処置は大変だから、かなりの苦痛を伴っただろうな。けれど、この教団に帰依《きえ》していたお前は、『神羅』になるための苦痛として受け入れた。そしてお前は晴れて、二代目の『神羅』となった」

鷹央は一歩神羅に近づくと、手を伸ばして神羅の白く塗られた左の頬に触れる。その指先が雪の色に変わる。

「これだけ濃い化粧をしているし、その火傷のせいで、ほとんどの者はお前の顔を凝視したりしない。一信者に過ぎなかったお前が『神羅』になったことに誰も気づかなかった。念のため、ここで一緒に生活していた者たちとは顔を合わせないようにするぐらいの配慮はしたのかもな。なんにしろ、初代の神羅がなかなか人前に出ようとしなかったことも幸いして、『神羅』の継承は成功した。ただ、『沖田絵美』があまりにも不自然に消えたんで、生け贄にされたなんて噂も一部で流れていたみたいだけどな」

そこで言葉を切ると、鷹央は上目づかいに神羅を見る。答えをうながすように。

この場にいる全員の視線が鷹央と神羅、二人に注がれていた。神羅の血のように紅く塗られた唇がかすかに動く。

「私は『神羅』だ。……だが一年半ほど前まで、私は沖田絵美だった」

さざ波のようなざわめきが信者たちの間から湧きあがり、そしてすぐにそれは大波へと成長していく。多くの信者たちが叫び声をあげ、百人を超える集団がパニックに陥ろうとしていた。しかし、その寸前に神羅が、沖田絵美が右手を掲げた。

信者たちのざわめきが消え去る。凄《すさ》まじいカリスマ性だった。

「あなたの言うとおり、私が『神羅』になったのは一年半ほど前のことだ。先代の神羅が役目を終え、『彼ら』のもとへと召された。そして私が『彼ら』により、新しい神羅に指名されたんだ」

「そのために顔を焼いたっていうわけか」

「それが『彼ら』から与えられた試練だった。初代と同じ苦痛を味わってはじめて、私は『神羅』になる資格を得られると」

神羅は、沖田絵美は闇に覆われた空を見上げる。

奥歯が軋《きし》んだ。ここまでくれば察しの悪い僕にだって、その時どんなことが行われたか想像がつく。幻覚キノコで絵美をトリップ状態にしたうえで、大河内が囁いたのだ。『お前が新しい神羅になるんだ。そのために顔を焼け』と。幻覚の中で『彼ら』

と会話をしていたつもりの絵美は、その言葉を神託として受けとった。

うっとりと空を見上げ続ける絵美を見ながら、鷹央はぼりぼりと緩やかにウェーブのかかった髪を掻く。

「そうか、そうやってお前が新しい『神羅』になって、宇宙人の言葉を他の信者たちに伝える役目を継いだんだな」

「その通りだ」

絵美の声は凛としてあたりに響いた。いつの間にか信者たちの動揺は消え去りつつあった。その神々しいまでのカリスマ性に、信者たちは絵美を『二代目神羅』として、自分たちの指導者として認めようとしている。

「ところでさっきお前は、『初代神羅は宇宙人のもとに召された』って言っていたな」

鷹央は目をすっと細くする。

「ああ。初代はこの世界での役目を終え、いまは『彼ら』のもとにいらっしゃる」

「その『彼ら』っていう奴らは、林の奥の崖下にいるのか?」

「え?」絵美は意味が分からないといった様子で、まばたきをする。

やっぱりそうなのか……。僕は鷹央の言葉の意味に気づく。

「だから、あの林の奥だ。そこにある崖の下。そこが宇宙人の住処《すみか》なのか?」

鷹央は闇に覆われている林の方向を指さす。

「……なんの話なんだ？」絵美の口調にかすかないらだちが混ざる。

「お前が宇宙人に連れて行かれたって言っている初代神羅、本名、大河内桜《さくら》の話だよ。その白骨死体が林の奥の崖下から見つかったんだ」

「な⁉　なにを言って……」

　絵美の目が、まぶたが焼けて垂れ下がった右目さえも、大きく見開かれる。

「最初はその死体がお前のものだと思った。警察が把握している中で、この教団で行方不明になっているのはお前、沖田絵美だけだったからな。けれど、歯の照合をしたら別人のものだった。ならあの骨は誰のものか。崖へと向かう獣道が神羅の住む施設のすぐ裏から出ていた。この一年半で急に信者への露出が多くなった教祖、行方不明になった同年代の女性信者、それらを総合して考えれば答えは簡単だ。なあ？」

　鷹央はおもむろに振り向くと、いつもとかわらぬ飄々《ひょうひょう》とした態度で状況を見守っている中年刑事、桜井に水を向ける。桜井は鳥の巣のような頭をぼりぼりと掻いた。

「ええ、先生に言われてすぐに確認しましたよ。あの白骨死体は間違いなく大河内桜。この教団の教祖とされていた女性のものです」

　左顔面を引きつらせる絵美に、鷹央は容赦なくさらに追い打ちをかけていく。

「大河内はこの堆肥舎で大量の幻覚キノコを生産し、信者たちにそれを食べさせることで幻覚を見せていたんだ。お前たちが『宇宙人とのコンタクト』だと思っていたのは、キノコが作り出した幻だったんだ」

「そんなわけない！」

ひび割れた声で叫ぶ絵美からは、悠然とした教祖の姿は消え去っていた。そこに立つのは、自らの存在を揺さぶられ、混乱の海で溺れている一人の若い女だった。

「初代の神羅だった大河内桜という女は、顔面に火傷を負ったストレスが引き金になって統合失調症を発症した。その症状として幻聴を聞き、それを宇宙人からのメッセージだと思いはじめた。不幸だったのは大河内桜がカリスマ性を持っていたことだ。診療報酬の不正請求で医業停止になり追い詰められていた兄の大河内和之は、そのカリスマ性を利用する方法を思いついた。精神科医のくせに妹に精神疾患の治療も顔面の形成手術も行わせず、その妄想を世間に発信させ、それと同時に幻覚キノコを使って『コンタクト』を起こす方法も確立した。そうして新しいビジネスプランを作り上げた大河内は、教団を立ち上げ、大きくしていったんだ。なあ、そうだよな？」

水を向けられた大河内は、歯を食いしばって憎々しげに鷹央を睨むだけだった。鷹央は鼻を鳴らすと再びしゃべりはじめる。

「けれど一年半前に問題が起こった。初代神羅の精神状態が悪化したんだ。信者たちの前に出られなくなるぐらいにな。そして、夜な夜な自分の住処を抜け出して、林の中奥で『宇宙人への生け贄』として小動物を捧げるまでになった。そして、その林の中で崖から足を滑らせた神羅は、その場で命を落とした」

鷹央は大河内を見下ろした。

「初代神羅が消えてすぐ、お前は神羅がどこかで自殺したんだと思ったんじゃないか？　お前は病状を悪化させる方へ悪化させる方へと妹を追い込んでいたんだからな。まあ、実際は林の奥で遭難していただけだったみたいだけどな」

信者たちの視線が拘束されたままの大河内に注がれる。二代目神羅、沖田絵美の視線も。大河内は無言のままあごを引いて目を伏せた。

「神羅なしでは教団は維持できない。追い詰められたお前はそこで思いついたんだ。新しい『神羅』をつくればいいってな。そこで選ばれたのが沖田絵美、お前だよ」

鷹央に名を呼ばれ、絵美は体を震わせた。

「お前は初代神羅と容貌が似ていたんだろうな。それに熱心な信者で人を惹《ひ》きつける魅力もあった。二代目神羅にはぴったりだ。そこの男は『宇宙人からの命令』だとだまし、お前の顔を炙って、新しい教祖にすえたんだ。そうして、お前は初代よりはるかに効率よく信者を獲得していったんだよ。自分がだまされていることも知らずに」

誰も動かなかった。この場にいる誰もが鷹央の独演会に引き込まれていた。

絵美は歯をガチガチと鳴らしながら、かすれて消えそうな声でつぶやく。

「でも……、私は『彼ら』に神羅を継ぐように言われて。『彼ら』は私に……」

「それもすべてキノコが見せた幻覚だったんだよ」

ふらふらと揺れる絵美に、鷹央は容赦なく真実を打ち込んでいく。

「ちがう！　ちがう、ちがう、ちがう……」絵美は長い髪を振り乱し、頭を抱えた。

三年という時間、そして自分の顔の右半分をこの教団に捧げてきたのだ。そのすべてが無意味だったなどという残酷な事実を、簡単に受け入れられるわけもなかった。

「なにも違わないさ。その証拠に、今日私がそのキノコが入ったカレーに中和薬を入れたら、儀式が失敗しただろ」

「あなたはなんなの⁉　なんの関係があるわけ？　なんでそんなことを……」

絵美は顔を歪めると、鷹央のジャージの襟を両手で摑んだ。

「私は天医会総合病院統括診断部部長、天久鷹央。お前の父親の仕事仲間だ」

「……え？」ジャージを摑む絵美の手がだらりと垂れ下がる。「……お父さん？」

「そうだ。先月、沖田は殺された。その沖田がずっと悩んでいたこと、それは娘がおかしな新興宗教にはまっていることだった。だから私は沖田の遺志をくんで娘を、つまりお前を連れ戻しに来たんだ」

「お父さんが……死んだ？　……殺された？」絵美の目が焦点を失う。

「しかもですね、犯人は『宇宙人に命令された』って言っているんですよ」

桜井が混乱の底なし沼に飲み込まれつつある絵美を、さらに沈めにかかる。酸欠の金魚のように口をぱくぱくと動かす絵美の姿は痛々しかった。しかし、これくらいのショックがなければ、洗脳を解くことはできないのかもしれない。

「だまされるな!」

叫び声が辺りの空気を震わせた。僕はその声を発した男をにらむ。後ろ手に手錠をかけられ、刑事に腕を摑まれたままの大河内和之を。

「全部でたらめだ! その女は『彼ら』の敵だ。これは『彼ら』の理想を実現するための試練なんだ! 惑わされるな! 『彼ら』のために戦うんだ」

絵美は顔を上げ、すがるような眼差しで大河内を見る。大河内は絵美に向かって力強くうなずいた。悔しいことに完璧なタイミングだった。いまの大河内のセリフは、自らのアイデンティティーを失いつつあった絵美、そして信者たちにとって地獄に垂れた蜘蛛《くも》の糸のように感じられただろう。その糸に毒が塗られていることになかば気づきつつも、手を伸ばさずにはいられない。

「大河内先生の言うとおりだ! でたらめだ! 全部でたらめに決まってる」

信者の一人が悲鳴のような怒声を上げる。現実から目をそらすためのいつわりの怒り。しかしその怒りは一瞬にして他の信者たちへと感染していった。

神羅が姿をあらわす前の状況に戻ってしまった。いや、さらに状況は悪化している。もはや信者たちが取りうる道は、僕たちに襲いかかる他にない。誰か一人が動き出せば、雪崩をうったように信者たちは暴力に身を委ねるだろう。

僕は鷹央のとなりに移動すると、身構える。鷹央はごそごそとポケットの中をあさりだした。ポケットから取り出した物を一度耳に当てると、鷹央は満足げにうなずきつつ右手を高々と掲げた。

『信者のため？　そんなわけねえだろ。全部金のためだよ。当たり前じゃねえか。なんで俺が本気で宇宙人なんて信じてる馬鹿《ばか》どものことを考えなくちゃいけねえんだよ。あいつらなんてたんなる金づるに決まってんだろ』

鷹央の右手から男の声が響き渡る。数十分前に聞いた男の声が。

信者たちの怒声が一瞬で消え去る。彼らの視線はゆっくりと、本当にゆっくりと、鷹央の右手から今の声を発した男へと移動する。

大河内は口をあんぐりと開けながら硬直していた。

「技術の進歩って素晴らしいよな。いまはこんなに小型化されているんだ」

大河内に向けてにやりと笑うと、鷹央は右手を開いて握っていた小さな機器、ＩＣレコーダーを見せつける。大河内の開いた口から断末魔の悲鳴のような声が漏れた。

信者たちの怒りの矛先が、僕たちからじわじわと大河内へと移動していく。

「ち、違う。いまのは私の声じゃなくて……。し、神羅。お前なら信じてくれるだろ？　私がそんなことするわけが……」

　大河内は説得する対象を絵美にしぼる。しかし、絵美がなにかを言う前に、鷹央は再びＩＣレコーダーのボタンを押しこんだ。

『神羅？　ああ、大切な存在だよ、馬鹿な信者たちを信じさせる馬鹿な教祖としてな。信じられるか、あの馬鹿女、本気で自分の力で宇宙人と交信していると思って……』

　絵美の焼けていない左の瞳が大きく見開かれる。糸が切れた操り人形のように、絵美はその場に座り込んだ。同時に大河内の頭が力なくがくんと垂れ下がる。

　辺りに漂っていた緊張が急速に弛緩《しかん》していく。桜井にいたっては、もともとしまりのない顔がさらに緩んで、寝ぼけているような表情になっていた。

「小鳥、移動しろ。大河内のそばに行くんだ」

　安堵の息を吐く僕の脇腹を、鷹央が肘でつついてくる。

「え、え、なんですか、急に？」

「いいから急げ。お前の空手を使うことになるかもしれないだろ」

「空手を使う？　まさか大河内を殴れとか言うんじゃないでしょうね？」

「なに言ってるんだ。これからなにが起こるか考えてみろ」

「え、なにが起こるって……」

「いいから来い。説明するのが面倒くさい。なにもなければそれでいいから」

　鷹央は僕のジャージのすそを摑んで引っぱる。しかたがないので僕は鷹央のあとについてうなだれる大河内のすぐそばまで移動する。大河内が鷹央を見上げる。その顔は筋肉が完全に弛緩していて、この数分で十歳以上老けたように見えた。

「……なんですか。……笑いに来たんですか?」

自虐的につぶやく大河内に、鷹央は一瞥もくれることはなかった。完全なる無視。嘲笑よりも辛辣なその態度に、大河内は再びうなだれる。

「あの、それでいったいなにを?」

僕は大河内を見下ろしながら訊ねる。その時、鷹央のネコのような目が大きく見開かれた。僕は反射的に振り返り、鷹央の視線の先を見る。

「あああー!」獣じみた叫び声が鼓膜を震わせる。

力なく座り込んでいたはずの絵美が、焼け爛《ただ》れた右の顔面をさらに歪めながら、身を低くしてこちらに走ってきていた。その手元で月光が鈍くきらめいた。

絵美の手には、さっき幹部信者が僕たちを脅す時に使ったナイフがあった。その刃先を真っ直ぐに大河内に向けて絵美は走る。

予想外の事態、そして焼け爛れた顔を憤怒に歪める絵美の迫力に、僕を含む誰もが金縛りにあったかのように立ちすくむ。ただ一人を除いて。

「小鳥! 止めろ!」

すぐ隣から打ちつけられた声に、遮断されていた脳と体の神経がつながった。ナイフが大河内の胸に吸い込まれる寸前、僕の前蹴りが絵美の手首を下から払った。はじき飛ばされたナイフが回転しながら数メートル先に落下する。

僕より一瞬おくれて金縛りから解放された刑事たちが、慌てて絵美の両腕を摑んだ。

僕は片足を浮かしたまま荒い息をつく。痛いほどに心臓の鼓動が加速していた。

「な、得意の空手は取っておけって、さっき言っただろ」

すぐ隣で鷹央が得意げに鼻を鳴らす。それを言われたのは刑事たちが来る前だ。あの時点でこのことを予想していたのか？　その知性に恐怖すら感じてしまう。

「放して、放して、放してぇ！」

刑事たちに捕まえられた絵美が、水揚げされた魚のごとく身を捩り大河内に襲いかかろうとしていた。鷹央は大股で絵美に近づく。

「うるさい。落ち着け。馬鹿なことをしようとするんじゃない」

「な、なにを……」絵美の唇が震える。

「私がこんな面倒なことをしたのは、沖田の遺志をくんでお前を一般社会にもどすためだ。お前を人殺しにするためじゃない」

「あ、あなたになにが分かるって言うのよ！　私は……私は、あいつの、あいつに言われて顔を焼いたのよ。あなたに私の、私の気持ちが分かるって言うの⁉」

「分かるわけがないだろ、私は自分の顔を焼いたことなんてないからな」

鷹央は感情を交えない声で正論を返す。絵美は歯茎が剝《む》き出しになるほどに唇を歪める。焼け爛れていない左の唇を。

「なら黙ってなさいよ！　こんな、こんな顔になって……あいつのせいで私の人生はもうおしまいなの！　お願いだから、お願いだから、あいつを殺させてよ！」

「お前は死んだのか？」

「え？」

再び暴れ出した絵美の動きを、鷹央の一言が止めた。

「『人生はおしまい』って言っただろ、いつの間にお前は死んだんだ？」

「だって……こんな顔じゃ……」

「顔がどうしたんだ？　右の顔面が焼けても、お前はまだ生きているじゃないか」

「こんな顔で……これから生きていくのよ。おしまいに決まってるじゃない。なんで、なんであなたはこんな事したの。なにも知らなければ、なにも知らないで……」

「なにも知らず、あの男に騙《だま》され、利用され続けた方が良かったか？」

鷹央の顔にかすかに感情の揺れが見えた気がした。僕は数時間前、林の中で鷹央と交わした会話を思い出す。あの時、鷹央は言った。自分はいまだ告知をしたことがないと。告知をすることを避けてきたと。

鷹央にとって教団の実態をあばくことは、はじめての『告知』だったのだろう。鷹央に迷いがなかったわけではなかった。ただ、あの林の中ですでに覚悟を決めていたのだ。絵美に、信者たちに残酷な現実を見せつけ、この教団から救い出すことを。

絵美はなにか言おうと口を開くが、その口からはなかなか言葉がもれてこなかった。

「私は、これからどうすればいいの……」

ようやくつむいだ絵美の言葉は弱々しく、夜風にかき消されてしまいそうだった。

「まずはその火傷の形成手術を受けて、最期までお前を助けようとしていた父親に感謝するんだ。そしてその後は自分で考えろ。お前はまだ若いんだ、やり直す時間はいくらでもあるだろ」

絵美はうなだれると、形の良い左目とまぶたの焼け爛れた右目からさめざめと涙をこぼしはじめる。力なくうつむく教祖、いやもはや教祖ではなくなった女性の姿を眺めながら、信者たちも同じようにうなだれ、肩を落としていく。牧場のいたるところからすすり泣く声が聞こえてきた

鷹央は星がまたたく夜空を見上げるとぼそりとつぶやいた。

「宇宙人か……会ってみたかったなぁ」

4

フロントガラスの奥に伸びる暗い道路がヘッドライトに照らされる。交通量の少ない国道を僕はアクセルを踏み込んでRX－8を進めていた。

僕はちらりと横に視線を向ける。限界までリクライニングした助手席に、目を閉じたジャージ姿の鷹央が横たわっていた。

「先生？」僕は聞こえるか聞こえないかぐらいの声量で声をかけてみる。

「なんだ？」すぐに返事が返ってきた。

「起きていたんですね。疲れましたか？」

「そりゃあ疲れたさ。あんなに喋ったからな」

「それじゃあ、もう喋りたくはないですよね」

「……なにか話したいことがあるのか？」

「ええ、まあ……」僕は言葉をにごす。たしかに鷹央と話をしたい気がする。事件はひとまず解決したが、まだ胸中で釈然としない部分が残っていた。

一時間ほど前、大河内をはじめとする教団の幹部たちが施設の外に連行されると、僕と鷹央は桜井から軽く話を聞かれたあと解放された。教団の詐欺行為の解明に貢献した鷹央に対して気をつかってのことだろう。詳しい聴取は明日以降になった。

かくして僕たちは、多摩の奥地から天医会総合病院へと向かっていた。

「たくさんの人間にでかい声で話すのは疲れたけど、小鳥と話すぐらいの体力なら残っているぞ。それで、なんについて話したいんだよ」

「神羅が沖田先生の娘さんだって、どうして確信できたんですか？　神羅になっていたのが他の信者で、沖田絵美は教団から出て行っただけかもしれなかったのに」

「写真だ。あれを見てすぐに入れ替わりに気づいた」

「写真って、沖田絵美が高校生のころの？　けれど、あの頃と今とじゃ彼女、全然雰囲気が違ったじゃないですか」

「たしかに化粧と火傷で顔の雰囲気は全然違っていたな。けれど耳は同じだった」

「耳？」

「ああ、そうだ。あの写真に写っていた沖田絵美の左耳と、神羅の左耳が完全に同じ形をしていたんだ。耳の形までは大河内も気にしていなかったみたいだな」

僕は絶句する。耳の形、まさかそんなところに目をつけるなんて、いやそれ以前に、神羅の耳の形をおぼえていたということ自体が普通じゃない。

「聞きたいことはそれだけか？」言葉を失っている僕に、鷹央は気怠《けだる》そうに言う。

「沖田先生の娘さん……。この後、大丈夫ですかね」

あの教団の信者たちは誰もが大河内の詐欺の犠牲者だが、その中でも沖田絵美が払った犠牲はあまりにも多すぎた。払った犠牲がすべて無駄だということを知らされた二十一歳の女性。彼女は果たして立ち直れるのだろうか？　あの右顔面の火傷、彼女はそのハンデを乗り越えられるのだろうか？

「さあな」

鷹央のそっけない返事に、僕は眉根をよせる。

「さあなって、それじゃあ、あまりにも無責任じゃないですか？」

「……私はあの女になんの責任も負ってないぞ」

「けれど、彼女に現実を見せつけたのは先生でしょ」

「あの教団はもう限界に達していただろ。あそこまで信者が増えればキノコの生産も追いつかなくなっていくだろうし、警察にも目をつけられはじめていた。もともと大河内は限界まで信者を増やして、そいつらから金を巻き上げたら切りのいいところで姿をくらませるつもりだったはずだ。私がなにもしなくても、あの沖田絵美は近いうちに現実を見せつけられていたんだ。私がやったより残酷な形でな」

「それはそうですけど……」

「お前は、あの女になにかしてやりたいと思っているのか？」

「そりゃあ、まあ……」

「やめとけ」

「やめとけって……」

「あいつは子供じゃない。自分の始末は自分でつけるべきだ。別にあいつは他人に強制されてあの教団に入信したわけでも、顔を焼かれたわけでもない。だまされていたとはいえ、自分の選択でやったんだ。大人なら自分の選択には責任を持つもんだ」

正論だった。しかし、僕にはそう簡単に割り切ることはできなかった。

「それじゃあ、もう僕たちは彼女には関わらないんですか？」

「私があの女を助けたのは、沖田のためだ。あの女を教団から現実世界に引き上げた時点で、私の仕事は終わっているんだよ」

「それはあまりにも……」ドライすぎるのではないか。

「それに……」鷹央はRX－8の天井を見つめながらつぶやく。「あいつはこれから現実に向き合わないといけないんだ。残酷な現実とな。ここで誰にも頼らず自分一人で乗り越えないと、あいつはきっと一生『大宙神光教の被害者』のままだ」

鷹央はそこまで言うと、天井を見上げたまま黙りこむ。鷹央の言っていることが正しいのか、僕には判断はできなかった。こんな時だからこそ、絵美は誰かの支えが必要なのではないか？　そう思いもする。しかし、僕は反論しなかった。鷹央の考えと僕の考え、どちらが正しいかなんてきっと誰にも分からないのだろう。少なくとも鷹央によって絵美はあの教団から解放された。それでいいではないか。

そう……少なくとも今日はそれでいい。

小さい空間が静寂に満たされる。エンジン音がかすかに鼓膜を揺らした。

どこか居心地が悪い沈黙を打ち消そうと、僕は口を開く。

「やっぱり、沖田先生は大河内に殺されたんですかね。裁判まで起こそうとしていた沖田先生が邪魔になった大河内が、信者の一人をあのキノコで洗脳して、沖田先生を殺すように命令した……」

トリップ状態で大河内の命令を聞いた信者は、それが宇宙人からの命令だと思って実行した。そういうことなのだろう。しかし僕の予想に反し、肯定の言葉は返ってこなかった。僕は再び横目で鷹央を見る。いつの間にか鷹央は目を閉じていた。

「眠っちゃったかな？」

「眠ってないぞ」すぐに不機嫌そうな声をあげると、鷹央は薄目を開ける。

「大河内が沖田先生を殺した男を洗脳したのは間違いないと思うんですけど、あの脳《のう》梗塞《こうそく》、どうやって作ったんでしょうね？　頭蓋骨に穴を開けないで脳梗塞を作る方法なんて全然思いつかないんですよ」

この手の謎は鷹央の大好物のはずだ。僕は水を向けて鷹央の言葉を待つ。しかし、やはり鷹央は黙りこんだままだった。

「大河内はあの教団の信者を使って、人体実験とかしていたんですかね。あの教団で行方不明になっていたのは沖田先生の娘さんだけでしたけど、身よりのない信者だっていたでしょうから、そういう信者を使って、キノコを使うだけじゃなく、もっと強烈な洗脳の方法を探していたりとか……」

自分の金儲けのために無数の人間に薬物を投与し、絵美の顔を躊躇なく焼いた大河内。あれほど非人道的なことを行えた男なら、想像するだけでもおぞましい行為に手を染めていたことは十分に考えられる。きっと今後あの教団を警察が調べることで、さまざまな事実が浮かび上がってくるのだろう。

「先生はどう思ってるんですか？」

沈黙に痺《しび》れをきらして、僕は鷹央の様子をうかがう。鷹央は無表情のまま、車の低い天井を見つめていた。その姿はどこか西洋人形を彷彿とさせた。鷹央が表情に乏しいのはいつもの事だが、なぜか今日はその表情に暗い影が差しているように見えた。

「眠る。病院に着いたら起こしてくれ」

それだけ言うと鷹央は再び目を閉じた。ほどなく、すーすーとかすかな寝息が聞こえてくる。どれだけ寝付きがいいんだ、この人。

僕は小さくため息を吐《つ》きながらアクセルを踏み込んでいく。

加速したＲＸ－８の車体は、暗い車道をスピードを上げて駆けていった。

第四章　死天使のナイフ

1

「暑い……」

たてつけの悪い扉を開くと、中からこもった熱気が吹き出してきた。僕は室内に入ると、デスクの上に置かれたリモコンを手にとりボタンを押す。ガタガタと音をたてながら古いエアコンが生温かい空気を送りはじめた。

白衣を脱ぎ、椅子の背にかけると僕はエアコンの下に行き、徐々に冷えてきた風を顔面にあびる。もう夜だというのに外の気温はまだ三十度近くありそうだ。密閉されていたこの小さなプレハブ小屋は蒸し風呂のようだった。

冷風を浴びて体内にこもった熱が放散していくのを感じながら、僕は壁に掛けられたカレンダーに視線を送る。八月最終週の土曜日。あの大宙神光教《だいちゅうしんこうきょう》での詐欺の全容があばかれた日から一週間が経《た》っていた。

事件の翌日、僕と鷹央《たかお》は桜井《さくらい》に呼び出され警察署まで行ったが、事情聴取は拍子抜けするほど簡単に終わった。桜井の話によると大河内《おおこうち》は黙秘しているが、ともに逮捕された教団幹部たちが我先にと教団が行っていた犯罪について供述をはじめているので、僕たちの証言を詳しく聴取する必要はあまりなかったらしい。

ただ、幻覚キノコを使った詐欺行為については多くの幹部たちが認めているのに対し、沖田《おきた》の殺人についてはいまだに証言を得られていないということだった。

「まあ、これからしっかり絞り上げれば、誰か口を割りますよ」

帰り際、桜井は軽い口調でそう言ったが、どうにももやもやしたものが胸に残っていた。まあいい。少なくともこれからは警察の仕事だ。

体に溜《た》まっていた熱が消えていくのを感じながら、僕は帰宅する準備を始める。

本来土曜日は休みだが、今日は救急部の日直業務に当たっていた。それも午後六時には勤務が終わるはずだったのだが、勤務終了直前に搬送されてきた食道静脈瘤《じょうみゃくりゅう》破裂による大量吐血患者の、内視鏡的止血術の手伝いをしていたため、すでに時間は二十時をまわっていた。早く帰って休むとしよう。

僕は鞄《かばん》に手を伸ばすと、ふと顔を上げ窓の外を見る。鷹央の〝家〟の窓から薄い光がもれていた。僕は〝家〟を見たまま、こめかみを人差し指で掻《か》く。

事件が解決してからというもの、どうにも鷹央の様子がおかしかった。なにやら心ここにあらずといった感じで、もの思いにふけることが多くなっている。鷹央が自分の世界に入りこむことはもともと多かったが、最近は楽しげに思考しているというよりは、なにか悩んでいるように僕には見えた。

まあその状態でも、複雑怪奇な症状を呈して他科から統括診断部の外来に送られてきた患者に、僕がこれまで耳にしたこともないような疾患の診断を一瞬で下したりと、仕事に支障をきたすことはなかった。

そろそろ声をかけた方がいいのかとも思っているのだが、心配されることに鷹央が拒否反応を示す気がして、いまだに実行に移せずにいる。

週明けまで態度がおかしかったら、話を振ってみるか。僕はリモコンを手にとり、ガタガタと音をたてるエアコンを止めると、小屋を出ようとする。扉のノブに手を伸ばした瞬間、デスクの上に置かれた内線電話がけたたましい着信音を鳴らしはじめた。

なんだよ、このタイミングで。長時間の救急勤務で体の奥底に疲労が溜まっている。今日は早く帰って家で休みたかった。僕は居留守を決め込む。

十秒……三十秒……一分……二分

少しすれば諦めるだろうと思っていたが、いくら経っても内線電話はヒステリックに着信音を鳴らし続ける。すると今度は、椅子の背にかけた白衣から院内携帯もメールの受信音を響かせた。

「なんなんだよ」

　狭い室内に響きわたる不協和音に顔をしかめながら、僕は院内携帯を取り出し、メールを確認する。

『イルノハワカッテル　サッサトデロ　タカオ』

　また送られてきた電報のようなメールに、僕はあわてて受話器を取る。

「遅い！」受話器を顔の横に持って来た瞬間、上司の怒声が鼓膜を殴りつける。「お前が小屋に入るの見て電話したんだから、居留守なんか使っても無駄なんだよ」

　なら内線電話なんかで呼ばずに、直接声をかければいいじゃないか。

「あの、なんの用ですか？　もう帰ろうかと思っていたんですけど」

「酒は好きか？　飲めるか？」

「え、酒ですか？　そりゃあまあ嫌いじゃありませんけど……」

「それじゃあ付き合え」

「付き合えって、なにに？」

「酒に決まっているだろ」

「いや、先生は飲めるんですか？」

「ざるだ。いくらでも飲める」自信満々の声が返ってくる。

ざる？　鷹央先生が？　あの小さい体で酒豪だとはとても信じられなかった。

「まあ……明日は休みですから、べつに付き合ってもいいんですけど、このあたりに居酒屋とかありましたっけ」

そもそも、居酒屋のような騒がしい場所に鷹央が行けるのだろうか？　数分で『うるさい！』とヒステリーを起こして店を出る気がする。いや、それ以前にあの童顔で未成年だと思われて、店に入れてもらえないかもしれない。

「なに言っているんだ。うちで飲むんだよ」

「え、そこで飲むんですか？　病院内で飲むのはちょっとやばいんじゃ……」

「ここは病院内じゃない。個人の住宅だ。ここで私がなにをしようと自由だろ」

「はあ……」完全に納得したわけではないが、とりあえず返事だけしておく。しかし、夜中に女性の家に上がり込んで二人だけで飲むのはどうなのだろう？

……まあいいか。数秒考えたあと僕は結論を出す。大学空手部そして外科と体育会系の世界で生きて来たので、上司の酒の誘いを断ることに抵抗があった。それに女性といっても相手はあの人だし。

「それじゃあすぐに行きます」

「待て。そうだな……二十三時十八分に来い」

またきりの悪い時間を。僕は腕時計に視線を落とす。時計の針は二十時十八分を指していた。ちょうど三時間後を指定したらしい。けれどその時間って……。

「その時間って、先生もう眠っている時間じゃないですか？」

「酒を飲む時は徹夜に決まっているだろ」

いや、そんなこと決まってない……。少し飲むだけのつもりだったのだが、壮絶な飲み会になりそうな気配だ。軽い気持ちで了解したことを後悔しはじめる。

「けれど、なんで三時間なんですか？」

「まだ、ここにあまり酒がないからな。今からネットで注文して届けてもらう。馴染《なじ》みの二十四時間営業の酒屋があるから、二十三時十八分までには運んでくれる」

「ああ、普段はお酒置いてないんですね」

「しかたないだろ。姉ちゃんが酒を置いておくと怒るんだよ。『病院内にお酒を持ち込むんじゃありません！』ってさ。ここは病院内じゃないのに……」

電話越しでも、鷹央の唇を尖《とが》らして拗《す》ねている姿が見える気がした。

「いいから二十三時十八分だ。遅れるなよ」

その言葉を残して一方的に回線が切られる。僕は苦笑しながら内線電話をフックにもどした。どうやら今日は徹夜で飲み明かさなくてはいけなくなったらしい。まあい い、明日は特に予定もない。僕は安っぽいパイプ椅子を引いて座ると、机の上に置かれたＡ４サイズのノートパソコンの電源を入れた。三時間も時間ができてしまった。

パソコンでもいじって時間を潰すことにしよう。最近は大宙神光教のことで忙しく、メールのチェックも怠っていた。

受信ボックスを開く。メールの内容に軽く目を通すと、続いて百通以上メールが溜《た》まっている『迷惑メール』のボックスを開いた。

そのフォルダに割り振られた無数のメールにもざっと目を通していく。その時、一通のメールに気づき、僕は目を見開く。フリーメールアドレスから送られた一通のメール。その送り主には『救急部　沖田克也《かつや》』と記されていた。

死者からのメール⁉　一瞬背筋が冷たくなるが、メールを受信した日付けを見てすぐに納得する。その日付けは沖田が刺し殺される数日前のものだった。なんのことはない、フリーメールアドレスから送信されたため、自動的に『迷惑メール』のフォルダに割り振られてしまったメールに、僕が一ヶ月以上も気づいていなかったのだ。

マウスをダブルクリックする。画面にメールの内容が表示された。

『さっき言っていた研究の資料を添付しておきます。ざっと目を通してみて下さい。ちょっと面白い結果になってるから。ではでは。　沖田』

さっき言っていた研究？　液晶画面を見つめながら記憶を探る。

「ああ……」そういえば、沖田に連名で論文を書こうと誘われていたんだった。

たしか論文のテーマは、〝院内での急変とその蘇生率《そせいりつ》について〟だったっけかな？

僕はしんみりしながら、メールに添付されていたＥｘｃｅｌのファイルを開く。沖田がまとめていたであろうデータが画面上に現れた。

データはこの数年間での病棟で起こった心肺停止の症例数と、その蘇生率などを細かくまとめたものだった。これは沖田が数年かけて集めた貴重なデータだ。沖田が命を落としたいま、このデータをしっかりまとめて論文の形で発表することは僕の義務なのかもしれない。そんな気がした。

ちょうどいい、鷹央との約束の時間までこのデータに目を通してみよう。僕は少し身を乗り出すと、数字が羅列された液晶画面をのぞき込む。

各科ごと、そして病棟ごとに、急変率や蘇生率がまとめられている。僕はデスクに頬杖《ほおづえ》をつきながら、画面をスクロールさせてその数字を眺めていった。

データを見始めてから数分後、僕は眉をひそめディスプレイを凝視していた。

データの一部に明らかな誤りがある。そう、誤りだ。そうに決まっている。

もしこの数字が正しかったら……。

僕は腕時計を確認する。時刻はまだ二十時半を少し過ぎたところだ。『あの人』は院内にいるかもしれない。確かめなくては。このデータが間違いであることを。

僕は震える手を机の上の内線電話に伸ばした。

2

うるさい……。頭蓋骨《ずがいこつ》の中に重低音が反響する。重い瞼《まぶた》をゆっくり持ち上げると、僕は白く広い部屋に横たわっていた。頭が痛い。

……ここは？　僕は目だけ動かし部屋を観察する。その時、真っ白い壁の表面に突然、さざ波のようなものが走った。僕は驚いて目を凝らす。壁の表面を走る波は次第にその大きさを増し、単調だったその動きは不規則なものになっていく。それはまるで腸管が蠕動《ぜんどう》しているようだった。

これはいったいなんなんだ？　僕は起き上がろうとする。しかし体は動かなかった。脳と体が断線したかのように、いや、魂が体の外に浮き出してしまったかのように、少しも動くことができない。

いったい何が起こっているんだ？　僕は必死に自分の置かれた状況を整理しようとする。しかし、思考は濁りに濁ってまとまらなかった。

たしか沖田の研究データを見て、電話をして、そして来るように言われたんだ。来る？　どこへ？　廊下、奥へと続いていく長く暗い廊下……。

あの人？　僕は誰と会おうとしたんだっけ？

思い出せない、思い出せない、思い出せない……。

思考をまとめようとすればするほど、それらは千々に千切れていく。

『オキタカ？』

再び記憶の中を探ろうとした僕の頭に、声が聞こえてくる。脳に直接語りかけてくるようなエコーのかかった声。僕は声の主を探して眼球だけを動かす。

いた。僕は自分の足元に人影を見つけた。いや、正確にはそれは『人影』ではなかった。僕がみつけた『それ』は人間の姿をしていなかった。人間にしてはあまりにも巨大な頭と目、頭部にはまったく毛は生えていない。肌は蒼色《あおいろ》で光沢を発していた。体はその頭部と比較してあまりにも小さい。

『宇宙人』。すぐにその単語が頭に浮かぶ。そう、僕が見ている『それ』の姿は、ハリウッド映画などでよく出てくる、『グレイ』と呼ばれる宇宙人の姿に酷似していた。

恐怖で悲鳴を上げそうになるが、声帯すらも震わせることができなかった。

『シンパイ　シナクテイイ　ナニモ　シンパイハ　イラナイ』

再び響いたその声は、脳に、そして全身の細胞に浸透していく。なぜかそれだけで、体中に満ちていた恐怖や混乱が解け去っていった。

ふと僕は視線を持ち上げる。そこに半球があった。ヘルメット……？　僕の頭にその単語が浮かぶ。内側に落ち窪《くぼ》んだそれは、巨大なヘルメットに見えた。半球状のそのヘルメットには無数の小さな穴があり、その一つ一つの穴から美しい光の奔流が溢《あふ》れ出していた。その幻想的な光景に、僕は持ち上げた視線を動かせなくなった。

『モウスグ　ナニモ　カンジナクナル

モウスグ　クルシミモ　カナシミモ　イタミモ　キエサル』

……なにも感じない？　……苦しみも？　光で包まれた僕の視界の中に、唐突に薄い影が生じる。影はゆっくりと振り子のように左右に揺れながら、次第に形を作っていく。四肢が力なく垂れ下がった人影と、その首から上方に伸びる細い線。

だめだ！　僕は叫び声を上げようとした。しかし声帯が震えることはなかった。それでも僕は内心で叫び続ける。

全部忘れるなんてだめだ！　あのことを忘れるなんて赦《ゆる》されるわけがない！

『コレデ　ラクニナル　チカラヲ　ヌクンダ』

あの声がささやくと同時に、体がゆっくりと上の方へと移動していく。

このままだと、きっと『僕』は消されてしまう。沖田を刺したあの男のように。

暴れようとするが、指先さえピクリとも動かない。体はゆっくりと上方へと移動し続ける。絶望が胸に広がっていく。

がたんという音とともに、唐突に体が止まった。

『ダイジョウブカ』

不意に声が響く。さっきまでの『宇宙人』のものとは明らかに違う声。その声は小鳥のさえずりのように涼やかで、オーケストラが奏でる交響曲のように力強かった。

『ナントカ　マニアッタ　ミタイダナ』

再び響いた声が僕を包み込み、僕の心にはびこる恐怖を消していく。

いったい誰の声？　不意に世界が黄金色《こがねいろ》に輝いた。戸惑う僕の視界に人影が入ってくる。さっき見た『宇宙人』とはちがう美しい人影。それは女性の姿だった。全身からまばゆい光を放っている美しい女性。

天使？　そんな単語が頭に浮かぶ。そう、その姿は宗教画で見る天使のように見えた。ふと僕は、天使の顔に覚えがある気がした。

『ウゴクナヨ　ッテイッテモ　ウゴケナイカ　チョット　マッテロ』

僕の頭に向かって天使の手が伸ばされる。額にわだかまっていた鈍痛がゆっくりと消えていく。

『ヨシット　ホレ　イツマデ　グダグダシテルンダ』

天使は蕩《とろ》けるような笑みを見せながら、僕の顔をのぞき込んでくる。

『メヲサマセヨ　コトリ』

小鳥？　僕のことをそんなふうに呼ぶのは……。

次の瞬間、ふわふわと宙をさまよっていたような僕の意識が一気に引き上げられる。

視界が三百六十度回転した。僕を包んでいた光が渦を巻き、すべてを飲み込んでいく。まるで洗濯機の中に放りこまれたかのような感覚。

「うわあああー！」

喉を嗄《か》らして悲鳴を上げながら、僕は勢いよく上半身を起こした。

激しい嘔気《おうき》とともに、食道を熱いものがせり上がってくる。僕はあわてて横を向き、黄色い胃液を嘔吐する。口の中を冒す胃液の苦みが、ぐにゃぐにゃとゆがんでいる世界に徐々に直線を取り戻させる。やけに頭が痛み、僕は顔をしかめた。

「汚ねえなあ」

横から呆《あき》れ声がかけられた。僕は咳《せ》き込みながら、声の方向、さっき『天使』がいた場所に視線を向ける。そこにはもう『天使』はいなかった。そのかわりに……。

「起きたか？　小鳥」皮肉っぽい笑みを浮かべた鷹央が楽しげに言う。

「鷹央先生！」

「おお、正気づいたみたいだな、よかったよかった」鷹央は僕の肩をぺちぺちと叩《たた》く。

「いったい……なにが？」

ここはどこなんだ？　さっきの『天使』は鷹央だった？　それじゃあ、あの『宇宙人』は？　いったいなにが起こっていたんだ？　頭蓋の中が疑問で埋め尽くされる。

状況を把握しようと周囲を見回す。背後を振り返った僕は眉をひそめた。そこに巨大な装置が鎮座していた。ＳＦ映画に出てきそうな直方体の装置、その中心部分に穴が空いていてトンネル状になっている。そのトンネルの入り口あたりには無骨なヘルメットが固定されていた。厚さが十センチ近くありそうな金属製のヘルメット。それは鉄でできた巨大なお椀《わん》のようだった。

「これは……？」

「ガンマナイフだ」鷹央は快活に言う。

「ガンマナイフ？」それってたしか……。

「脳腫瘍《のうしゅよう》や脳血管奇形用の放射線定位照射装置だ。二百一個のコバルト60をヘルメット状に並べて精密にコントロールすることで、ガンマ線を脳にピンポイントに照射できる。一個の線源からのガンマ線は力が弱いから正常組織にはほとんどダメージを与えないが、二百一のガンマ線が集中する部位の細胞には強いダメージを与え……」

また鷹央の百科事典を読み上げるかのような説明がはじまる。

「いえ、それは一応知っていますけど、いったいなんで僕はここに……」

早く状況を把握したくて、僕は思わず鷹央の説明をさえぎってしまう。気持ちよさそうに解説をしていた鷹央はじろりと僕をにらみつけた。

「ちゃんと最後まで聞けよ。普通の放射線照射とは違い、ほとんど誤差なく病変部位だけに傷害を与えることができることから、まるでナイフで削り取っているようだということで、ガンマナイフと名付けられた。つまり……」

鷹央は人差し指を立てると、得意げに低い鼻を鳴らす。

「この装置を使えば、頭蓋骨を開けなくてもピンポイントで脳細胞を破壊できるんだ」

頭蓋骨を開けなくても脳細胞を……? 僕は目を見開く。

「そんな……。いったい誰が……?」

「なんだ、覚えていないのか? 誰に会おうとしてこんなことになったのか?」

誰と会おうとして? そうだ、僕は誰かと会おうとしていた……。痛む頭を動かし、僕は必死に記憶を探る。

そう、僕は呼び出された。いや、正確には僕から連絡をとったんだ。沖田からのメールに添付されていたファイルを見て、そして……。僕は大きく息を吞む。

「思い出したか?」

鷹央の声に僕は呆然とうなずく。そう、僕はあの人に会いにいった。

「それじゃあ、あとの説明は犯人を交えてすることにしようか」

鷹央はあごをしゃくる。僕はそちらに視線を向けた。

大きなガラス窓の向こう、ガンマナイフを操作するコントロールルームに一人の男が座っていた。きれいに禿《は》げあがった頭、人の良さそうな恵比寿顔《えびすがお》。

脳神経外科部長の蔵野正《くらのただし》は、一切の表情を浮かべることなく僕たちを見ていた。

3

「蔵野先生が……」

「そうだ、この男が犯人だ」僕のつぶやきに律儀に鷹央が答える。

「犯人って、いったいなんの⁉　蔵野先生は何をしたんですか？」声がかすれる。

「分かっているだろ。一人の男の人格を破壊し、そいつに沖田を殺させたんだ。私たちの外来で自殺した男をおかしくしたのもこの男だ。それに……」

鷹央の目が細くなる。その瞳に鋭い光をたたえて。

「この男が殺したのはそれだけじゃないはずだ。なあ、そうだろ？」

鷹央が声をかけても、ガラスの向こう側にいる蔵野は微動だにすることはなかった。

「そんなところにいたら話しにくい。こっちに来いよ」

鷹央は人差し指をくいっと動かし蔵野を呼ぶ。蔵野は表情を動かさないまま、ゆっくりと立ち上がると、部屋の中に入ってきた。

「蔵野先生……なんで……」

僕はガンマナイフの台から下りて立とうとする。しかし、足にまったく力が入らなかった。床に膝から崩れ落ち、なんとか手で上半身を支える。自分の手の甲に点滴ラインが伸びていることに気付き、僕はあわてて点滴針を手背静脈《しゅはい》から引き抜いた。

「無理に立とうとするな。あんなことされた後なんだから」

「……いったい僕は何をされたんですか？」

ついさっき体験したあの不可思議な現象、あれはなんだったんだ？

「ＮＬＡ麻酔……だろ？」鷹央は入り口付近に立つ蔵野に向けて笑みを見せた。

「ＮＬＡ麻酔。それって……」僕は頭を振る。

「神経遮断薬と鎮痛薬を投与して、患者の意識を残したまま周囲に無関心な状態と鎮痛を得る麻酔法だ。まあ、あまり外科では使われないな。患者と話をしながら行う脳手術とかで、まれに使われるぐらいだ」

「けれど……けれど、僕は周囲に無関心とかそういう感じじゃなくて、なんていうか……この前の大宙神光教の儀式みたいな感じに……」

ついさっきの幻想的な体験を上手く説明できなかった。

「ああ、幻覚を見たのか。ＮＬＡ麻酔で幻覚は見ないな。とすると、オリジナルなレシピで麻酔をかけていたってことか。大宙神光教の儀式と似たような体験をしたってことは、ＬＳＤでも混ぜてみたか？　そうすれば全身の自由を奪ったままトリップさせられて、洗脳にもってこいの状態を作れるからな。宇宙人にさらわれたと思い込ませるのも簡単だっただろうな」

蔵野は答えなかった。その態度は鷹央の言葉が正しいことを如実に語っていた。

「洗脳……」僕は床に座り込んだまままつぶやく。

「ああ、まさに洗脳だな。脳を破壊し、自我を消し去ってから命令を入れるんだから」

「じゃあ、本当に沖田先生を殺した男は……それに外来の窓から飛び降りた男も……」

「当たり前だろ。いまさらなに言ってるんだよ。ちなみに、前原《まえはら》の頭蓋骨にあった傷は、ガンマナイフ装置に頭部を固定する際についたものだ。お前も頭蓋骨まで針を刺されていたから、あとでちゃんと治療しないとな」

「なんでそんなことを……」僕は唖然《あぜん》としながら、無表情にたたずむ蔵野を見る。

「沖田の口を封じるために決まってるだろ。お前、忘れたのか？　ここに来る前になにを見ていたか」

ここに来る前に、見たもの……。僕は動きの悪くなっている頭を必死に動かして、記憶をさらう。たしか鷹央に飲みに誘われ、空いている時間に……。

「ああっ！」

思い出した。沖田が遺《のこ》したデータにあまりにも不可解な点があったので、それについて確認をしようと蔵野に連絡を取ったのだ。すると、蔵野は内線電話越しに『地下にいるから五分後に来てくれ』と言ってきた。僕は言われたとおりに一人で地下に行って……。そこで記憶は途切れていた。

「お前は一人で地下に来たんだろ、そこで不意をつかれて気絶させられたんだ。スタンガンでも使われたんだろうな。そして、その男は秘密を知ったお前を始末しようとした。前原や沖田を殺した男にやったのと同じ方法でな。どうせ、洗脳してお前にあのデータを全《すべ》て処分したうえで自殺するように命令するつもりだったんだろ。違うか?」

いまだに一言も発していない蔵野に、鷹央は挑発的な視線を向ける。数秒間の沈黙の後、こわばっていた蔵野の表情がふっとゆるんだ。

「……いやあ、なにも違わないよ。全部鷹央ちゃんの言うとおりだ。まさか鷹央ちゃんに邪魔されるとは思っていなかったよ。もう寝る時間だろ」

「今日は小鳥と徹夜で飲む予定だったんだ。けれど時間になっても小鳥がうちに来なかったからな。腹が立って小屋に乗り込んだら、小鳥はいなくて、沖田がまとめたデータがディスプレイに表示されっぱなしだった。それを見て、すぐに気づいたよ」

「それだけで全部気づくなんてね。鷹央ちゃんに乱入された時は心臓が飛び出すかと思ったよ。しかも、ちょっと小鳥遊《たかなし》先生の状態を見ただけで、すぐに薬を点滴ラインから投与して意識を戻すなんて、さすがは鷹央ちゃんだよ」

賞賛と呆《あき》れがブレンドされた蔵野の言葉を聞いて、僕は鷹央の顔を見上げる。

「あの、先生。……僕にいったいなにを打ったんですか？」

「塩酸ビペリデンとナロキソン塩酸塩、そしてこの前大宙神光教の時に用意していたMAOの注射液だ」

鎮静薬と麻薬の拮抗薬《きっこうやく》とともに、鷹央はとんでもないものを口にする。

「MAOの注射薬って、打っても大丈夫かどうか分からないって言っていたやつじゃないですか！　そんなものを僕に打ったんですか？」

この人、本当に僕で人体実験しやがった。

「結果として問題なかったからいいだろ。男のくせに細かいやつだな」

細かくない！　僕は立ち上がって抗議しようとするが、やはり足に力が入らず床に這《は》いつくばってしまう。

「しかし、よく考えればたしかにここは理想的な場所だな。地下にあるのは解剖室と、休日は夜間使わないような専門装置だけだから、時間外は閉鎖されている。そして鍵を持っているのは各科の部長ぐらい。誰にも気づかれずにここにある最新機器を使える。うちの姉ちゃんがそろえた最新機器をな」

蔵野はなにも答えなかった。鷹央は気にする素振りも見せず話を続けていく。

「お前はここで気絶させた被害者たちにオリジナルレシピのNLA麻酔をかけ、幻覚を見せながらガンマナイフによって、扁桃体《へんとうたい》と前頭葉の一部を破壊した。あそこまで完全に脳を破壊しているところを見ると、通常よりも遥《はる》かに高い線量を長時間照射したんだろうな。そして被害者たちに『宇宙人』と名乗りながら話しかけ、沖田を殺すように命令をした。薬物による幻覚と脳の破壊のせいで、被害者たちは簡単に『宇宙人』に命令されたと思い込んだ。まあ、飛び降りた前原の時は破壊する脳の場所がずれでもしたのか、うまく操れなかったみたいだけどな」

「なにからなにまで全部お見通しか。さすがは鷹央ちゃんだよ」

蔵野は肩をすくめるとあっさりと鷹央の言葉を認めた。

「そんな、なんでそんなことを……」

僕は床にへたり込んだまま呆然《ぼうぜん》とつぶやく。

「沖田を殺してあのデータを闇に葬った上で、沖田ともめていた大宙神光教に疑いの目を向けさせるために決まっているだろ。きっと沖田は、自分が集めたデータの異常に気づき、蔵野に相談したんだろうな。まさか、その相談相手が元凶だと思わずに」

鷹央は早口で答えた。

「それじゃあ、……あのデータは間違いじゃないっていうんですか?」

まだ残っている薬の影響か、それとも恐怖によるものか、声が震える。上下の歯がかちかちと音をたてた。もしあのデータが正しかったとしたら、蔵野は……。

「そうだ。……この男は患者を殺していたんだ」

鷹央は普段通りの、いや普段以上に感情を排した声で言った。


言葉を失ったまま、僕は沖田から送られたデータを思い出す。各科、各病棟でのこの数年間の急変患者の数、そしてその救命率を求めたデータ。その中で蔵野が部長を務める脳神経外科病棟での急変の確率はあまりにも高かった。脳神経外科という重症患者を多く抱える診療科としては、ある程度急変が多いのはしかたないだろう。しかし、それを差し引いても、あの数は多すぎた。

そして一番の問題は、手術を受けてすぐの患者よりも、何週間、何ヶ月と意識障害が続き、胃瘻《いろう》や中心静脈栄養管理をしている患者に急変が集中していたことだ。その頻度は短期的には目立たなくても、長期間の統計で見れば明らかに異常だった。

「お前は、脳神経外科病棟に入院している患者のうち、長期間意識が戻らない患者に致死的な薬をうって安楽死させていた。違うか?」

鷹央は蔵野の目を見ながら、静かに問いかける。蔵野は小さく息を吐くと、ゆっくりと口を開いた。

「殺していた……か。鷹央ちゃん、小鳥遊先生。人間は、いつ死ぬと思う?」

「法的には医師が死亡を宣告した時だな、そして生物的には……答えは出ていない」

鷹央は淡々と答える。蔵野はその答えに満足げにうなずいた。

「そう、答えは出ていないんだよ。心臓が止まった時、脳死になった時……はっきりした線引きはない。欧米だと脳に人格があるとして、脳死を人の死として認めることが多いけど、日本だと基本心臓死なのに、臓器提供の意思がある時だけ脳死を人の死として認めるなんていうわけの分からない状態だ。誰も、なにをもって人が『死んだ』と定義するべきなのか、万人が納得する解答なんて持っていないんだ。だから僕はね、長く医者をやってるうちに自分でラインを引いたんだよ。人がどこで死ぬのか」

蔵野の双眸《そうぼう》に妖しい光が宿る。

「大脳の前頭葉が死んだ時だ。人間の意思を作り出す前頭葉、そこが完全に死んだ時、人間は死ぬんだよ。前頭葉にこそ魂があるんだ」

顔を紅潮させながら、熱にうかされたように蔵野は話し続ける。

「つまり、お前にとって前頭葉が機能を停止した患者は、もう死んでいるっていうわけだな。もう死んでいるからとどめを刺したと」

鷹央は軽くあごを引くと、蔵野を睨《ね》め上げる。

「見たことあるだろ。意識もないのに、胃瘻を作って強引にチューブで栄養を投与されている患者を。誤嚥性《ごえんせい》肺炎をくり返し、ケアが悪ければ褥瘡《じょくそう》ができて手足も拘縮《こうしゅく》する。家族もそのうち見ているのがつらくなって、面会に来なくなったり、中には『ひと思いに死なせてあげて下さい』と言い出すこともある。けれど、日本ではその状態での安楽死は基本的に認められていない、それをすれば……殺人になる」

僕は脳神経外科病棟に行った時のことを思い出す。たしかにあの病棟に意識がないままに経管栄養を行っている患者は少なかった。蔵野は自分の手術の腕がいいからだと言っていたが、裏でそんな恐ろしいことが……。

「意識もなく体はじわじわと弱っていく、家族ももはや見ていられない、そんな逃げ場のない状態にピリオドを打ってなにが悪い。俺は患者も家族も助けたんだ。それが間違いだっていうのか？　これは『殺人』なんかじゃない、これは……『救済』だ！」

蔵野の口調には熱がこもっていき、最後には叫ぶかのようになっていた。荒い息をつきながら蔵野は僕たちに視線を送ってくる。回答を求めるために。

僕はすぐには答えられなかった。蔵野は間違っている。歪んでいる。理性ではそう思っても、簡単に蔵野の行動を責めることはできなかった。蔵野が言うように、悲惨な状態のまま現代の医療技術によってただ生命活動だけを強引に継続させられている患者を何人も見てきた。そんな患者たちにとっては、たしかに『死』は一種の救済なのかもしれなかった。

「馬鹿かお前は。なに自分に酔っているんだ」

黙りこむ僕の隣で、鷹央ははっきり、迷いのかけらもない口調で言い放った。どこか得意げだった蔵野の表情が、火で炙《あぶ》られた蠟《ろう》のようにぐにゃりとゆがんだ。

「鷹央ちゃんには、俺の『正義』は理解できないか」蔵野は喉の奥から声を絞り出す。

「なにが正義だ！」鷹央の怒声が壁を震わせた。「それが正義だというなら、なんでお前はそれを隠すために沖田を殺した？　小鳥《ことり》を殺そうとした？」

「それは……」蔵野は分厚い唇を震わせる。

「お前は『死の天使』と呼ばれる種類のサイコパス、社会病質者だ。お前は患者を救いたかったんじゃない。救済という免罪符をたてにして、人の命を支配することに快感を感じていたんだ。だからこそ、自分に危険が及ぶと建前をかなぐり捨てて邪魔者を殺そうとした」

鷹央は言葉を銃弾にして、容赦なく蔵野に撃ちこんでいく。蔵野の食いしばった歯がぎりりと音を立てた。鷹央は鼻を鳴らしながらさらに言葉を続ける。

「沖田を殺した男と、うちの外来から飛び降りた男、あいつらは誰だったんだ？　どうやって見つけた？」

「……簡単だよ。二人とも深夜に救急を受診して、その時にクレームをつけて暴れた患者だ。待ち時間が長いってね。その日、管理当直をまかされていた俺が対応して、そのまま地下に連れて行ったんだよ」

蔵野の態度は、教師に叱られてふて腐れる小学生のようだった。

「なるほどな。どうりで簡単に地下に連れ込めたわけだ。けれど、お前が殺したのはもっといるだろう？　脳の一部を破壊して自我を消す方法なんて、そう簡単に確立できるわけがない。前原や沖田を刺した男みたいな奴らを使って実験でもしたのか？」

そうだ。蔵野自身がかなりの数の人体実験でもしない限り、その方法を確立できないと言っていた。いったいこの男は自らの歪んだ『正義』の名のもとに、どれほどの人間をその手にかけてきたのだろう？

「……末期がん患者だよ」蔵野はゆるゆると顔を上げると、力なく言った。

「末期がん？」予想外の言葉に僕は無意識につぶやく。

「ああ、そうだよ。二年前まで勤めていた地方の病院は、扱える医者がほとんどいないのにガンマナイフを導入していた。だから、俺がほぼ専属で操作を行っていたんだよ。そして、脳腫瘍とかがんの脳転移でガンマナイフを受けることになった末期がん患者の中で、死の恐怖に苦しむ人たちを俺は救ったんだ。最初は扁桃体を破壊することで『感情』を鈍くして、恐怖を感じなくしていた。それで大半の患者は死の恐怖から解放された。けれどそれだけじゃ完璧じゃなかった。せっかく恐怖を感じなくしても、疼痛《とうつう》で苦しむ患者はいた。だから、俺は考えたんだ……」

弱々しかった蔵野の言葉に再び熱がこもっていく。

「痛みを感じる主体を消せば良いんじゃないかってね。小鳥遊先生には話したよね。『心』が、『自分』がなくなった患者のことを。あれは貴重な症例だから、徹底的に検査をしていたんだ。そのデータをもとに試行錯誤して、ようやくつきとめた。脳のこを破壊すれば『心』を消し去れるかね。想像してみなよ、『自分』がなくなれば苦しむことはない。家族も苦しんでいる患者を見ないですむ。しかも、最低限の受け答えはできるし、こちらが指示したら、その通りの行動をとってくれる。理想的だ」

蔵野の口調はもはや、民衆を扇動する独裁者のようだった。

「つまり、あくまでお前は患者とその家族のためにやったって言うんだな」

鷹央は興奮する蔵野に向かって、露骨に興味なさげに言う。

「そうだよ。そうなんだ。俺はずっと患者のためを思ってきた。患者のために……」

「ふざけるなよ、このクズが」

鷹央はプラスチックのように平坦《へいたん》で温度のない口調で吐き捨てた。蔵野の顔に浮かんでいた媚《こ》びるような笑みが融《と》け落ちていく。

「なんで……なんで分かってくれないんだよ。凡人には分からなくても、鷹央ちゃんなら分かってくれると思っていたのに。くだらない倫理観なんかに縛られないで、合理的に考えてみてくれ。俺がやったことは間違ってなんかいない！」

つばを飛ばしながら叫ぶ蔵野の言葉が、狭い室内に反響した。

「合理的？　笑わすなよ。お前のやったことのどこが『理に合っている』って言うんだ。お前の理論は完全に破綻しているじゃないか」

「破綻？」蔵野の太い眉がいぶかしげにひそめられる。

「お前は前頭葉に人格があり、そこが破壊された者はもう『死んで』いると考えた。けれどその一方で、お前は死の恐怖に苦しんでいる患者の前頭葉を破壊して、それを『救済』だとうそぶいている」

鷹央は淡々と話し続ける。蔵野の顔に動揺がさざ波のように走った。

「つまりお前は、死ぬことが怖いといっている人間を殺して、『ほらもう怖くないだろ。俺はお前を救ってやったんだ』と悦に入っているんだよ」

一分《いちぶ》のすきも見いだせないほどの正論。蔵野の表情筋が複雑に蠕動し、喜怒哀楽どれともとれない感情をその顔面に刻む。

「『救済』なんていうのは、お前が自分の罪悪感を隠すための偽りの免罪符だ。お前は患者の命を思い通りに支配することで、自分が神にでもなったかのような万能感を感じていたんだ。お前は自分の快感のために人を殺していたんだ！」

そこまで言ったところで鷹央は言葉を止めると、大きく息を吸った。とどめとなる一言を口にするために。鷹央の視線が蔵野を射貫《いぬ》く。

「お前は医者じゃない。快楽殺人者だ」

蔵野はうめき声をもらす。目を逸《そ》らし続けてきた自らの正体を暴かれて。

「ちがう……、俺は本当に……、患者のために……」

「笑わせるなよ。患者の命を奪った時、お前は興奮していたんじゃないか。自分が人の命を支配するかりそめの神になった気がして」

「そ、そんなことあるはず……」

「本当か？　よく思い出してみろ、お前が患者を殺した時のことを。他人の命を握りつぶす感触、お前はその虜《とりこ》になっていたんじゃないのか！」

蔵野は体を震わせると、力なくこうべを垂れた。

重い沈黙が部屋に充満する。音が消えさった空間の中、時間だけが過ぎていく。一分、二分、三分……。

「……鷹央ちゃん、俺はどこで間違ったんだろうな」

うつむいたまま蔵野は弱々しくつぶやいた。

「知らんよ。そんなこと自分で考えろ。そして、自分のやったことの責任をとれ」

鷹央の口調にはいっさいの容赦がなかった。蔵野の顔に苦笑が広がっていく。

「そうだよな。……自分で責任を取らないと」

ぶつぶつとつぶやく蔵野を前にして、胸の中で不安が膨らんでいく。この後、蔵野はどのような行動に出るつもりだろう？　自らの犯罪が鷹央によってすべてあかるみに出た今、蔵野がとれる行動は二つだけだ。

警察に逮捕されるのを待つか、それとも……その事実を知る者の口を封じるか。

僕は再び立ち上がろうとするが、やはり足に力が入らない。薬の影響が残っている。蔵野は体格が良いとはいえ五十代だ。普段なら襲ってきたとしても容易に撃退できるだろう。しかしいまの状態の僕と鷹央では、蔵野に対抗できるとは思えなかった。僕は背中に冷たい汗をかきながら、蔵野の次の行動を待った。

「……来たか」

鷹央が小さくつぶやく。それを合図にしたかのように、遠くからかすかに足音が聞こえてきた。誰かがここに向かって来ている。

「来たって、誰がですか？」僕は小声で鷹央に訊ねる。

「私が誰にも言わないで来るわけないだろ。ここに来る前に、コロンボもどきに連絡を入れてきたんだよ。遅かったけど、やっとついたみたいだな」

コントロールルームの扉が勢いよく開き、息を切らした桜井と成瀬《なるせ》が駆け込んできた。蔵野は数歩後ずさる。きょろきょろと室内を見渡した桜井は、僕たちの方を見ると、軽く息を乱したままいつものように頭を搔いた。

「えっとですね……これはどういう状況なんでしょうか？　天久《あめく》先生に『沖田の件の

犯人を捕まえるからすぐ来い』って呼び出されたんで来たんですが……」

「この男が犯人だ」鷹央が人差し指で、少し離れた位置に立つ蔵野を真っ直ぐに指す。

「あの……こちらの方は？」

「うちの病院の脳神経外科部長、蔵野だ」

「あ、そうなんですか。はじめまして。で、犯人ってなんの犯人なんでしょうか？」

桜井は間の抜けたセリフを吐きながら、表情をこわばらせている蔵野を見る。

「そこにある機械を使って、男の脳を改造して沖田を殺させた犯人だ。その他にも余罪は腐るほどある。ちなみに今夜は小鳥を薬で昏睡《こんすい》状態にして監禁して、脳を破壊しようとしていた。寸前で私が小鳥を助けてやったんだ」

鷹央が自慢げに語る言葉を聞いて、蔵野を見る桜井の目がかすかに険しくなる。

「天久先生がおっしゃったことは本当ですか？」

桜井の視線を受け止めたまま、蔵野は無言で唇を嚙む。

「えっと、蔵野先生でしたっけ。ちょっと署でお話をうかがわせていただけますか」

桜井のセリフは言葉面《ことばづら》は慇懃《いんぎん》だったが、その口調は拒否することをゆるさないような重量を内包していた。

「いや、……それは遠慮します。警察に話すことなんてない」

蔵野は硬い声で答える。桜井が蔵野の肩越しに僕に視線を送ってきた。

「小鳥遊先生。そちらの先生に薬を盛られて監禁されたというのは本当ですか？」

「え、ええ……」桜井の迫力に圧倒されながら、僕はためらいがちにうなずく。

桜井は再び蔵野に向かって視線を向けた。

「もし任意の事情聴取に応じていただけないなら、小鳥遊先生に対する傷害容疑で緊急逮捕いたします。どちらにしても、あなたにはお話をうかがわせていただきますよ」

普段の軽薄な仮面を脱ぎ捨て、刑事としての顔を見せる桜井を前にして、蔵野はじりじり後ずさりをすると、首だけ回して背後の僕たちを見た。いまだに座り込んでいる僕と隣に立つ鷹央を。

こわばっていた蔵野の顔からふっと力が抜けた。まるで憑《つ》きものが落ちたかのように。次の瞬間、蔵野はその巨体からは想像できないような俊敏な動きで体をひるがえすと、こちらに向かって走る。

僕が身構える間もなく、蔵野の太い腕が鷹央の華奢《きゃしゃ》な体に回された。鷹央を軽々と小脇に抱えたまま、蔵野は部屋の隅へと移動する。いまだに十分に体の自由を取り戻していない僕は、命の恩人が連れ去られるのを呆然と見送ることしかできなかった。

「動くな！」蔵野の怒声が、狭い部屋にこだまする。

しかし言われるまでもなく、僕も刑事たちも動くことはできなかった。鷹央の白い首筋に突きつけられた万年筆の鋭いペン先。それが僕たちの動きを封じていた。

「馬鹿なことはやめましょうよ。そんなことしてもなんにもならない。天久先生を離して下さい。悪いようにはしませんから」

桜井が蔵野に諭すように言う。蔵野は唇をゆがめた。

「鷹央ちゃんを離したら逮捕されて、やってもいない沖田先生の事件の濡《ぬ》れ衣《ぎぬ》まで着せられるんだ！　そうに決まっている！」

やってもいない？　この期に及んでなにを言っているんだ。僕の頬が引きつる。

「やっていないことで罪を問われるようなことはありませんよ。信用して下さい」

桜井が刺激を与えないよう穏やかに言うが、蔵野はヒステリックに頭を振る。

「信用？　警察を信用しろだ⁉　そんなことできるわけないだろ！　お前らなんて国家の犬だ。裏じゃ人に言えないようなことやってるんだろ！」

支離滅裂なその内容に桜井は眉をひそめる。

「私たちはお話をうかがいたいだけです。落ち着いて下さい。さっき天久先生が言ったことは間違いだっておっしゃるんですね」

「そうだ。全部でたらめだよ。俺はただ小鳥遊先生が気に入らなかったから、この機械を使って脳味噌《のうみそ》をめちゃくちゃにしてやりたいと思っただけだ。その他にはなにもしていない」

蔵野は僕をにらみながら叫ぶ。

「せっかくそこの生意気なガキを殺せると思ったのに、鷹央ちゃんに邪魔されるとはね。けれどな、いくらなんでも沖田先生の事件まで俺のせいにするのはやり過ぎだ」

蔵野は叫ぶように言う。鷹央は表情を変えることなくその言葉を聞いていた。

ふと僕は違和感をおぼえた。鷹央が落ち着きすぎている。人質に取られるなんていう予想外の状況におちいれば、鷹央ならパニックになるはずだ。しかし実際には、首筋に万年筆の尖《とが》ったペン先を突きつけられた鷹央からは、かけらほどの動揺も感じられなかった。まるでこの事態を予想していたかのように……。

「……これで終わりか」

天井を眺めながらぼつりとつぶやいた蔵野は、鷹央の耳元に口を近づけるとなにか囁《ささや》いた。鷹央は軽く首を動かし、自分の背後に立つ蔵野を見ると、かすかに、注意してみていなければ見逃してしまうほどかすかにうなずいた。蔵野の表情が緩む。

蔵野は唐突に鷹央の体に回していた腕を外すと、その首筋に突きつけていた万年筆をゆっくりと移動させる。自分の後頭部へと。

その行動の意味がつかめず、桜井、成瀬、そして僕は立ち尽くす。

禿げあがった蔵野の頭は、ペン先がどこに当たっているのかはっきりと見ることができた。ちょうど首の付け根、第一頸椎《けいつい》の上部あたり。あの場所は……。

「だめだ！」蔵野がなにをしようとしているかに気づいた僕は、声を嗄らして叫ぶ。

蔵野はこちらを向くと力なく微笑《ほほえ》んだ。ペン先を後頭部にあてたまま、蔵野の体が後方に傾いていく。次の瞬間、蔵野の体と床が衝突する重い音が部屋に響く。蔵野の四肢が一瞬突っ張ると、すぐにだらりと脱力した。

僕は動くこともできず、後ろの首筋に深々と万年筆を刺し、力なく横たわる蔵野を眺めることしかできなかった。

よろよろと成瀬が蔵野の体に近づき、「きゅ、救急車」とつぶやく。

「無理だ。延髄が破壊されている。もう手遅れだ。なにをしてもな……」

鷹央の声が寒々と部屋に響いた。

多くの人々の脳を破壊し、その人格を弄んだ殺人者は、最期に自らの脳髄を破壊することで一連の事件に幕を下ろした。

エピローグ

世界がまわる。脳のかわりに重石《おもし》でも詰められたかのように頭が重い。

「どうした。もう飲まないのか？」

こんな状態に追い込んだ元凶に声をかけられ、僕は顔を上げる。赤ワインの瓶を片手に持った鷹央《たかお》が、僕の顔を覗き込んでいた。左右にゆらゆらと揺れながら。

「あれ？　先生なんか揺れていません？」

「揺れているのはお前だ」

「ああ、そうですね……。僕が揺れているんですよね。僕が……」

「なんだよ、これくらいでもう酔ったのか？」

「これくらいって……」僕は焦点の定まらない視線を床に散乱している酒瓶に向ける。すでに二人でビールを二リットル、ワインを三瓶、日本酒を一瓶、さらにサワーやらなんやらまであけている。

「……あの、鷹央先生は酔っていないんですか？」

僕の問いに、鷹央はワイン瓶を片手に小首をかしげる。

「私さ、酔うっていう感覚が良く分からないんだよな」

どれだけ酒に強いんだ。もはや『ざる』どころじゃない、『底の抜けた枡《ます》』だ。

「どんな肝臓してるんですか……」

「アルコールの代謝には肝臓機能よりも、代謝酵素の方が重要だ。私はアセトアルデヒド脱水素酵素が遺伝的に十分あるんで、肝臓内のアセトアルデヒドから酢酸への代謝がスムーズで、アセトアルデヒドの血中濃度がほとんど上がらないから……」

「分かりました。分かっています。さすがにそれくらいは知っています」

ここで鷹央の知識のシャワーを浴びたら、ただでさえ痛む頭が爆発しそうだ。

説明をさえぎられた鷹央は軽く頬を膨らませると、ワインの瓶に直接口をつけ、ラッパ飲みをはじめる。……ワインをこんな飲み方する人間をはじめて見た。

僕は頭を振りながら天井を仰ぐ。

蔵野《くらの》の自殺という形で事件にピリオドが打たれてから、一週間が経《た》っている。ガンマナイフに固定された時につけられた額と後頭部の傷ももう痛まなくなっていた。危機一髪のところで鷹央に救われた僕は大きなダメージを負うこともなく、傷を消毒して三日ほど休んだだけで仕事に復帰した。

そして今日、僕はあらためて鷹央に誘われ、屋上の〝家〟でさし飲みにのぞんでいた。しかし、酒を買う時に年齢確認されそうな外見のくせに、鷹央は本当にとんでもないウワバミだった。

僕は霞《かすみ》がかかったような頭で、蔵野の死によって幕を下ろした事件の全容について思いをはせる。沖田《おきた》の事件は実行犯、そしてそれを指示していた人物が二人とも死んでしまったことで、曖昧なままの解決といった様相を呈していた。

一応僕に対する傷害容疑を口実に、蔵野のデスクや家が捜索されたらしいが、桜井《さくらい》から聞いたところによると、いまのところ蔵野の犯罪を裏付けるような証拠はなにも見つかっていないらしい。

もし蔵野がやってきたことがあかるみに出れば、おそらくこの天医会総合病院にはマスコミが押し掛け、大変な騒ぎになっただろう。もしかしたら病院がつぶれるような事態におちいっていたかもしれない。そんなことになれば、この病院に通っている患者、そしてこの周辺の地域医療にとって大きな不利益が生じたはずだ。

蔵野は殺人者だった。そして蔵野が主張した『正義』はこの上なく自分勝手で歪《ゆが》んだものだった。けれどその一方で、蔵野の行動の根幹にはたしかに『患者のため』という想《おも》いはあったのかもしれない。

この病院を、ひいてはこの病院にかかっている患者を守るために、蔵野は自らの命を絶ったのではないか？　そう思うのは、少し裏をよみすぎだろうか？

「さて、そろそろ今日のメインイベントといくか」

処理速度の遅くなった頭でもの思いにふけっていた僕は、鷹央の声で我に返る。鷹央が手術着のポケットから小さなＵＳＢメモリーを取り出していた。

「なんですか、それ？」

「見たら分かるだろ。ＵＳＢメモリーだ」

「いや、それは分かりますけど、いったいそれをどうするつもりですか？」

「蔵野の最期の願いを叶《かな》えてやるんだよ」

「もしかしてそのメモリーって？」僕は息を呑《の》む。

「そうだ。蔵野に捕まった時、あいつがそっと私の白衣のポケットに入れてきたんだ。この中にガンマナイフを使って、人間を意思のない操り人形にするノウハウが詰まっているらしい」

白衣のポケットに？　もしかしたら蔵野が鷹央を人質に取ったのは、そのＵＳＢメモリーを桜井たちに気づかれないように渡すため？

「中身……見たんですか？」

「見るわけないだろ。蔵野はこれを隠すために死んだんだぞ」

「これを隠すために？」

「そうだよ。警察に逮捕されれば、そのノウハウが外にもれる可能性があるだろ。そうなればどんな使われ方をするか分かったもんじゃない。どんな命令でも聞く人間だぞ。悪用の仕方はいくらでもある」

「悪用以外しようがないですよね、そんなもの」

「ああ、そうだな。だから……」

鷹央はそう言うと、もたれかかっていたソファーの下に手を入れる。なにやらごそごそと探ったあと引き抜いた手には、大振りな金槌《かなづち》が握られていた。

なんでソファーの下にそんなものがあるんだ？

「こうしちまおう」

鷹央は頭上に金槌を振りあげると、USBメモリーに向かって無造作にそれを振り下ろした。ぐしゃという鈍い音がして、プラスチック製の覆いが割れ、内部の電子部品が露《あら》わになる。鷹央は再び金槌を振りあげ、そして思いきり振り下ろす。恨みでも晴らすかのように執拗《しつよう》に鷹央はメモリーを破壊していく。

「これで誰も読み取れない」

「いいんですか……こんな事して？」

このメモリーの中には、蔵野の犯行を裏付ける大切な証拠があった可能性が高い。

「警察にばれたら問題だろうな。で、お前はこのことを警察に言ったりするのか？」

鷹央は挑発するかのような視線を向けてくる。

蔵野が意識のない患者へと行っていた行為、それは法に照らせば間違いなく重大犯罪だろう。けれど、医療現場でその実状を見てきた僕には、蔵野の行為を単純に『悪』と割り切ることはできなかった。蔵野の行動により出口の見えない苦しみから解放された家族、そして患者もおそらくいたのだろう。その遺《のこ》された家族に対し、もしかしたら患者が殺害されていたかもしれないなどと伝えてどうなるというのだろう。また新たな苦しみを与えるだけだ。

僕にはなにが正解なのか断言はできない。いや、そもそも正解など存在しないのだろう。だからこそ医療に携わるものは常に悩み、自分なりの考えを持ち続けていかなければならないのだ。僕はさらに焦点があいまいになってきた視線を鷹央に向ける。

「ええ、もちろん善良な市民としては警察に通報したいところですけど。いまはべろべろに酔っているんで、明日このことを覚えている自信がないです」

「ということは、覚えていたら通報するのか？」

鷹央が少々不安げに言う。せっかく格好良く決めたつもりだったのに……。

「そんなことしませんって。安心してください」

「そうか、これでお前も共犯者だ。万が一私が逮捕されたら、お前にそそのかされたって言うからな」

「またまた、そんな冗談を……」

「冗談？」鷹央は真顔で首をかしげた。

……この人、いざとなったら本気で僕を売るつもりか？

戦慄する僕の前で、鷹央はグラスを手に取ると、白ワインをなみなみと注いでいく。

そんな鷹央を見ながら、この数日間ずっと疑問に思っていたことが頭に浮かぶ。

「先生、ちょっと聞きたいことがあるんですけど……」

「なんだ？」

「先生はいつ頃から、蔵野先生が犯人だって気づいていたんですか？」

大宙神光教《だいちゅうしんこうきょう》の詐欺をあばいた帰り道、鷹央はなにか思い悩んでいたように見えた。もしかしたらあの時点で、鷹央は気づいていたのではないか？

「……お前の部屋で、沖田が遺したデータを見た時だ」

鷹央は露骨に視線を外しながら言う。この人、嘘《うそ》が下手すぎる。

「本当ですか？」

僕が軽く追及すると、鷹央は下唇を突き出しながら話しはじめた。

「……ガンマナイフを使った可能性が高いことはもっと早く気づいていたよ。大宙神光教の件が片づいてすぐだ。それまではあの教団のことで頭がいっぱいだったからな。あらためて、外部から脳を壊死《えし》させる方法を考えてすぐに思いついた」

「僕はてっきり大宙神光教が、大河内《おおこうち》がやったんだと思っていました」

「大河内が沖田を殺したいなら、そんなことする必要ないだろ。あれだけ宇宙人の存在を信じ込んでいた信者がいたんだ。『宇宙人の命令』とでも言えば、喜んで沖田を殺す奴もいたはずだ。それ以前に、沖田を殺したら神羅になっていた沖田絵美の存在がクローズアップされるだろ。だから教団としては、沖田を殺してもメリットよりもデメリットの方が大きかった」

「言われてみればそうかもしれませんね。それじゃあ、鷹央先生は大宙神光教の本部から帰る時点で、蔵野先生が犯人だって気づいていたんですか？」

「私が気づいたのは、ガンマナイフを使えば外から脳を破壊できるっていうことだけだ。けれど誰がそれをやったかまでは分からなかったんだよ」

たしかにガンマナイフを使ったといっても、それが直接蔵野が犯人だと示すことにはならない。ただ、鷹央は蔵野が犯人の可能性が高いと気づいていたのではないだろうか？　沖田の関係者で、脳に詳しく、そして人知れずガンマナイフを使用できる。そんな条件に当てはまるのは蔵野ぐらいしかいない気がする。

鷹央は蔵野が犯人だと薄々気づきながら、そうでないことを願っていたのかもしれない。同僚が犯人でないことを。だからこそ、大宙神光教の詐欺をあばいてからというもの、なにか思い詰めていたのだろうか。

そんなことを考えていると、体育座りをしながら舐《な》めるように白ワインを飲んでいた鷹央が、横目で視線を向けてきた。

「私も聞きたいことがあったんだよ。今日は無礼講だからいいよな」

……あなたは人生、常に無礼講じゃないか。

「なんですか？」

「『振り子』ってなんだ？」

「え？」もともとアルコールで早まっていた鼓動がさらに加速する。酔いがわずかに覚めた気がした。「なんで……そのことを？」

「大宙神光教で薬を盛られたお前を部屋に連れて行っただろ、その時寝言で言っていたんだ。そしてこの前、蔵野に薬を盛られてガンマナイフをかけられそうになった時も、お前は『振り子……』ってつぶやいてうなされていた」

「そう……ですか」僕はうなずいたまま黙りこむ。

これまで、『あのこと』を誰かに話したことはない。誰にも話さず、ずっと自分の胸の中にひめていた。

「この話はしない方が良かったか？　もしそうならはっきりそう言え。私は言ってもらえないとそのあたりの機微は読めないから」

鷹央は僕の目を覗き込んでくる。僕を見つめる瞳に、部屋を照らす間接照明のオレンジ色の灯《あか》りが揺れた。

「先生は……僕がなんで外科を辞めて内科医になろうとしたか、知らないんですよね」

僕は胸を押さえ、狂ったように拍動する心臓の動きを抑えようとする。

「ああ、聞いていない。特に興味なかったからな。最初は……」

グラスに口を当てる鷹央を見ながら息を整えていく。鷹央に向けてすべてを告白してしまいたかった。楽になる権利など僕にはないというのに。

言うならアルコールで脳が麻痺《まひ》しているいましかない。なぜか、この上司になら伝えても良い、伝えなくてはならない気がした。僕は覚悟を決めると、大きく息を吸う。

「担当患者に死なれたんですよ。……僕が手術をした患者にね」

「……そういうこともあるだろ。全員を助けられるわけじゃないんだ」

「ええ、たしかに。けれどその人は違ったんです。……全然違ったんです」

僕は嘔吐《おうと》するように話し続ける。

「その患者は自殺したんです！」

鷹央は僕を見つめたまま、なにも言わなかった。それがとてもありがたかった。

「六十代で直腸がんの男性患者でした。がん細胞は筋層まで達していましたけれど転移はなかったので手術を勧めました。ただ、がんの位置が肛門《こうもん》に近かったので……」

「人工肛門……か」

「はい、そうです。患者は最初手術を嫌がったんです。数年前に奥さんを亡くしていて、もう自然に任せたいって。けれど、僕には納得できなかった。手術をすればあと十年も二十年も生きられるはずなのに、それをしないで自然の経過に任せるなんて。だから、……だから僕は患者を説得したんです」

アルコールのせいかやけに乾く口の中を、僕は唾液で湿らせる。

「それで、その患者は手術を受けたんだな？」

「ええ、最終的には『先生におまかせします』って言われて手術をしました。手術自体はうまくいきました。がんもうまく切除できて、術後の経過も順調でした。ただ、本人は腹にある人工肛門を見てショックを受けたみたいで、『こんな体になりたくなかった』と落ち込んでいました。それなのに僕は手術がうまくいったことに満足して、『そのうち慣れますよ』なんて……。そして退院が決まって、退院の朝に病室を回診したら……」

そこまで言ったところで、強い吐き気がこみ上げてきた。僕は必死に食道までせり上がってきた熱いものを飲み下す。

「その人が……首を吊っていました。天井についていた点滴用のフックに、結んで輪にした電気コードを引っかけて。部屋に入るとその患者の体が左右にゆっくり揺れていたんです……振り子みたいに」

「……そうか」

鷹央は残り少なくなったワイン瓶を逆さまにして、中身を喉に流しこんだ。

「僕はあの人に長生きして欲しかった。だから、だから手術を勧めたのに。けれど、結局あの人はがんを放置するより早く死んだんです。患者のためにと思っていたつもりだったけど、僕は患者のことをちゃんとみていなかった……」

「だから内科医になろうと思ったのか」

「……はい」僕はうなだれるように頷《うなず》く。「毎日手術に追われる外科よりも、患者に接する機会が多い内科なら、もっと患者に寄り添うことができるんじゃないかと……」

わきのテーブルの上に置いておいたグラスを手にとると、残っていた赤ワインを口の中に流し込む。すでに限界以上のアルコールを摂取しているが、飲みながらでないとこんな話はできなかった。

「私も似たようなもんだ……」ワイン瓶を逆さまにしながら、最後の一滴まで舌の上に落としていた鷹央がぼそりとつぶやく。

「はい？」

「……私も似たようなもんだって言ったんだよ」

鷹央は空になった瓶を床に置いて、指先ではじく。フローリングの上を空き瓶は転がっていき、〝本の樹《き》〟に当たって止まった。

「私は天才だ」鷹央はまだ開けていない白ワインの瓶を引き寄せる。まだ飲むつもりなのか、この人は。

「知っていますよ、先生が天才だってことは。この二ヶ月で十分に」

僕はソファーで脱力しながら言う。最後の一杯が効いたのか、それとも胸の奥にしまいこんでいたものを吐き出したせいか、体の力が抜けてきた。

「ただ、私は好きなように知識を蓄えてきただけなんだ。その知識を何かに使おうなんて思わず、ただ自分の好奇心を満たしていただけだ。それで良いと思っていた。けれどな、『知識は使わなければ、なにも知らないことと同じだ』って言われたんだ」

「……誰にですか？」

鷹央は頰を膨らましながら「誰だっていいだろ」とつぶやくと話を続ける。

「私はショックを受けたんだ。それまで知識は蓄えることが目的で、それをなにかに役立てるなんて思いもつかなかったからな。だから、どうやって私の素晴らしい知識を生かすべきか考えた」

「それで、医者になったんですね」

「ああ、そうだ。研究者も考えたけど、実験とか、学生への指導とか苦手だったからな。医者なら自分の知識を使って診断さえつければ、患者の役に立つと思ったんだ。

私は子供のころから病院に出入りしていて、医学の知識は特に優れていたからな」

鷹央は自慢げに術着に包まれた胸を張るが、すぐに少し猫背になる。その理由が僕には分かる気がした。病院の中で行われているのは医学ではない、医療なのだ。

「けれど研修医になってすぐに、自分がこの仕事にあまり向いていないと気づいた。診断さえつければ良いと思っていたのに、注射やらなにやらの手技もやれとか言われるし、それに自分の体に起こっている症状をうまく説明できない患者も多い。私と話していると怒り出す奴もいるしさ……」

鷹央の声がどんどん小さくなってくる。いつも飄々《ひょうひょう》としている鷹央だが、その裏でかなりの苦労もあったのだろう。

「だから、どうやれば私の知識が一番効率よく使えるか考えて、この統括診断部を立ち上げた。まだ、できてからそんなに経っていないから、試行錯誤の段階だけどな」

鷹央は手近にあったビール缶を開けると、一気にあおった。そんな鷹央を虚《うつ》ろな目で眺めながら、教授がなぜ僕をここに派遣したかが分かった気がした。最初は進むべき道に迷っている僕を導いてくれるような、素晴らしい指導医がここにいると思っていた。けれど違ったのだ。ここにいたのは、僕と同じように自らの進むべき道を探してもがいている女性だった。

超人的な知能を持ちながらも、人と接すること、人の気持ちを感じ取ることが苦手な鷹央。そしてお人好《ひとよ》しで、人の顔色の変化に敏感で、内科的な知識に飢えている僕。お互いの足りないところを補っていけば、二人とも医師として成長できる。きっと教授はそう考えたのだ。

「ところで話は変わるんだが……」

鷹央はビール缶を両手で持ちながら、ちらちらと僕の方を見てくる。なにか言葉を探しているような感じだ。傍若無人な鷹央にしては珍しい。

「どうかしましたか？」

「いやな……お前、もうすぐこの病院を退職するだろ」

退職⁉　アルコールで麻痺していた脳細胞が一気に目覚める。

そう言えば、鷹央が沖田の葬式に行かないと言い出した時、勢いで『この病院を辞める』と宣言してしまった。てっきり、その後の流れであの話はなかったことになっていたと思っていたのだが、鷹央はそう捉えてはいなかったらしい。

これはえらいことだ。もちろん大学の医局には、僕が来月から戻るなんて伝えていない。下手をすれば来月から無職になってしまう。

「あ、あのですね、鷹央先生……」

「まあ、私はお前がいなくなっても困らないんだけど、まあ、なんだ。……次の医者が派遣されてくるまで時間が空くと、いろいろ弊害も出てくるかもしれないしな。姉ちゃんとかがそれは良くないんじゃないかとか言いだして……」

慌てて誤解を解こうとした僕のセリフを遮って、鷹央が話しはじめた。

「お前が外来だけじゃなく、入院患者も診たがっていることは知ってる。うちは人数が少ないから、そんなにベッドは持てないけれど、外来受診した患者用に四床ぐらい入院ベッドを持とうかなって思っていたりするんだ。あくまでお前が残ればの話なんだが……」

鷹央は明後日《あさって》の方向を見て、ビールをちびちび舐めながら、独り言のように言う。その言葉の意味が脳に浸透していくにつれ、僕の口元は緩んでいった。

「いいですね、それは後ろ髪ひかれるなぁ。そうだ！　それにプラスして、先生がカルテ回診だけじゃなくて、患者を直接回診もして、それに僕がついていって勉強できたりしたら、さすがにこの病院に残っちゃいますね」

僕が調子にのって出した条件に、鷹央はアルコールのせいか、頰を桜色に染めながら考え込む。数十秒後、鷹央はぼそりとつぶやいた。

「週に一回だけなら……」

「一回でも十分ですよ」僕は即答する。極端な人見知りの鷹央にとっては、週に一回だけでも大変な決断だろう。それを決心してくれたことが嬉《うれ》しかった。

「それじゃあ……小鳥《ことり》は来月からもここに勤めるんだな？」

鷹央はもうビール缶を口元に当てながら、上目遣いに僕に視線を送ってくる。

「はい、当分の間はよろしくお願いします！」僕は胸を張って返事をする。

「そうか。……お前がそうしたいなら私はかまわないぞ」

急にそっぽを向いた鷹央の唇のはしが緩んでいるのを、僕は見逃さなかった。

「いやー、けどこれで本格的に内科の勉強ができそうで嬉しいです。いろいろな患者さんを診られそうですし、真鶴《まづる》さんともまた会えるし……」

思考能力が麻痺した脳が、思わず余計なことまで口走らせた。失言に気づいた時にはもう遅かった。鷹央が怪訝《けげん》そうに目を細めながら僕を見ている。

「姉ちゃん？」

「いえ、その……べつに」

「お前、まさか姉ちゃんのこと好きなのか？」

そんなストレートな質問をされては、なんと答えていいのかわからない。

「いや、好きとかでは……きれいな人だなとは思っていますけど……」

僕はごまかそうとするが、鷹央がそう簡単に逃がしてくれるはずもなかった。

「姉ちゃんを口説いたりするつもりか？」再び強烈な質問を浴びせかけられる。

「いえ、まあ口説くとかじゃなくて、とりあえずいつか一度、一緒にお食事でもできたらなあとかは思ったりしていますけど」

「そうか……姉ちゃんを食事に誘うつもりか。……まあ食事だけなら法的には問題ないのか。けど、倫理的にはな……」

鷹央はぼそぼそと、気になることをつぶやきはじめた。

「いや、べつにそんな……、倫理的にまずいことなんてないじゃないですか」

「けれど、姉ちゃん人妻だし、やっぱり旦那が気にするんじゃないか？」

「え？」僕の口から呆《ほう》けきった音がもれた。アルコール漬けの脳細胞が凍りつく。

「どうした？　豆鉄砲くらったハトみたいな顔して？　ハトは小鳥じゃないぞ。小鳥って呼ぶには少し大きすぎる」

「いやいやいやいや、ちょっと待って下さい！　この前、先生が言っていたじゃないですか、真鶴さんはフリーだって」

「ん、違うぞ。そんなこと言ってない。よく思い出せ。お前が『真鶴さんって恋人とかいるんですか？』って聞いてきたから、私は『恋人はいない』って言ったんだ。半年前に結婚して、恋人から夫になったからな」

僕は頭を抱える。真鶴を前にした時に「いつか食事に」なんて考えていた自分を思い出し、顔から火を噴きそうなほどの羞恥心が酔いを覚ましていく。

「どうした、急に？」

突然奇声をあげはじめた僕に、鷹央は座ったまままじりじりと近づいて来る。

「先生！」僕は勢いよく顔を跳ね上げた。

「うお⁉　なんだよ？」鷹央は反り返る。

「今日はとことん飲みましょう！　まだまだ行きますよ！」

アプローチする前に失恋したんだ。これが飲まずにやってられるか。

鷹央は一瞬きょとんとした表情で僕を見ると、すぐに満面の笑みを浮かべる。

「おお、そうか。それでこそ小鳥だ。それじゃあ姉ちゃんに隠しておいた秘蔵の一本も開けちゃうぞ。朝まで飲むから覚悟決めろよ」

……実はこの人、けっこう酔ってるんじゃないか？

鷹央は普段のテンションからは考えられないほど上機嫌で両手を振りあげる。

こうしてアルコールに浸《つ》かりながら、僕が統括診断部で最初に経験した事件は幕を下ろしたのだった。

＊＊＊

クラシックの美しい旋律がかすかに聞こえて来る。

九月に入ったばかりだというのに、すでに秋の香りが混じった風が頬を撫《な》でていく。

僕は屋上を見回した。この二ヶ月、毎日のように訪れている屋上を。

慣れてくるうちにこの屋上にも、狭いプレハブの小屋にも愛着が湧《わ》いてきていた。

もちろん、一風変わった年下の上司にも。

扉の前に立ち、鼓膜をくすぐる音を楽しみながら、僕は左手首に巻かれた腕時計に視線を落とす。秒針が頂点に来た。八時三十分だ。それと同時に、扉の向こう側から聞こえていた旋律が消えた。僕は手を伸ばすと、ノブを回して扉を開く。

「おはようございます、鷹央先生」

「おう、おはよう。小鳥」

ソファーに座っていた鷹央が、笑みを浮かべながら軽く手を上げた。

今日も新しい一日がはじまる。

白い粉の秘密

天久鷹央の日常カルテ

「おはようございます」

『スフィアの死天使事件』から二ヶ月ほどが経《た》った金曜の朝、僕は週一回の救急部の日勤勤務へ向かう前、病院の屋上にある鷹央《たかお》の〝家〟に向かった。

「うわ、なんだよ、急に！」

玄関を開けると、ソファーに座っていた鷹央が甲高い声を出しながら、ローテーブルの下になにかを隠した。

「いえ、朝の挨拶をしに来ただけですよ。……で、なにを隠したんですか？」

「なんのことか分からんな」鷹央は視線を彷徨《さまよ》わせると、口笛を吹く。

これだけ分かりやすい反応をする人も珍しいな……。呆《あき》れつつ目を凝らした僕は、テーブルの上に白い粉が散らばっていることに気づく。

「それより、今日から新しい救急部長が来るんだろ」

露骨に話題を逸《そ》らした鷹央に、僕は「ええ、そうです」と頷《うなず》く。

二ヶ月前、院内で脳外科部長が僕に対する殺人未遂を犯し、さらに自殺したことで、院内には大きな動揺が走った。しかし、事務長である真鶴《まづる》や、何より院長である鷹央の叔父の天久大鷲《あめくおおわし》の手腕で、その混乱はようやく終息しつつあった。

そして、『宇宙人に命令された』という男により殺された救急部長の沖田《おきた》に代わり、新しい部長が今日、救急部に着任することになっていた。

「就任初日に遅刻したりしたら失礼だろ。さっさと行けよ。ほら、さっさと」

「わ、分かりましたよ」

鷹央にうながされた僕は、〝家〟から出て屋上を歩いていく。

ローテーブルの上に白い粉が散らばっている光景が、なぜか頭から離れなかった。


「小鳥遊《たかなし》先生、お疲れ様です。さっきの患者さん、症状が落ち着いたってことで、警察に連れていかれました。そちらの患者さんはどうですか？」

意識不明で搬送されてきたホームレスの診察を終えた僕に、女性研修医が話しかけてくる。

「バイタルは安定しているけど、やっぱり意識が戻らないな。警察に連れていかれたって、あの覚醒剤中毒患者ね。お疲れさま」

二時間ほど前、警察が逮捕した覚醒剤中毒患者が痙攣《けいれん》したと連れてきて、この研修医と一緒に抗けいれん薬の投与や、尿検査を行った。

「それじゃあ、カルテを書いておかないと……」

「もう私が書いておきました。使った点滴と抗けいれん薬のオーダーも終えています。あとでチェックだけお願いします」

「お、ありがとう。しかし、よく勉強しているね。まだ研修始まって四ヶ月とは思えないくらい優秀だ」

僕が褒めると、研修医は「いやあ、それほどです」と茶色いショートカットの頭を掻《か》いた。

「けれど、警察の人が言ってましたけど、逮捕したとき大変だったらしいですよ。部屋に踏み込んだら、テーブルに置かれていた白い粉を隠そうとして、『これは俺のものじゃない!』『こんなもの知らない!』って大暴れしたあと、痙攣しだしたんですって」

「白い粉を隠そうと……」

朝、〝家〟を訪れたとき、なにやら挙動不審な鷹央の前のテーブルに、白い粉が散乱していた光景が頭をよぎる。

まさか、そんなこと……。僕が口元に手を当てたとき、重い足音が近づいてきた。

「二人ともお疲れ様」

見ると、愛想と恰幅《かっぷく》の良い（というか重度の肥満体の）中年医師が近づいてくる。今日から救急部の部長に就任した、壺井《つぼい》という名の救急医だった。その見た目通り、穏やかで親しみやすいキャラクターをしており、会ってまだ数時間だというのに打ち解けることができていた。

僕が「お疲れ様です」と会釈すると、女性研修医が壺井の豊満な腹部を撫《な》でた。

「お疲れさまでーす、壺井先生。ところで、出産予定日はいつでしたっけ」

「もう来月なんだよ。おかげでこんなお腹《なか》にって、こら、誰が妊婦だ」

研修医と壺井は、お互いにけらけらと笑い声をあげる。

……打ち解けすぎじゃね？

研修医のコミュニケーションの高さにちょっと引いていると、壺井が「ああ、そうそう」と手を合わせた。

「さっき小鳥遊先生が搬送依頼を受けた、『体が痛くて左手が動かない』って主訴の若い男性患者、あと少しで到着するってよ。あと、外来に強い腹痛を訴えている男性も来ているらしい。ただ、僕はさっき病棟にあげた急性膵炎《すいえん》疑いの患者さんの家族がもうすぐ来るから、病状説明しないといけないんだ」

「分かりました。僕たちで対応しておきます」

壺井は「いやあ、悪いけどよろしくね」と軽く手を上げて離れていこうとする。その背中に僕は「あ、壺井先生、ちょっといいですか？」と声をかけた。

「どうかした？」振り返った壺井は小首をかしげる。

「あの、ご存知だとは思うんですけど、僕は統括診断部から派遣というか、レンタルという形で救急部の勤務をしているんです。ただ、統括診断部で病床もできて、入院患者も診るようになったから、出来れば少し勤務を減らしたいな、と。例えば、夜勤はなしとか……」

三十前後になってくると、ほとんど眠れない救急部の夜勤のあと、統括診断部の通常業務に入るのがかなりきついのだ。

「うーん、でも統括診断部の部長さんとは、金曜日の日勤と、週一回の夜勤で契約してあるしなぁ……」

壺井がつぶやく。今度は僕が「契約？」と小首をかしげる番だった。

「うん、昨日、天久《あめく》鷹央先生に会って、提示したレンタル料で契約成立したよ。彼女、『煮るなり焼くなり好きにしていいぞ。小鳥《ことり》を焼いたら、焼き鳥だな』とか、すごい上機嫌だったよ」

あの人、勝手なことを。あとで文句を言ってやろうと僕は心に決める。

「レンタル料っていくら払ったんですか？」

「ああ、お金じゃなくてお菓子だよ。実は、僕の実家が和菓子屋をしていてね」

和菓子で貸し借りされているのかよ……。脱力感をおぼえたとき、僕ははっと息を呑《の》む。

「壺井先生、昨日、鷹央先生に会いに行ったんですね。もしかして、そこで『レンタル料』を払いましたか？」

「うん、お土産に持っていったものを『手付金』としてお渡しすることになったよ」

レンタル料……、和菓子……、白い粉……。

「謎は全て解けたぁ！」

声を張り上げた僕は、驚いて目を大きくする壺井と研修医を尻目に、院内携帯を取り出して、〝家〟の内線電話に掛ける。数回のコールのあと回線がつながり、『はい、統括診断部』という、露骨に面倒くさそうな鷹央の声が聞こえてきた。

「鷹央先生、大福食べましたね！」

電話から喉を詰まらせたような音が聞こえてくる。数秒の沈黙のあと、鷹央が言った。

『……なんのことだ』

「ごまかしてもダメです。今朝テーブルに散らばっていた白い粉、あれは昨日、僕の『レンタル料』として受け取った大福についていたコーンスターチでしょ」

僕は言葉を切ると、壺井に小声で「渡したの大福ですよね？」と確認した。壺井はおずおずと「うん、十個詰めの箱を……」と首を縦に振った。

「やっぱり！　ちゃんと僕の分を残しておいてくれているでしょうね。まさか、十個全部食べたりしていないでしょうね。いつもお菓子を食べ過ぎるなって……」

僕がそこまで言ったところで、ブツンと音がした。

「あ、回線切りやがった……。さては全部食べたな。本当に糖尿病になるぞ……」

僕がため息をついていると、遠くから救急車のサイレン音が聞こえてきた。同時に、看護師が「さっきの患者さんのご家族がいらっしゃいました」と壺井を呼ぶ。

仕方ない。大福のことはいったん棚上げにして、仕事をするか。

「壺井先生は説明に行ってきて下さい。僕は搬送されてくる患者さんを診ます。あとは……」

「あとは、意識障害のホームレスと、腹痛の患者ですね。私が診察して、検査のオーダーを出しておきます。まかせて下さい！」

女性研修医は元気よく敬礼をする。

本当にフットワークが良いし、やる気も勉強量も十分な研修医だ。こんな研修医が統括診断部に研修に来てくれれば、色々と助かるのに。

「それじゃあ、頼むよ。えっと、名前は……」

女性研修医は胸を張ると、はきはきとした声で答えた。

「鴻ノ池舞《こうのいけまい》です！　よろしくお願いします！」

本作は二〇一五年八月に刊行された
『スフィアの死天使　天久鷹央の事件カルテ』（新潮文庫）を
大幅加筆・修正の上、完全版としたものです。
完全版刊行に際し、新たに書き下ろし掌編を収録しました。

実業之日本社文庫　好評既刊

知念実希人
崩れる脳を抱きしめて
研修医のもとに、彼女の死の知らせが届く……。愛した彼女は本当に死んだのか？　驚愕し、感動する、恋愛ミステリー。著者初の本屋大賞ノミネート作品！
ち 1 6

知念実希人
天久鷹央の推理カルテ　完全版
河童を目撃した少年。人魂に怯える看護師。その「謎」に秘められた「病」とは。本格医療ミステリー、ここに開幕！　書き下ろし掌編「蜜柑と真鶴」収録。
ち 1 101

知念実希人
ファントムの病棟　天久鷹央の推理カルテ　完全版
毒の混入を訴えるトラック運転手。病室に天使がいる、と語る少年。摩訶不思議な事件の真相は？　書き下ろし掌編「ソフトボールと真鶴」収録の完全版！
ち 1 102

知念実希人
スフィアの死天使　天久鷹央の事件カルテ　完全版
天久鷹央と小鳥遊優。二人は出会い、全てはここから始まった。大人気、天久シリーズ最初の難事件！　書き下ろし掌編「白い粉の秘密」収録の完全版。
ち 1 201

知念実希人
吸血鬼の原罪　天久鷹央の事件カルテ
二つの傷跡。抜き取られた血液。犯人は…吸血鬼？　天才医師・天久鷹央は、事件解明に動き出す。現役医師による本格医療ミステリー、書き下ろし最新作！
ち 1 208

ち 1 201

スフィアの死天使《してんし》　天久鷹央《あめくたかお》の事件《じけん》カルテ　完全版《かんぜんばん》

2023年11月15日　初版第1刷発行

著　者　知念実希人《ちねんみきと》

発行者　岩野裕一
発行所　株式会社実業之日本社
〒107-0062　東京都港区南青山6-6-22 emergence 2
電話［編集］03(6809)0473［販売］03(6809)0495
ホームページ　https://www.j-n.co.jp/
DTP　ラッシュ
印刷所　大日本印刷株式会社
製本所　大日本印刷株式会社

フォーマットデザイン　鈴木正道（Suzuki Design）

ISBN978-4-408-55844-8（第二文芸）